{ ANDRÉ MATHIEU }

Paula

Tome 4
Une chaumière et un cœur

Les Éditions
COUP d'œil

Couverture et conception graphique : Jeanne Côté
Révision et correction : Pierre-Yves Villeneuve

Première édition : © 2008, Les Éditions Nathalie, André Mathieu
Présente édition : © 2014, Les Éditions Coup d'œil, André Mathieu
www.facebook.com/EditionsCoupDœil

Dépôts légaux : 3ᵉ trimestre 2014
Bibliothèque et Archives nationales du Québec
Bibliothèque et Archives Canada

Imprimé au Canada

ISBN : 978-2-89731-538-2

J'aimai, je fus aimé ; c'est assez pour ma tombe ;
Qu'on y grave ces mots ; et qu'une larme y tombe !
Alphonse de Lamartine

Dans les plus humbles demeures
se logent les plus grands bonheurs.
André Mathieu

Chapitre 1

Ce beau jour de printemps, un soleil doux à faire pisser tous les érables avait pris rendez-vous avec la vallée tout entière. Mais loin de songer au temps des sucres, Paula se sentait fébrile pour autre chose. Ce voyage qu'elle entreprenait, c'était une nouvelle conquête à réaliser, un nouveau sommet à atteindre. Le langage des gagnants, releveurs de défis, c'était celui de son cœur et de sa vie, et il la poussait au loin où elle pourrait se voir elle-même et analyser sa vie passée depuis l'enfance, en fait depuis sa naissance à vingt milles de là, près d'un petit village des hauteurs dans la Beauce.

Car comment combler autrement cette solitude qui se montrait de plus en plus pressante et que pas même du travail apporté chaque soir à la maison ne parvenait à faire oublier vraiment.

On ne revient pas en arrière quand on a 50 ans. On ne peut faire reculer le temps et retrouver sa jeune famille avec les enfants qui rient et qui crient. Et qui pleurent aussi. Et qui demandent. Et qui aiment et qui se laissent aimer sans raisonner.

Tous partis.

Nathalie devenue infirmière. Christian, son jumeau, bien intégré au domaine agricole de son père. Et Chantal poursuivant ses longues études à Québec.

Marc, son fils adoptif, restait le seul enfant de la famille encore à la maison. Des études l'avaient conduit ailleurs pendant quelques années puis il avait pris logement dans la ville et y exerçait son métier de photographe ; mais Paula venait de lui confier la demeure qu'il aurait à gérer en collaboration avec un couple de domestiques français, le temps qu'elle dépenserait à courir autour du monde. Sans doute trois ans, pensait-elle.

La riche femme d'affaires avait choisi un départ grand style avec limousine et chauffeur. Albert, le serviteur français, la reconduirait à Montréal en passant par Québec. Et en route, elle en profiterait pour terminer par téléphone certaines affaires et surtout pour établir certains arrangements afin que ses diverses compagnies puissent se passer de sa présence quasiment à longueur d'année.

Elle possédait plusieurs entreprises et toutes disposaient des compétences nécessaires leur permettant de prospérer sans que leur propriétaire ait besoin d'y voir chaque semaine ni même chaque mois, si ce n'est par téléphone ou télécopieur. Sauf qu'au loin, il lui serait difficile d'agrandir ses compagnies par acquisition. Les Marchés Audet de Québec, Immobilière de Beauce, Vêtements Rosabelle et sa dizaine de magasins, Informaxi et sa trentaine de boutiques : en chaque siège social et chacune des succursales, elle pouvait compter sur une personne de confiance très capable de faire rouler la business aussi bien qu'elle pourrait le faire elle-même. Et c'est l'esprit en paix de ce côté qu'elle quittait maintenant sa ville pour une période illimitée. Sans même penser une seule fois à ses valeurs mobilières, à toutes ces actions dans de multiples compagnies dont la gestion ne relevait aucunement d'elle.

Marc n'ouvrit pas son studio ce jour-là. Il désirait embrasser la voyageuse avant son départ et lui dispenser une dernière fois une image confiante et sereine. Il se proposait d'être à la hauteur de ce que sa mère adoptive attendait de lui. Pour le moment, il se tenait à l'affût dans le grand salon-bibliothèque au voisinage du vestibule d'entrée.

Quand il ne lui resta plus qu'à monter en voiture, Paula fit une ultime tournée des deux étages, puis elle se rendit à la piscine intérieure. Elle marcha un moment, le regard éclaboussé par la lumière du jour qui entrait à pleines portes vitrées et se réfléchissait sur la surface moirée. Elle s'accroupit, hésita un peu puis trempa sa main droite dans l'eau afin d'y faire un peu de vague et pour que s'agitent les reflets vert pâle venus du fond. Le geste lui parut spontané, irréfléchi et pourtant, à son insu même, il était commandé par quelque chose dans un repli secret de son inconscient. Comme si la main avait eu une question pour le passé... ou bien le futur. Ou peut-être les deux à la fois.

C'est dans une classique élégance qu'elle voulait quitter un monde pour entrer dans un autre. Elle portait une veste quadrillée à devant croisé, épaules rembourrées, tons pastel, sur un pantalon à glissière couleur taupe.

Elle se releva, regarda tout autour de la grande pièce humide et fraîche. Le mur longitudinal de l'autre côté de la piscine était entièrement recouvert de céramique de couleur dans laquelle on pouvait retracer le dessin stylisé d'un évaporateur. Cela datait de l'époque où elle était encore la reine de l'érable.

Deux années déjà s'étaient écoulées depuis qu'elle avait vendu à la compagnie Heinz cette grande entreprise industrielle et commerciale qu'elle avait fondée 15 ans plus tôt avec les vingt-cinq mille dollars que son grand-père Joseph lui avait prêtés.

Qu'il y avait loin depuis sa jeunesse, depuis les grandes joies de l'adolescence à la cabane à sucre de son père, depuis les événements marquants de son enfance. La mort de sa mère tuberculeuse surtout. Devant les enfants, car la femme avait voulu finir ses jours parmi les siens à la maison. Rien ne s'était jamais inscrit plus profondément dans toutes les mémoires de la jeune Paula que le dernier jour de cette femme, que les derniers instants alors que se trouvaient au pied du lit son père Rosaire, grand-père Joseph, le vieux docteur Goulet et le curé

Ennis… Et bien sûr, Bernadette Grégoire venue prier pour que la porte du ciel s'ouvre bien grande à la mourante.

Les avés qui s'égrenaient dans la monotonie et la tristesse d'une attente interminable, et pourtant, qu'on aurait voulu voir durer éternellement. Le souffle intermittent qui soulevait à peine et rarement cette pauvre poitrine d'ossements enveloppée d'une jaquette blanche aux airs de linceul.

Et, parmi ses premières amours, celui avec André Veilleux qui devait épouser plus tard sa meilleure amie, une union heureuse qu'elle-même avait favorisée.

Il ne restait plus maintenant à la surface de l'eau que de fines rides comme celles sur son visage qui lui parlaient chaque matin dans son miroir, lui disant que demain était plus près d'elle qu'hier.

Paula jeta un profond soupir et s'apprêtait à faire demi-tour afin de quitter la pièce, mais voilà que cet évaporateur dessiné dans la céramique retint sa réflexion un moment encore.

Dans une vision d'horreur mille fois repoussée, elle imagina le prêtre mourant près d'un tas de cendres à la cabane à sucre, des suites d'une blessure au ventre qu'il venait de s'infliger involontairement avec son arme à feu. Cet homme avait peut-être récolté un peu plus qu'il n'avait semé par le passé. Mais pas beaucoup plus sans doute. Et ces pensées poussèrent son imagination jusqu'au viol de Lucie ce soir triomphant de 1960 où le Québec avait quitté ses vieilles frusques de la servitude naïve pour se revêtir de l'accoutrement brillant et excitant de la Révolution tranquille.

« Il faudra refaire ce mur », pensa-t-elle.

Car toute époque a sa fin, quel que soit le prix à payer pour passer à la suivante.

Cette fois, elle fit demi-tour et revint au premier étage pour se rendre au vestiaire y quérir un imper qu'elle garda sur son bras. Maryse, la domestique française qui prêtait attention à ses allées et venues, sut que le moment arrivait. Elle s'approcha, portant la bourse de sa patronne. Et dit à voix claire avec sa déférence habituelle :

– Ce grand voyage sera pour vous, madame Paula, comme une nouvelle adolescence, vous verrez.

Elle avait préparé son bon mot mais Paula trouva qu'elle en mettait un peu trop.

– Pas tant que ça, voyons !

– Pourquoi pas ? Pourquoi pas ?

Cette fois, les mots possédaient meilleur ton, celui de la spontanéité, et Paula acquiesça :

– En effet, pourquoi pas ?

On se serra la main.

Paula mit son manteau sur ses épaules sans toutefois l'endosser ; elle prit sa bourse et sortit.

Dehors, Marc s'entretenait avec Albert, qui était au volant de la longue voiture bleu foncé. En fait, il posait des questions sous lesquelles se cachait l'insincérité. Car il détestait ce couple étranger qu'il jugeait avec la plus grande sévérité et sans réserve : trop prétentieux, trop connaissant, trop harmonieux…

– Tu vas m'excuser, je dois aller ouvrir la portière à madame Paula, dit le personnage gris dont la casquette impeccable laissait voir une chevelure brillante et ondulée.

– Non, non, laissez faire, je vais m'en occuper, lança le jeune homme.

Ils furent tous les deux contrecarrés par Paula qui marcha sur l'entrée de pierre puis la montée noire en macadam :

– Ne bougez surtout pas, Albert, ne bougez pas, je vais ouvrir moi-même, fit-elle sur le ton habituel du commandement bienveillant.

Marc ouvrit quand même et s'écarta. Elle s'arrêta un moment devant lui qui tendait la main. Leurs yeux se rencontrèrent. Les rayons frais de ce soleil d'avril suivirent sur le visage féminin les rigoles qu'y formaient les pattes-d'oie accompagnant le vague sourire de son regard profond. Elle se laissa pénétrer par la lumière qui en son âme se conjuguait avec une émotion belle.

– Dans une semaine, je t'appellerai.

Comme Maryse, Marc avait préparé une idée qu'il put glisser par la porte que Paula, sans le savoir, avait ouverte largement.

– Et ça me fera penser à cette chanson que tu m'as montrée quand j'étais petit…

Elle devint interrogative.

– Tu sais… *La voix de maman.*

– Ah, oui, *La voix de maman*…

La femme regarda dans le lointain à la recherche d'un temps perdu à tout jamais. L'imagination aidant la mémoire, peut-être pourrait-elle se rapprocher un peu des sentiments que sa mère avait dû ressentir autrefois lorsqu'elle appelait à la maison depuis sa prison du sanatorium. Que de tristesse on pouvait alors entendre sur cette ligne téléphonique et que de sanglots étouffés Paula recevait quand c'était elle, l'aînée de la famille, la toute dernière à parler à sa mère! Avoir défense par la vie de voir et d'étreindre sur son cœur des enfants que l'on aime se peut-il être une plus grande atrocité pour une mère? Cette barrière n'est-elle pas pire que l'arrachement de la mort?

Il vint des larmes au cœur de Paula. Elle les refoula, les enterra sous des gestes comme elle avait appris à le faire dès son enfance. Poussée par l'image indélébile de sa sœur Lucie, mère de Marc, petite et fragile, réfugiée dans ses bras de neuf ans pendant que la cheminée flambait et risquait de mettre le feu à la maison par une nuit de Noël glaciale, elle entraîna le jeune homme sur elle et l'étreignit. Mais elle n'avoua pas ce qu'elle ressentait au fond d'elle-même et elle donna à son geste affectueux une tournure utile :

– N'oublie pas d'embrasser tous les autres pour moi, n'oublie pas, hein!

– Je n'y manquerai pas… maman.

Elle le vit frissonner.

– Tu aurais dû t'habiller mieux que ça.

Mais il l'avait fait exprès pour qu'une brise de culpabilité souffle dans son instinct maternel. Marc avait appris dès son plus jeune âge tous les jeux de la manipulation, s'imaginant que c'est par leur chemin qu'il pourrait le mieux se défendre de n'être pas un vrai fils de ses parents adoptifs et seulement leur neveu. D'autant que son frère Christian, viril et rugueux, bousculait souvent la fragilité de son cousin en une certaine époque.

Il regarda sans pudeur le corps houleux de sa tante qui se glissa avec grâce par la portière arrière de la limousine ; mais il le faisait dans une perspective de photographe et pas du tout de pornographe, ses pulsions depuis la puberté n'ayant pour combustible ni l'attrait de la féminité encore moins celui de l'inceste.

L'auto démarra. Pas une seule fois Paula ne se retourna pour voir cette maison dont elle était si fière ; c'est qu'elle avait déjà dans sa main le combiné du téléphone cellulaire. Une recommandation de dernière minute à faire à sa secrétaire qui lui servirait de surveillante sur l'ensemble de ses affaires pendant sa longue absence. Une autre femme bien étoffée que cette Francine ! lui disaient d'elle tous ceux-là qui avaient affaire à Paula.

Marc se rendit tout droit au bureau.

Tout alors lui parut différent. La bibliothèque, les meubles, les tentures, toutes ces choses qu'il avait toujours respectées prenaient un air banal. Il en prit conscience et se demanda pourquoi. Il se sentait comme un enfant devant un jouet tout neuf. Mais ici, le jouet appartenait à quelqu'un d'autre tout de même. Nuance peut-être mais réserve non ! Combien de temps faudrait-il pour qu'il considère tout cela comme sa propriété ?

Mains derrière le dos, il marcha à pas très lents devant les livres et lut quelques titres. Puis il se dit qu'il pouvait le faire à voix haute comme pour se sentir encore plus maître des lieux. Il dansa sur un pied et sur l'autre, l'œil excité. Il tira un livre à couverture de cuir, l'ouvrit, fit une moue puis le remit à sa place. Il n'avait jamais lu un livre à part ceux que l'école l'avait obligé à avaler au secondaire et il n'avait pas la moindre intention de s'en payer un. Mais il pensait que d'en connaître quelques titres lui permettrait de se donner des airs favorables devant ses amis.

Il respira fort à plusieurs reprises puis se pencha en avant pour toucher le bout de ses pieds avec ses doigts. Et il marcha de long en large, mains dans les poches, comme un grand propriétaire heureux, remuant sa monnaie clinquante comme un adolescent des années cinquante. Ses doigts identifièrent une clé qu'il sortit de sa poche droite. Il la leva à hauteur des yeux pour la regarder avec intensité et une lueur monta de son âme vers le petit objet métallique. Puis il se rendit derrière le large bureau où il hésita un moment avant de s'asseoir enfin dans le fauteuil de cuir noir.

Le goût du pouvoir se développait en lui. Et plutôt rapidement. Il dort en chacun, ce pouvoir qui subjugue ceux-là mêmes qui s'en servent, et les circonstances le réveillent. D'aucuns tombent aussitôt sous son emprise malveillante. Malgré tout, le jeune homme hésita encore. Devait-il commander à Maryse de lui apporter quelque chose ou devait-il plutôt s'amuser un peu avec la console cachée ? L'électronique d'abord, la Française plus tard.

La clé fit son œuvre avec tant d'aisance qu'il le remarqua : comme tout était facile dans le fauteuil de madame la présidente !

Il joua sur les boutons et des images apparurent sur les trois écrans. Une l'étonna et l'inquiéta. Il fut sur le point de tout refermer. Pourtant, ce n'était que la femme française en costume de bain et qui s'apprêtait à plonger dans la piscine où elle faisait, tout comme son mari et Paula, plusieurs longueurs chaque jour pour une meilleure forme physique.

Le jeune homme pencha la tête. Il passa sa main dans ses cheveux bouclés brun foncé puis mit son ongle du pouce entre ses dents. Pour la première fois, il serait seul toute une journée dans cette maison avec cette femme qu'il n'aimait guère plus que son mari. Pour lui, ces deux intrus lui avaient enlevé un morceau de sa place dans le décor.

Mais tous ces boutons du pouvoir le grisaient. Il s'engonça dans le fauteuil, se renfrogna, son regard devint aussi mince qu'une ligne fine. Comme s'il devait se donner des airs à lui-même parce que des questions se bousculaient dans sa tête. Un scénario naissait, qui en chassait un autre. Des photos du futur lui apparaissaient. Un futur hypothétique devenant réalité…

Maryse leva les bras au-dessus de sa tête, regardant la surface molle, ayant l'air de réfléchir. Corps gracile, geste élégant, costume fleuri, elle sauta sur le tremplin, puis s'enroula sur elle-même et tourna une fois avant de se dérouler pour pénétrer dans l'eau comme une nageuse olympique racée. Il y eut peu d'éclaboussures.

Son observateur pensa qu'il devrait peut-être l'approcher et lui demander de poser pour lui. Sans frais de part et d'autre, bien entendu. Il pourrait exposer ses photos dans sa vitrine. Chacun y trouverait son compte. Cette attraction soudaine lui parut vaine. D'autant qu'il la mit au compte de son esprit professionnel qui surgissait à tout moment.

Le casque blanc se rapprocha de la surface de l'eau puis émergea. Femme de 35 ans au corps de 20, elle nagea jusqu'à un escalier et sortit de la piscine en tirant sur le tissu élastique à chaque cuisse. Puis à l'aide de ses paumes, elle poussa sous sa poitrine afin d'ajuster à ses aises le vêtement mouillé.

Cette fois, Marc en fut troublé. Et il y trouva du contentement. Ce plaisir lui rappelait sa haute lutte contre ces penchants obsédants qui s'étaient affirmés durant ses études alors qu'il avait cohabité avec un collègue. Tant d'interdits se dressaient sur cette voie anormale : préjugés, maladies nouvelles... et surtout, cette autre partie de lui-même, génétique ou forgée par son éducation, son enfance, son milieu intolérant...

La femme mouillée monta à nouveau sur le tremplin. Cette fois, l'observateur délaissa ses formes pour fixer son attention sur son visage qu'il détailla. Nez fin, pointu, délicat, avec un nævus sur l'aile droite. Petites lèvres longuement ciselées et pommettes saillantes. Et il entendait sa voix par la mémoire de l'oreille : timbre mélancolique, discret, délicieusement parisien...

Mais sa distance, sa hauteur et sa froideur gâchaient tout de la même manière qu'un sourire engageant embellit toute femme ordinaire. Le méprisait-elle ? Il le croyait mais avait peut-être tort. L'approcher avec une caméra tandis qu'il se trouvait seul en sa présence changerait-il les données du problème ?

Il changea de position et s'accouda à l'autre bras du fauteuil. Et il mit de travers entre ses dents son autre pouce qu'il mordilla nerveusement tandis que la plongeuse toute de grâce disparaissait une seconde fois dans l'eau.

Qu'avait-il à risquer puisqu'il était maintenant le maître absolu des lieux ? Maryse devrait marcher sur le bout des orteils et n'oserait plus jamais l'envoyer promener comme naguère excepté quand Paula se trouvait en leur présence. Une fois de plus cependant, il changea d'avis. Car il ne disposait que de caméras ordinaires et son approche, dès lors, paraîtrait suspecte aux yeux de la femme qui lui attribuerait sans doute des intentions cachées.

Et il tergiversa ainsi sans s'arrêter tout le temps que Maryse se livra à son exercice quotidien. Quand elle eut terminé et qu'elle eut disparu de l'écran, il ferma la console et ragea contre lui-même, contre son éternelle indécision et contre sa vieille impuissance devant les événements.

Il se leva et quitta le bureau avec dessein de marcher un peu partout à travers les pièces pour sans doute croiser la femme et donc forcément s'entretenir avec elle. On discuterait de n'importe quoi et il en sortirait peut-être de nouvelles règles de communication, un autre *modus vivendi* autrement meilleur que l'autre, trop hypocritement acrimonieux.

Dans le couloir, il entendit la femme venir dans l'escalier. Non à cause de son pas feutré sur la moquette mais parce qu'elle fredonnait un air inconnu. Ils se retrouvèrent face à face, en haut, elle sur la dernière marche, lui s'apprêtant à descendre.

— Tiens, re-bonjour, fit-elle en resserrant la ceinture de son peignoir bleu poudre dont les nombreux plis camouflaient ses formes.

— Je pense que nous voilà… seuls en ville, hésita-t-il.

— Eh oui ! Votre mère est une femme courageuse de partir ainsi seule à travers cette planète de… fauves.

Il reprit comme pour défendre Paula :

— Elle a les moyens de bien s'entourer.

— Bien sûr !

Elle s'écarta de son chemin par deux petits pas de travers.

— Je voulais…

Mais il fut interrompu sèchement :

— Même en son absence, je respecterai à la lettre mon temps de travail, ne craignez rien. Et l'heure de reprendre le boulot vient de sonner…

Brusqué, il serra les mâchoires pour s'exprimer :

— Ma mère a dû vous le dire : j'ai maintenant autorité pour vous demander certaines choses…

— Comme par exemple ? demanda-t-elle, l'œil défiant.

— Comme de ne pas reprendre votre travail tant que je n'ai pas fini de… de vous parler.

Le même message livré par un messager à l'esprit délié aurait glissé agréablement dans l'âme de la domestique, mais dit par une voix crispée, il avait allure de menace.

Elle lui répondit par une moue. Il détacha le ton :

– Ne vous offusquez pas ! Je veux dire qu'avec moi, vous n'aurez pas à être plus catholique que le pape. Vous en ferez moins qu'en présence de ma mère et ce n'est pas moi qui vous critiquerai.

Dans un mélange désinvolte et agacé, elle dit :

– Très bien, monsieur Marc… Au fait, dois-je vous appeler monsieur Nadeau, monsieur Poulin ou monsieur Boutin ? Mon mari et moi n'avons jamais trop bien su. Albert et moi…

Elle inséra un demi-rire :

– Dur de se démêler dans votre héritage… génétique. Une identité plutôt mal définie.

Il jeta :

– Mon nom officiel : Marc Poulin.

– On penchait dans cette direction… Eh bien, bonne journée à vous !

Elle le laissa en plan et courut vers l'autre escalier qu'elle emprunta pour se rendre à l'étage des chambres en se répétant son intention de l'éviter le plus qu'elle pourrait.

Désarçonné, pantelant, empêtré dans de mauvais sentiments, le jeune homme pensait à son identité aussi vague et indéfinie que son orientation sexuelle…

***

Chapitre 2

La Chaudière commençait à toussoter, à bâiller dans son lit, à s'étirer tout doucement sous sa couverture blanche, à donner aux Beaucerons quelques avertissements craquelés, fêlés. Pas encore prête à s'indigner, à se courroucer parce que bousculée, violentée par un printemps dont les entreprises quotidiennes se font aussi nocturnes, elle n'attirait guère que des regards distraits.

Si Paula avait été moins occupée par son appel téléphonique, elle aurait peut-être pu apercevoir grâce au grand miroir de la souvenance un paquet multicolore qui s'était retrouvé sur la glace à hauteur de son appartement au temps de ses études. Paquet qui avait emporté avec lui dans le fracas de la débâcle un morceau de passé. Ainsi vont les ans, ainsi vont les eaux, ainsi va la vie avec ses remous, ses contrecoups et ses indifférences.

Albert jetait un œil parfois par le rétroviseur pour lire dans le regard de sa patronne un appel à la parole. Observateur perspicace et fin psychologue, l'homme comprenait par quelque lueur discrète dans les pupilles de Paula qu'elle avait soudain le désir de tuer un ennui dont elle ne voulait pas se servir pour en tirer une émotion soulageante, une larme invisible.

La femme poursuivait sa conversation d'affaires. Cette fois, elle parlait avec le directeur général d'Informaxi tout en laissant sa vue glisser sur le manteau de glace de la rivière.

— Une campagne publicitaire est une forme de guerre contre la concurrence et ceux qui la gagnent sont les plus rapides au jeu. Comme les Allemands et leur guerre éclair de 1940.

Albert jaugea la femme par le miroir. Décidément, Paula le surprendrait toujours. Même Maryse, européenne et parisienne, n'aurait pas pu exprimer une stratégie commerciale en la comparant de cette façon à une campagne militaire déjà si éloignée dans l'Histoire.

– Par contre, faut éviter l'erreur des Allemands et ne pas attaquer trop de monde à la fois, sinon on disperse trop nos forces et nos budgets.

Albert souffrait de douleurs lombaires qu'il cachait malaisément et qui le portaient à souvent bouger sur son siège, mais Paula ne le prenait plus pour de l'impatience et l'expression d'un ennui. Homme grand, carré, stylé, plus âgé que sa compagne de près de vingt ans, il avait embrassé cette carrière de serviteur qui lui permettait de bien vivre et d'explorer la nature humaine à son insu tout en pratiquant les divers métiers exigés par le sien : cuisinier, chauffeur, plombier, réparateur, éducateur, traducteur. Pour esquiver la familiarité, il s'était érigé une barrière d'obséquiosité autour de lui. Sa compagne et lui avaient toujours fini par occuper beaucoup d'espace dans la vie des gens qu'ils servaient. Rançon psychologique à payer par les petits bourgeois qui désiraient utiliser ses services.

Après avoir œuvré dans les quartiers cossus de la métropole, il avait eu le goût de voir autre chose, de rencontrer d'autres valeurs : moins artificielles, plus humaines. Même si Paula offrait cela en plus d'une rémunération vertigineuse, elle aussi, comme tous les riches, se laissait entraîner sur les pistes tortillardes de l'extravagance insouciante et de l'illusion matérialiste. En elle, pourtant – croyait-il à la questionner sur son passé et ses valeurs villageoises endormies ? –, brillait un ciel indigo par-delà des horizons toujours allumés et flamboyants. Elle comprendrait un jour, peut-être bientôt, ce qu'avait voulu lui dire Gaspard Fortier en lui disant les quelques mots d'une si belle sagesse, et sans besoin d'aucun verbe : une chaumière et un cœur...

Elle raccrocha le téléphone et aussitôt ouvrit un attaché-case pour y trouver un autre dossier, un autre problème à solutionner avant le départ. Et elle reprit le combiné pour composer un numéro.

Les milles se calculèrent d'eux-mêmes sur l'odomètre de la limousine tandis que les milliers de dollars s'ajoutaient sans arrêt aux avoirs de Paula, une femme d'affaires qui depuis près de vingt ans avait bien appliqué les règles simples du capitalisme et le code du système banco-politico-médiatique. Le reste, c'était affaire de psychologie et de pédagogie. Bien choisir ses adjoints. Les bien enseigner.

Les glaces avaient commencé à bouger plus bas sur la rivière entre Beauceville et Saint-Joseph en cette courbe de la rivière où ça brassait toujours avant ailleurs. Et l'eau s'était répandue sur la chaussée. La voiture décéléra puis s'arrêta le long de la route derrière une dizaine d'autres qui paraissaient ne pas vouloir se risquer plus avant. Paula raccrocha et se rendit compte de la situation.

Albert descendit et alla se renseigner auprès d'un petit attroupement qui discutait près du foyer d'inondation. Puis il revint auprès de sa patronne.

– Vaudrait mieux faire un détour par les hauteurs, à ce que l'on m'a dit.

Paula consulta sa montre :

– Pas le temps ; mon avion décolle à dix-huit heures et je veux voir Chantal à Sainte-Foy en passant.

– Bah ! une demi-heure de plus, ça ne changera rien.

– Je vais voir…

– Enfilez votre imper, il faut un vent cru dehors…

Elle accepta le conseil et on la suivit du regard à mesure qu'elle approchait de la portion inondée. La plupart la reconnurent. Elle avait eu si souvent sa photo dans les journaux locaux. La politique en 1976. Sa réputation. Sa richesse. Son train de vie. Sa forte personnalité.

L'eau enfouissait la route sur plusieurs centaines de pieds et de l'autre côté de l'immense flaque noire et inquiétante, des voitures formaient la queue, personne là non plus n'arrivant à foncer d'avant. Une situation qui demandait une prise de décision.

Elle s'adressa aux quelques hommes qui se trouvaient là et se renseigna sur le niveau de l'eau.

— À l'œil, y a au moins trois pieds dans le plus creux, répondit un petit moustachu à la voix plus tranchante que la volonté.

— C'est rien, qu'est-ce que vous attendez pour passer?

— Ça prend un brave et y en a pas un icitte, dit un autre en riant.

Il fut approuvé par les éclats des autres.

— De nos jours, ça prend une femme pour prendre les devants, dit malicieusement un autre.

Paula se sentit défiée, piquée au vif. Mais elle n'en laissa rien voir:

— Autant faire le grand détour, dit-elle en soupirant et en tournant les talons.

Elle regagna la limousine et ordonna à Albert de traverser l'eau.

— C'est dangereux!

— Tant mieux! Allons-y!

Et pour mieux montrer son indifférence et sa confiance, elle s'empara du combiné du téléphone et logea un appel après avoir pris soin d'abaisser une vitre teintée afin qu'on puisse la bien voir.

L'auto entra doucement dans l'eau qui monta jusqu'aux trois quarts des roues, recouvrant une partie des portières. Elle roula néanmoins sans que le moteur n'étouffe ou même ne se plaigne, et elle se dégagea bientôt de la flaque.

On cria et on lança des applaudissements. Elle voulut néanmoins qu'on s'arrête et elle descendit pour saluer comme une vedette, histoire d'inciter les autres à suivre. Une voix féminine remplie d'enthousiasme lui lança par-derrière :

– Paula, t'en feras jamais trop, toi !

Elle se retourna, s'exclama :

– Michelle, toi, Michelle, t'as eu peur d'une petite mare comme celle-là ?

– Tu sais, depuis mon accident sur cette même route, je risque moins… Chatte échaudée craint l'eau froide.

– Tu es seule ?

– Je vais voir mon monde dans la Beauce. J'espérais pouvoir te voir un peu.

Paula fit la moue.

– Je pars pour l'Amérique du Sud, imagine-toi.

Elles avaient étudié ensemble. Michelle vivait à Montréal et se rendait voir ses parents à Saint-Georges. Quelques années plus tôt, elle avait eu un grave accident pas loin de là. Un face à face. Jambes brisées en plusieurs endroits. Longue récupération.

Une fille volontaire, cheveux foncés, vêtue comme souvent, de rouge et de noir.

– Qu'est-ce que tu vas donc vendre dans ce bout-là ? Pas des produits de l'érable toujours ?

– J'ai laissé ce domaine.

Michelle avait donné un bon coup de pouce psychologique à son amie quand il s'était agi pour Paula d'aller rencontrer les hautes instances de Steinberg et Provigo en 1972, ce qui lui avait valu un contrat important qui l'avait mise au monde dans sa toute première affaire, son entreprise la Reine de l'Érable.

– Quand je t'ai vue retourner à la limousine, je savais que tu passerais.

– J'aurais aussi bien pu prendre un bain.

– T'as pas le temps pour un café ?

Paula grimaça :

– C'est à cause du temps limité que j'ai voulu qu'on avance. Je dois voir ma fille à Québec et…

– Je comprends, dit Michelle en touchant son amie à la main. Envoie-moi des cartes postales. Tu dois pas partir pour longtemps?

– Au moins un an. Je veux visiter plusieurs pays. Tout ce que j'ai vu dans ma vie, c'est Saint-Éphrem, Saint-Benoît, Saint-Honoré et Saint-Georges.

On ne put aller plus avant dans la conversation. Des autos arrivaient. Il fallait se déplacer. D'autres de la deuxième filée montraient qu'ils voulaient aussi passer.

Elles se saluèrent de la main et Paula rentra dans la voiture par la portière que tenait son chauffeur. Michelle hochait la tête en voyant cela. Elle aurait bien voulu se trouver à la place de son amie et pourtant, elle la taxait d'extravagance.

Par la vitre abaissée, Paula lui glissa en passant:

– Je vais revenir chaque deux ou trois mois. Je passerai chez toi à Montréal une bonne fois et on se paiera un pot de Sangria quelque part en haut d'une tour.

– Quand tu voudras!

À Sainte-Marie, Paula demanda au chauffeur de traverser le village et donc d'éviter la voie d'évitement. C'est qu'elle désirait passer devant Culinar, autrefois les gâteaux Vachon qui, à l'époque, s'était fabriqué une réputation nationale grâce à son célèbre petit Jos. Louis et à ses retailles en vrac.

Ah, les retailles! Comme elle en avait mangé, la jeune Paula, dans les années cinquante! La compagnie en ce temps-là ramassait toutes les bûches de Noël invendues et les écrasait dans des boîtes pour revendre le tout à meilleur prix. Recyclage avant l'heure. De sucre et de gras!

Pourtant, ce n'était pas pour goûter à ce vieux souvenir qu'elle voulait passer par là mais plutôt pour se donner à réfléchir sur elle-même et sa réussite qui se pouvait comparer à celle de la famille Vachon. Et pourquoi pas la fierté pour elle aussi quand à cœur de jour et de soir, partout, dans les réunions, à la télé, dans les rencontres, on entend incessamment circuler le vocabulaire de la fierté. Mais elle se méfiait tout de même de ce langage. Car à force d'être fier, on finit par se fier, se disait-elle aussi parfois.

Il lui fallait maintenant rejoindre Chantal, sa cadette, pour lui annoncer son arrivée prochaine à Québec. La jeune fille savait que sa mère devait s'arrêter ce jour-là, mais elle ignorait à quelle heure. Paula avait choisi de partir une journée où l'étudiante n'avait pas de cours à l'université durant l'après-midi.

Peu de temps après, elles se retrouvaient à l'entrée d'une brasserie populaire du centre d'achats Place Laurier. À la demande de Paula, on leur assigna une place dans un coin sombre près d'un mur, à l'autre extrémité de la salle, là où personne ne risquait d'aller à part la serveuse.

– T'as pas eu envie d'amener Aubéline avec toi?

– Ben... tu l'as pas invitée hier.

– J'ai pensé qu'elle devait travailler.

– C'est ça, elle travaille.

Chantal étudiait le droit maintenant et vivait avec son ami Nicolas dans un appartement du secteur après avoir pensionné quelques années, du temps de son cégep, chez la meilleure amie de sa mère.

– On prend une bière?

– Ben... ouais.

– Deux bières légères, commanda Paula à la grande serveuse.

On se parla de la Chaudière. Paula raconta son aventure sur la route, sa rencontre avec Michelle et se désola une fois encore de n'avoir pas Aubéline avec elles pour jaser. Soudain, elle lança en posant son verre:

– M'approuves-tu de partir comme je le fais?

– Moi, je ne le ferais pas, mais je t'approuve, maman. Puisque tu as pris cette décision, c'est que tu penses y trouver quelque chose de bon pour toi.

Chantal était une jeune femme à traits fins, maigre et paraissant plus grande pour ça. L'enfant solitaire annonçant une future artiste avait fini par se transformer en adulte calme, raisonnable et désireuse de vivre convenablement sans holà dans la cage dorée d'une profession sûre comme celle de notaire. Regard bleu, cheveux maintenant auburn : jeune fille de la porte d'à côté.

– Tu ne le ferais pas ?

– Pas à 21 ans mais à 50 comme toi, peut-être. À condition d'avoir les moyens.

– Tu les auras.

– Maman, l'avenir de ma génération est moins prometteur que celui de la tienne.

– On n'avait rien…

– Peut-être pour ça que vous pouviez tout espérer, tout construire. Tu t'es fait du muscle moral dès ton enfance, surtout après la mort de grand-maman Nadeau. Nous autres, on a été élevés dans la ouate. Difficile de penser grand quand nos parents agissent grand !

– Le fils de John D. Rockefeller a brillé dans la philanthropie après que son père eut gagné des milliards… La facilité peut hausser la barre du défi à relever.

– Les défis, l'essoufflement, les grandes ambitions, maman, ça ne m'attire guère. Je veux vivre simplement sans faire grand bruit.

Paula soupira et la serveuse revint pour noter la commande du repas. Chacune choisit une spécialité du midi et la conversation se poursuivit à bâtons rompus jusqu'à leur départ. La jeune fille reconduisit sa mère à la limousine où Albert, après avoir lui-même pris un lunch dans un restaurant voisin, attendait sa patronne.

L'homme posa à la jeune fille quelques questions banales et discrètes puis s'éloigna de quelques pas afin de les laisser à une brève étreinte avant le départ.

– Pour en revenir à ce que nous disions, je crois que tu fais bien d'aller au bout de tes aspirations. Ce que tu as fait jusqu'à maintenant était très bien mais cela ne suffit plus à combler ta vie et tu vas vers du meilleur.

– Qui sait, peut-être pour mieux revenir en arrière plus tard?

Paula se glissa sur la banquette et referma elle-même la portière tout en faisant s'abaisser la vitre. Albert se hâta vers le volant.

– Sois prudente dans tous ces pays-là, maman... Oh! je sais bien que tu le seras.

– Tu jetteras un coup d'œil du côté de Marc de temps en temps... Je ne suis pas certaine qu'il soit absolument le même quand je ne suis pas là. Comme tu sais, c'est une âme tourmentée. Je lui ai mis de grandes responsabilités sur le dos... pour l'aider à se faire ce que tu appelles du «muscle moral». Mais il est peut-être déjà trop tard pour ça? L'avenir le dira. Et puis Albert et Maryse seront là aussi pour veiller au grain, n'est-ce pas, Albert?

– Vous dites? madame Paula, j'avais l'esprit... autre part.

– Bien sûr... on s'en parlera plus tard sur la route de Montréal. Allons-y!

Signes de la main de part et d'autre, sourires un peu tristes, lueurs d'incertitude dans les regards: on se sépara sur des sentiments bigarrés.

***

Chapitre 3

Ils étaient trois à table ce midi-là. Grégoire, son fils Christian et Sylvie, l'amie du père qui elle, habitait dans cette maison et touchait un salaire pour son travail. C'était la condition posée par Grégoire en l'accueillant avec sa fille chez lui. Ainsi, s'il devait survenir une séparation, il ne risquerait pas de se voir infliger des charges lourdes qui lui apparaîtraient imméritées. Quant à Lucie, enfant de Sylvie, elle passait toute la journée à l'école, repas du midi compris.

— On va pouvoir finir la job après-midi, jeune homme, tu penses pas?

— C'est certain, c'est certain.

Le jeune homme ressemblait fort à son père. Grand comme lui. Les épaules et le visage carrés. Une démarche quelque peu nonchalante et une conversation généralement légère, reposante pour l'interlocuteur. Séducteur auprès des jeunes femmes, presque courtisan, il se targuait parfois de ses conquêtes auprès de ses amis avant de commencer à fréquenter une jeune personne du prénom de Julie, un être de bon commandement dont le caractère s'apparentait fort à celui de Paula.

Il travaillait à la ferme et s'occupait de façon particulière des chevaux. Malgré les propositions parfois boudeuses de sa mère, il avait refusé de vivre bien longtemps dans la grande maison et l'avait quittée depuis un bon bout de temps déjà pour vivre dans son propre logement dans l'ouest de la ville.

– Vous faites quoi ? demanda Sylvie qui venait de prendre place à son tour après avoir mis tout le nécessaire du repas sur la table.

– On achève de refaire l'écurie numéro 3, tu sais, la petite bâtisse verte derrière la grange.

Pas plus que Paula, Sylvie ne connaissait trop les diverses constructions de cette ferme industrielle possédée par son nouveau compagnon de vie bien qu'il lui soit arrivé à quelques reprises d'en faire le tour avec lui. Elle continuait de travailler dans un restaurant le soir et le jour, elle vaquait aux occupations de la maison moyennant rémunération. Lorsque nécessaire, on communiquait par téléphone de la maison à la grange sise de l'autre côté de la route à plusieurs centaines de mètres.

– Avec des nouvelles divisions, on sera bon pour garder quatre juments de plus.

Personne n'avait l'esprit tout à fait là et à toutes ces choses de la ferme. L'ombre de Paula planait sur la tablée. Chacun savait qu'elle venait de quitter Saint-Georges pour un long voyage autour du monde. Et en Grégoire, même s'il n'en parlait pas ni ne se l'avouait, ce départ de son ex-femme lui apparaissait comme une sorte de contrecoup à leur séparation dont il restait inconsolé. Ce qui l'empêchait, moralement, de se donner à cette nouvelle union avec Sylvie.

Et tout ce jour, Christian avait perçu les rides inhabituelles sur le front de son père et la grisaille de son regard accablé. La dépense d'énergie de Grégoire montrait bien qu'il ne souffrait pas de quelque malaise physique ; la conclusion s'imposait d'elle-même. Le jeune homme garda une attitude réservée et il évita de parler de sa mère, histoire de ne pas tourner le fer dans la plaie, et surtout, pour ne pas jouer au psychologue requinqueur, ce qui n'était guère dans ses cordes, lui, le gars de type sportif qui savait brider l'émotionnel comme on muselle une jument trop rétive.

Sylvie ressentait elle aussi le trouble intérieur que Grégoire essayait de cacher derrière des rires mal calculés et qui, de ce fait, sonnaient plutôt faux.

Sylvie écoutait sans rien dire, tournant parfois la tête pour voir au loin par la porte-patio la portion extrême-est de la ville de l'autre côté de la Chaudière, rivière elle-même invisible pourtant car encavée dans une dépression profonde dans ce secteur.

Lorsque Grégoire pensait à Paula, il parlait de Gaspard Fortier, et pour Sylvie, le signe ne trompait pas. Gaspard, cet ermite philosophe, était apparu comme un personnage irréel dans leur vie et il avait disparu de la même manière, sans laisser de traces derrière lui, sauf cette maison en cendres. Mais en ayant tout de même imprimé sa marque dans la vie de la famille puisqu'après avoir travaillé longtemps pour Grégoire, il avait ensuite largement contribué à la réussite de Paula dans son commerce de produits de l'érable. Peut-être était-il allé finir ses jours quelque part au bord du fleuve... Les deux hommes avaient en commun d'avoir connu les faveurs de Suzanne Paquet, une assoiffée de sexe, croqueuse de maris qui, au temps de l'émancipation de Paula et de sa campagne électorale de 1976, avait profité de l'occasion pour séduire son compagnon. Paula avait alors découvert le pot aux roses, le cachant pourtant longtemps dans son jardin secret. Le mal était fait et l'abcès avait fini par crever non sans avoir répandu en la femme les germes de la grande tempête qui, sous les dehors du raisonnable et du raisonné, devaient résulter en une séparation impossible à éviter. Aucune chicane, tout avait été accompli à la manière de Paula : vite et parfaitement.

– Je me demande si notre ami Gaspard regarde passer les glaces sur le fleuve... Un jour ou l'autre, il va ben nous donner signe de vie.

On mangeait du steak suisse et Grégoire appréciait les plats préparés par Sylvie, généralement meilleurs que la cuisine de Paula. Toujours ça de pris, se disait-il parfois quand la nostalgie revenait assombrir ses pensées.

— Moi, je dis qu'il est mort et qu'on le reverra jamais.

— On le saurait par le notaire Maheux. Le terrain est encore à son nom et les ruines sont toujours là.

— Après tout, c'est peut-être lui qui possède la bonne manière, la meilleure manière de vivre. Pas de stress. Pas de course. Il fait ce qu'il veut quand il veut. Mangeait granola. Se tenait en forme sans dépasser ses limites. Pas de gras, pas de cholestérol. Dépensait pas. Des besoins réduits au minimum. Une petite femme de temps en temps.

— La Suzanne Paquet, on l'a vue souvent s'en aller dans ce bout-là. Elle pensait cacher son auto en montant dans le sentier du boisé, mais quand les feuilles étaient tombées, on voyait facilement sa Honda blanche.

Comme si Sylvie l'ignorait encore, même si on en avait cent fois parlé devant elle, Grégoire entreprit une autre fois de raconter la guerre que s'étaient livrée Suzanne et Clara, veuve de grand-père Joseph, pour les faveurs de celui qu'on appelait souvent Gaspard l'ermite. Une femme de la mi-trentaine contre une femme dépassant les 70 et contre toute attente, c'est la vieille dame qui avait remporté la victoire. Une victoire bien éphémère puisque peu de temps après, Gaspard la retrouvait morte dans leur lit. Une mort douce qui avait mis un terme à une vie belle parce que bien remplie.

En l'âme de Sylvie, le doute commençait à s'installer. Comme bien d'autres qui pensent pouvoir sauver un homme souffrant d'un handicap, alcoolisme, violence, etc., elle avait cru être en mesure de faire oublier à Grégoire ses blessures profondes qu'il ne parvenait pas à bien panser, à guérir et à faire se cicatriser. Il était de ceux qui tiennent à tout prix la barque du passé dans le courant et s'écorchent les mains contre les rochers. Mais on ne peut secourir ceux qui ne veulent pas s'aider, surtout ceux qui espèrent secrètement rattraper les personnes, et même là, se trompent en fait avec leur désir de retrouver le temps perdu, à jamais révolu. Mais comment lui expliquer toutes ces choses qu'elle-même avait du mal à verbaliser en raison d'un manque de connaissances et de vocabulaire. Elle n'avait même pas terminé son secondaire 3 et quand les mots ne viennent pas aisément, les agencements de mots surgissent encore bien moins.

Qui sait, peut-être que le temps serait son allié, mais elle commençait à s'inquiéter de cela aussi.

— Pas jasante, la mère, à midi! lui lança Grégoire en lui serrant une cuisse. Fatiguée d'hier?

— Non, pas fatiguée. J'ai pas fini tard.

— Une bonne soirée?

— Oui, mais pas beaucoup de clients. Du monde payant, par exemple. Et j'ai même vu ton ex.

— Ah! fit-il sans trop montrer d'intérêt.

— Venue prendre un café. S'est installée dans ma section. On aurait dit qu'elle voulait me dire quelque chose ou bien me faire transmettre quelque chose…

— Ça me surprendrait pas mal… Hein, Christian? Ta mère a toujours eu l'habitude de dire elle-même ce qu'elle a à dire.

— Elle m'a téléphoné hier.

— Ah! fit Grégoire sur le même ton détaché.

— Avait hâte de partir et en même temps, on dirait que quelque chose la tracassait. Peut-être qu'elle se sentait seule et qu'elle voulait de l'encouragement.

— C'est sûr, intervint Sylvie, que partir à deux en voyage, c'est pas comme de partir seule. Moi, je ne ferais pas ce qu'elle fait en tout cas. Même si Lucie était partie d'avec moi. T'imagines-tu devant *La Joconde* avec personne à côté pour en parler? Plate à mort, ça!

Grégoire soupira:

— Paula est une femme très… autonome. Et puis elle va nouer des liens sur son chemin. Elle est capable de faire connaissance avec un rien comme prétexte. C'est pas comme moi. Sans être sauvage, suis pas capable de parler à n'importe qui comme elle le fait.

Un silence s'étendit sur la pièce. Sylvie avait l'air de pignocher dans son assiette. Christian avalait une dernière gorgée de café. Grégoire cachait son trouble intérieur par l'expression d'un faux appétit ; il reprit du dessert, un pudding au riz.

Le jeune homme sentit qu'il devait laisser son père seul avec sa compagne et il annonça qu'il retournait de suite à l'ouvrage. Et il quitta sans rien dire de plus.

— T'as pas l'air dans ton assiette ?

Elle fit la moue.

— Je suis bien dans mon assiette, mais pas bien dedans.

— Un discours à la Gaspard, ça.

Elle soupira. Il insista :

— Y a quelque chose qui va pas ? Une femme qui parle pas pis qui a l'air perdue, c'est pas toujours qu'elle sait pas ce qui se passe...

— Bah ! les périodes qui s'en viennent...

— Non, c'est ta visite au restaurant hier soir.

— Comment ça ?

— Qu'est-ce qui s'est passé ?

— Rien.

— Pourquoi serais-tu comme ça ? Tu pigrasses dans ton assiette, tu manges pas, pis t'as une mine d'enterrement.

— Oublions ça, le temps va tout arranger.

Il se leva et se mit derrière elle puis la serra contre lui tout en lui pétrissant les seins. Geste mal préparé et mal à propos. Elle se referma davantage.

— Y a ma mère qui est malade et ça m'inquiète.

— Y a plus que ça... Et ça me concerne. Je connais un bon moyen d'arranger les choses... On va prendre une petite demi-heure dans la chambre à coucher.

Cette proposition l'interrogeait et elle devait répondre rapidement. Elle n'avait pas envie de faire l'amour. Ce serait tricher. Le tromper au fond et se tromper elle-même. Car Grégoire n'avait pas l'âme d'un amoureux sincère et son cœur, il ne pouvait le dissimuler, se trouvait ailleurs, parti sur les routes du monde avec le cœur d'une autre. Mais ce n'est pas en refusant l'amour physique qu'elle pourrait le ramener à elle.

— Tu voulais pas finir ton ouvrage aujourd'hui ?

— Ça va me donner du pep et je vas en faire deux fois plus ensuite.

Elle glissa sa main doucement vers l'arrière entre le dossier de sa chaise et le corps de son compagnon à la recherche de son sexe.

— Es-tu prêt au moins ?

— Si je l'étais pas, là, je vas l'être... Surtout si tu me lâches pas... Fiouhhhhhh...

Ce devoir calculé ne serait pas tout de même sans plaisir, ne serait-ce que celui d'en donner à son compagnon, et elle se fit plus chatte.

Il appréciait la fermeté de sa poitrine et ses caresses lui rappelaient sans toutefois qu'il n'y pense expressément, les débuts de son mariage avec Paula. Et puis il y avait eu cette Suzanne Paquet entre-temps, mais la relation avec elle était si sexuelle à l'exclusion de toute autre nuance, si centrée sur l'étreinte elle-même qu'il n'avait pas gardé de souvenirs nets quant à son corps et à ses formes. De plus, la Suzanne qu'il voyait parfois au centre d'achats changeait de poids et d'allure assez souvent.

— On y va ? fit-elle en se levant.

— Oui, mais lâche surtout pas !

Il la prit sur lui et l'embrassa tandis qu'elle prenait soin de poursuivre en délicatesse les attouchements qu'il aimait le plus.

— Comment va Oscar ? demanda-t-elle quand les lèvres se quittèrent un moment.

Il avait l'habitude de désigner par ce sobriquet son organe sexuel et ça le faisait sourire quand elle en parlait de cette façon gamine.

– Comme tu peux le constater, il a des choses à dire à midi… Pis quand lui fait de l'exercice, c'est bon pour le cœur.

Un nuage traversa l'esprit de la jeune femme en même temps que se produisait le passage de ces mots pluvieux dans sa conscience. Certes, dit-on, l'amour physique, c'est excellent pour le cœur au propre comme au figuré, mais ça rend diablement triste aussi parfois quand on sait que l'autre est absent. Ce n'était pas la première fois qu'elle vivait cela avec lui, et surtout, elle l'avait souvent vécu avec son premier compagnon qui se payait les plaisirs d'une maîtresse. Raison de son premier échec conjugal.

Elle se souvint du jour où elle avait fait l'amour pour la dernière fois, et le sachant, avec cet homme-là. Comme elle en avait pleuré, des larmes tournoyantes, brûlantes comme des gouttes de cire. Ou plutôt de plomb et qui avaient buriné son cœur et son âme en leur imprimant des marques profondes et ineffaçables.

Brusquement, il l'enlaça de son bras gauche, puis de l'autre, faucha ses jambes et s'empara de toute sa personne qu'il emporta comme on le fait d'une chose. Elle s'abandonna par le geste si ce n'est pas le consentement et posa sa tête sur son épaule.

– C'est Oscar qui m'a commandé de soulever son petit paquet d'amour…

Et il la porta jusque dans leur chambre, leur lit. En fait la chambre de Paula, le lit de Paula… Car Sylvie, par ses temps perdus, avait eu beau repeindre les murs, changer les rideaux, la literie, c'était le même mobilier et Grégoire n'en voulait pas changer.

– Je vais aller à la chambre de bains, souffla-t-elle quand il l'eut déposée sur la couverture.

– Moi en premier.

C'était toujours ainsi avant l'amour. On avait trouvé qu'il valait mieux procéder de cette façon pour maintenir le désir à son maximum, lui passant par la salle de bains avant sa compagne. Elle en sortait nue ou vêtue de lingerie érotique ou simplement entourée d'une immense serviette de bain.

Pendant qu'il y procédait à ses ablutions rendues particulièrement souhaitables à cause de son travail dur de l'avant-midi et les traces en sueur et en odeurs sur son corps, la femme restait couchée sur le côté, presque en fœtus, réfléchissant, sérieuse.

Perdait-elle son temps et une partie de sa vie à rester avec cet homme ou bien ce sentiment de tristesse profonde était-il le lot de tous ceux qui reconstituaient une famille après un premier échec matrimonial ? Comment donc se dépêtrer dans ses propres expériences quand on manque justement d'expérience ? Composer avec du nouveau, c'est se tromper le plus souvent. Demander conseil, c'est tout aussi vain puisque chacun vit ses problèmes à sa façon. Pourtant, elle n'était pas un personnage de tragédie et son humeur de coutume s'alimentait aux plus belles couleurs de son âme. Sa pire difficulté consistait à ne pas pouvoir déceler de progression dans sa relation avec Grégoire. Comme si elle sentait qu'elle tournait en rond dans une forêt dense pour sans cesse revenir au point de départ. Lui sentait-il la même chose ? Impossible de le savoir, il était trop renfermé sous des dehors pourtant très ouverts.

Malgré le moment du jour, il n'entrait pas beaucoup de lumière dans la chambre et les environs flottaient plutôt dans le clair-obscur né d'une lampe de chevet à l'abat-jour rouge dont les reflets chatoyaient dans la chevelure blonde de la jeune personne qui gardait ses yeux fermés sur des pensées elles-mêmes baignées par une sorte de pénombre sentimentale.

Il sortit en grande discrétion de la salle de bains et s'approcha sans bruit pour la surprendre. Rendu près d'elle, il dit, la voix drôlement fluette :

— Salut ! C'est moi Oscar… À ton tour…

Il était nu debout devant elle, le sexe proche du visage de sa compagne qui rouvrit les yeux.

— Oscar, il va falloir qu'il retrouve sa fierté de Québécois, dit-elle en même temps qu'elle se levait.

— C'est qu'il a quasiment un demi-siècle, hein, le vieux Oscar. Faut le comprendre d'avoir un petit peu moins de colonne vertébrale qu'à 20 ans.

— Qu'il se prépare, je reviens dans deux minutes !

L'homme se jeta sur le lit et s'y installa sur le dos, mains derrière la tête sur l'oreiller. Sa bonne humeur disparut quand il fut seul et son regard plongea dans un lointain qu'il n'aurait pas voulu révéler à sa compagne. Il se revit un après-midi de cabane à sucre avec Paula et les enfants jeunes avant qu'elle ne décide de se lancer en affaires. Dix-sept ans déjà avaient coulé sous les ponts depuis cet heureux temps ! Dix-sept années à se faire du mal à soi-même et à ne pas se rendre compte du temps qui fuit. Les rires des enfants d'alors, il les écoutait parfois le soir sur des bandes magnétiques quand sa nouvelle compagne travaillait. Quel dieu joueur de drôles de tours avait donc fabriqué un monde aussi évanescent où le présent est un tracas, le futur une appréhension et le passé un regret ?

Et il laissa son âme ainsi vagabonder dans des souvenirs impérissables d'une jeunesse qui avait si vite coulé entre ses mains préoccupées et toujours chargées de travail à finir tandis que celles de Paula étaient sans cesse pleines de projets à réaliser. Et pendant ce temps, les grandes petites choses apparaissant chaque jour à l'horizon disparaissaient aussitôt dans une autre direction sans que personne n'ait pris le temps de les regarder comme il faut, de leur parler, de s'enrichir le dedans depuis tout ce qu'elles avaient à dire.

Sylvie se mit à fredonner un air sans mélodie, du moins que lui n'avait jamais entendu. Sans doute une pièce récente servie à répétition par le FM. Lui n'écoutait ni la radio ni le système de son et encore moins les clips de la télé. Trop énervant. Bon pour faire sortir l'énergie des jeunes générations, tout ça. Autre chose vint chercher son intérêt. La jeune femme sortait de la salle de bains, dont la porte donnait sur la chambre, enroulée comme souvent dans une grande serviette de bain bleue. À son tour, elle s'approcha du lit et fit émerger son genou entre les pans du tissu puis allongea la jambe à la manière d'une vamp. Elle donnait l'air de Katharine Hepburn et lui de Cary Grant...

– Mes yeux sont trop petits pour tout voir, dit-il. Mais Oscar, lui, voit tout, absorbe tout, veut tout...

Elle monta le pied sur le lit et toucha Oscar du bout de son gros orteil.

– Vilain petit tentateur !

Il imprima une contraction à son bas-ventre et le pénis bougea timidement.

– Je vais te montrer la chatte la plus touffue du monde et qui va te ronronner au nez... Purrrrrrrrrr...

Et subitement, la femme ôta la serviette et se jeta sur le lit après en avoir d'abord retiré sa jambe énamourée.

– On ferme-t-il la lumière ?

– Oscar aime-t-il mieux la noirceur totale ? demanda-t-elle à l'organe.

– Je ne sais pas, mais il me dit que c'est pas juste.

Sylvie frôla son sexe contre celui de son compagnon :

– Et qu'est-ce qui est pas juste selon lui ?

– Que la chatte porte aucun nom. Il peut pas lui adresser la parole... Il voudrait qu'on baptise la petite chatte.

– Ah ! mais la chatte me dit que c'est une bonne idée. Trouvons-lui un nom et ensuite, ils pourront se parler. Laissons-la réfléchir un moment...

– Pas trop fort parce que sinon, elle va avoir chaud.

– J'ai une idée… Non, c'est la sienne… « Coquine », qu'elle veut s'appeler… Oscar, il en dit quoi ?

Grégoire imprima une autre contraction à son ventre et Oscar se manifesta au creux de Coquine…

– On devrait les laisser jaser un bout de temps… En tout cas, il trouve que c'est un nom approprié. C'est volage, léger avec… Quoi, Oscar ? Avec un petit côté « j'te frotte pis tu m'frottes », qu'il me dit.

Et la conversation entre les sexes débuta à travers les voix rendues espiègles des deux amants.

– Il fait beau aujourd'hui, tu trouves pas, gentille Coquine ?

– Un temps de chat.

– Ça veut dire quoi, ça ?

– Ben… le contraire d'un temps de chien.

– Pis ?

– Un temps doux… Un temps qui ronronne… Purrrr… Un temps quand même qui annonce la pluie.

– Faudrait-il que je mette un manteau ciré ?

– Pas besoin, on se connaît trop pour ça… On va se protéger un dans l'autre.

– Veux-tu m'aider un peu à retrouver ma belle fierté de Québécois ?

– Demande-moi tout ce que tu voudras. Je suis de bon poil de ce temps-là…

La passion de leurs maîtres l'emporta sur la magie des personnages imaginaires et la conversation s'arrêta là pour le moment.

Sylvie se glissa sur son compagnon et leurs lèvres se rencontrèrent pour s'échanger des courants d'ondes qui se répandirent par toute la substance de chacun.

Le côté divin de l'amour physique, c'est de pouvoir atteindre l'extase spirituelle en passant par l'extase charnelle et au cours des préliminaires amoureux, il vient ce grand moment charnière où les mots deviennent des silences : un « *no word's land* » où les gestes se sacralisent. Faire l'amour, c'est fort sérieux pour tout le monde, sauf avant et après.

Elle fit bouger dans une infinie délicatesse tous ceux de ses muscles peauciers aptes à faire naître des mouvements ondulatoires, des vagues de frissons qui se muaient en autant d'appels du désir. Mais ce jour-là, le contact des lèvres transporta tous leurs sens en les réunissant, en les abreuvant. Lèvres belles qui coulent les unes sur les autres, qui diffusent leur chaleur et recueillent celle du corps offert et quémandeur, lèvres douces qui dispensent l'extase en l'accaparant, lèvres libertines qui injectent des magies voluptueuses dans le mystère des sens, lèvres brillantes qui se gorgent d'énergie, lèvres pluvieuses qui arrosent les pays de la chair des plaisirs divins…

La suite alla d'elle-même. Sur des élans qui se commandaient en se générant et après la montée dans les plus hauts vertiges, ce fut la descente vers les petites folies du quotidien.

Sans même s'en souvenir, ils se retrouvaient dans la position traditionnelle, lui sur elle, déversé, essoufflé, accompli, elle remplie, inquiète. Pour un homme, l'amour physique terminé, c'est le bout d'un chemin ; pour une femme, c'est son commencement.

Et ils franchirent le point-retour où s'envole le muet mystère et revient s'installer dans le couple le terre-à-terre de la comédie humaine.

— Oscar est ben fier, même s'il a perdu sa fierté de Québécois, dit-il en se glissant hors d'elle.

— Coquine l'est tout autant, rit-elle.

— On leur fera parler encore de la température en se couchant pour la nuit.

— Ça pourrait arriver que je revienne assez tard à soir. On a un groupe qui nous arrive au restaurant vers neuf heures…

— T'auras qu'à venir réveiller Oscar. Si c'est pour voir Coquine, il va être ben content… Hein, Oscar ?

L'humanité venait de connaître sa milliardième partie de fesses de ce jour-là… Et celle-là non plus ne changerait pas le monde.

***

Chapitre 4

Albert s'entretenait avec Paula de Chantal tandis que la limousine roulait sur le boulevard Laurier en direction du pont Laporte et de l'autoroute menant à Montréal. Puis par le regard devenu vague de sa passagère, le chauffeur comprit qu'elle désirait maintenant se claquemurer dans ses réflexions profondes. Et il se tut.

Paula fixa ses yeux sur la structure métallique du vieux pont et sa pensée s'envola vers des passés déjà recouverts d'une bonne couche de poussière. Elle pouvait apercevoir des images disparates à travers les poutrelles d'acier qui paraissaient défier le temps bien mieux que n'y parvenait la mémoire des hommes.

Un visage noir et dur lui apparut soudain. Celui d'un homme. Un homme noir. Une âme noire. Une image noire. Pourtant, c'était soir de fête. Soir de triomphe électoral, de triomphe national, de triomphe individuel de tous les citoyens qui avaient conscience d'émerger de la noirceur profonde et durable. 1960. Juin. Soleil couchant. Des cris de joie. La fête au village natal. Le jeune docteur Poulin qui habitait la paroisse l'avait emporté sur le vieux candidat de Duplessis, un Georges-Octave patroneux, député dans un gouvernement vermoulu. Quelle fierté pour Saint-Honoré! Et que de fierté par tout le Québec de voir à la tête de l'État ces Lesage, ces Lévesque, ces Lajoie, ces Lafrance et cie!

On entrait dans une véritable révolution. Révolution sucre d'érable. Solide et sucrée. On parlait de réforme de l'éducation.

D'industrialisation. Que d'horizons nouvellement ouverts ! Plus rouges et prometteurs que le soir penché là-bas, derrière le cap à Foley. Ils sont des milliers venus des quatre coins du comté pour fêter ça, bière à la main, excitation dans les bras, insouciance au front et une certaine appréhension bien cachée au fond du cœur sous une épaisse couche de terre neuve, légère et fertile.

Mais il y a cet homme noir qui rôde aux alentours. Tel un loup affamé qui guette une proie dans le troupeau. Ce Nolin dont on disait qu'il battait femme et enfants. Dont les enfants gardaient toujours la tête basse et le pas effarouché. Que fait-il, que veut-il, ce solitaire misérable qui épie sans dire, qui ne partage pas l'allégresse générale, qui boit pour lui-même et non pour la nation, qui promène partout sur les terrains du triomphe ses intentions errantes et inquiétantes ? Un père alcoolique avale ce que ses enfants n'ont pas le droit de manger puisque pour eux, se nourrir est un privilège qui dépend du chef de famille ; un père prédateur taxe sa famille de bien d'autres choses pour assurer sa triste survie.

Puis, par analogie, l'image de Marie Sirois remplaça celle du terrible personnage dont le souvenir ne pouvait signifier que des frissons désagréables. Veuve d'un homme parti prématurément d'un mal dont les gens ne se parlent qu'à voix basse, épouse de la misère et de la solitude, Marie élevait ses quatre enfants dans une masure grise, peu étanche au vent coulis, en cette époque où les populations rurales se fiaient sur les autorités religieuses pour venir au secours des plus démunis, bien que parfois, une âme généreuse, surtout au temps des fêtes, portât à la famille indigente quelque discret panier rempli de cochonnailles ou de vêtements encore bons.

— Albert, me voilà en train de revoir un morceau des années 1950... Pouvez-vous imaginer le Québec sans autoroutes et avec très peu de réseaux de distribution des produits agricoles ? Vous savez, il y avait une famille qui vivait pas loin de mon village, et ces gens-là cachaient leur misère… En fait, c'était la mère, une pauvre veuve…

Paula ayant l'air d'hésiter à lui parler de ces vieux souvenirs par crainte de l'ennuyer, le chauffeur, pour l'encourager à poursuivre, glissa :

– Je n'étais pas là, mais j'ai lu sur cette période de votre histoire. Le duplessisme, la mainmise du clergé sur les cœurs et les âmes, une morale victorienne… et de ces cas de misère dont on ne faisait pas assez de cas précisément.

– On a dit qu'à un moment donné… j'avais 7 ou 8 ans, ces gens-là se mouraient de faim. La veuve avait un compte au magasin général, qu'elle ne pouvait payer et, se sentant coupable, elle ne s'y rendait même plus pour acheter autre chose… Le marchand était pourtant un homme d'une générosité exceptionnelle, qui en a effacé, bien des comptes dans sa vie ; et il n'aurait pas refusé à la veuve de lui marquer davantage… On disait « faire marquer » pour acheter à crédit dans ce temps-là.

– Les gens considéraient leur propre dénuement comme un péché et ils s'en tenaient pour les premiers responsables… D'ailleurs, sans vous offenser, il en reste pas mal, de cette mentalité, ici au Québec. Et c'est inspiré d'en haut, des banquiers et de la haute finance. Les pauvres, c'est leur faute… Ils ne veulent pas travailler, dit-on, même si le taux de chômage est à dix ou douze pour cent. Et les programmes sociaux coûtent trop cher aux autres citoyens, les payeurs de taxes. Les politiques entrent allégrement dans ce jeu-là pour se faire réélire par la voie de cette démagogie… Vous ne pensez pas ?

Paula avait elle-même la critique aisée à l'égard de l'État-providence et ses charités n'avaient aucune commune mesure avec ses excès de consommation. Deux pensées, deux préjugés l'empêchaient de délier les cordons de sa bourse et lui donnaient bonne conscience. Le travail ne manque pas. L'argent ne se rend pas.

Le travail ne manque pas, donc si on peut vivre d'assurance-chômage, on n'a pas à se rendre à l'aide sociale. Même la pauvre Marie Sirois en cette époque n'avait pas fait appel au secours direct.

L'argent ne se rend pas aux pauvres du tiers-monde : à quoi bon souscrire aux campagnes de charité puisque les organismes sont tous véreux ?

Et puis n'avait-elle pas gagné durement son argent ? Ne méritait-elle pas amplement le confort matériel, la sécurité financière et le bien-être moral dont elle jouissait ? Quand il se trouve à la base de sa vie un travail acharné, la chance, un jour ou l'autre, vient transformer cet effort constant en succès, pensait-elle souvent.

Même l'exemple de Marie Sirois parvenait à soulager sa conscience et à endormir sa conscience sociale. Elle raconta ce qui était arrivé à la veuve.

— On dit que cette femme, la mère de la famille dont je vous parle, s'est longtemps habillée en homme pour aller mendier dans les paroisses voisines… Elle partait à bicyclette et couchait dehors… Paraît qu'un jour, elle aurait été attaquée par un homme et elle a dû cesser son activité… Mais tout ça, c'est du ouï-dire, bien sûr. Elle n'aurait jamais voulu mendier dans sa propre paroisse pour ne pas jeter le discrédit sur ses enfants.

— Tout un personnage !

— Elle finissait par se débrouiller avec les moyens du bord. Plus tard, après la mort de son fils, il est mort de leucémie, elle a trouvé du travail à la manufacture de boîtes à beurre. La première femme de la paroisse à oser travailler dans la poussière et la vapeur, à travers les scies, dans un bruit énorme qui durait dix heures par jour, cinquante-cinq heures par semaine… Pour six ou sept dollars par jour.

Depuis un bon moment déjà, les ponts de Québec n'étaient plus qu'un souvenir dans l'œil de la voyageuse mais le passé continuait d'alimenter son esprit. Et puis un clocher parfois ajoutait à son désir de revoir le temps.

– Elle a payé tous ses comptes jusqu'à la dernière cenne, comme on disait alors. Un bel exemple. Si tous ceux qui, de nos jours, niaisent sur l'aide sociale avaient vu cela, ils se donneraient des coups de pied dans le derrière. Et à deux pieds plutôt qu'un. On est en 1989, pas en 1959...

On passa près d'un jeune homme qui par auto-stop se rendait à Montréal. Sa pancarte le disait et il la montrait bien haut. Jamais aucun pouceux n'avait monté dans la limousine de Paula. Des mal-lavés. Des mal-éduqués. Des malappris. Des ingrats souvent... Et d'aucuns fort dangereux. C'est l'opinion qu'elle se faisait de ces gens-là. De ces jeunes-là. Jamais Nathalie, Christian, Chantal ou Marc n'auraient utilisé ce moyen parasite de transporter leur personne et leurs pénates d'une ville à l'autre.

– En voilà, des jeunes qui se débrouillent pour survivre, dit Albert en parlant de l'auto-stoppeur.

Vision à l'opposé tout à fait de celle de sa patronne. Et ce rapprochement qu'il avait l'air de faire entre ce jeune homme et la veuve dont Paula l'entretenait contraria la femme en un premier temps puis rida son front.

– Ce n'est pas la même chose de nos jours comme en ce temps-là. Aujourd'hui, les opportunités sont partout... Quand mon père voulait travailler ailleurs que sur notre ferme, il n'y avait dans notre paroisse que le moulin à scie, surtout l'hiver, et la manufacture de boîtes, surtout l'été, qui donnaient du gagne à quelques-uns : une douzaine de personnes au moulin et pas plus à la manufacture. Pour une paroisse de deux mille personnes, c'était peu, ça...

– Les besoins matériels de chacun étaient par contre bien moins grands, fit Albert avec un léger clignement de l'œil gauche.

– Tout calculé, je ne suis pas sûre d'être plus riche, en proportion, que les notables de la place autrefois…

Albert protesta gaiement :

– Mais non, mais non, madame Paula, vous êtes bien mieux pourvue… toutes proportions gardées…

Elle se défendit :

– Je veux dire… ma richesse par rapport à la situation matérielle et financière de la moyenne des gens par comparaison avec la situation des notables de naguère par rapport à la moyenne des paroissiens.

– J'avais compris, j'avais compris…

Mais le chauffeur n'en ajouta pas. Il savait que Paula aimait qu'il la contrarie mais il ne fallait pas en mettre trop et il se tut tandis qu'elle se remettait à ressasser le temps jadis…

Il fallait tout un courage à Marie Sirois pour se déguiser en quêteux, enfourcher sa bicyclette et parcourir les rangs de Courcelles ou Lambton en recherche d'une petite pitance pour ses enfants… Curieux qu'elle n'ait jamais songé à cela avant ce jour de départ pour le grand voyage de sa vie !

– La femme, cette veuve de ma paroisse, elle s'appelait Marie… Marie Sirois… Aviez-vous imaginé un nom pour elle, Albert ou bien vous l'avais-je dit ?

– J'en avais imaginé un, oui…

– Quel était-il ?

– Dans ma tête, tout en vous écoutant parler, elle s'appelait… madame…

Des milles silencieux s'ajoutèrent à des kilomètres tranquilles. Paula garda sa tête tournée vers l'extérieur. Elle semblait prostrée, arrêtée quelque part entre le passé et le futur dans un monde sans lumière et peu vivant, des lieux sans âme trop modernes et qui ne dégageaient pas d'ondes et ne cachaient pas encore de mystère. Ou bien sous l'écorce de la femme d'affaires froide, la marmite du temps continuait-elle à bouillir et à faire remonter à la surface des images que la vie avait fait se décanter depuis longtemps et qui s'étaient accumulées au fond de l'âme comme des sédiments qu'un remue-ménage dans le lit de la rivière de ses jours commençait d'agiter pour en brouiller bientôt la clarté et le cours.

En tout cas, il apparaissait au chauffeur français qu'un grand changement surviendrait prochainement dans l'âme de cette femme aux apparences placides et à l'intérieur inquiet et jamais arrivé.

Vers Sainte-Croix de Lotbinière, l'homme brisa à nouveau le silence comme s'il eût voulu transmettre à Paula un message qu'à ce moment précis elle avait besoin d'entendre.

– Tiens, un autre auto-stoppeur...

– Faites-le monter.

– Vous dites?

– Je dis: faites-le monter.

– À l'avant ou à l'arrière, demanda l'homme en même temps que la voiture décélérait.

– À l'arrière... Je vais lui faire la leçon, vous verrez, Albert...

Le chauffeur pensa: «Ou bien c'est lui qui vous la fera.» Il sourit et arrêta la voiture deux cents pieds passé le jeune homme dont la pancarte indiquait son désir de se rendre à Montréal.

C'est l'air parfaitement incrédule que le garçon, un adolescent de pas 18 ans, vit cette grande voiture se garer sur l'accotement de l'autoroute; sûr que ce n'était pas pour lui, il releva sa pancarte en direction des prochains automobilistes.

– Qu'est-ce qu'il attend? fit Paula qui regardait vers lui. Faites-lui signe, Albert, mais soyez prudent, il vient des camions à vive allure.

Le chauffeur descendit et dut crier pour attirer l'attention de l'auto-stoppeur qui se retourna et interrogea du regard et surtout du sourcil.

– Nous allons à Montréal, venez, nous sommes pressés.

Pendant une seconde ou deux, le jeune homme se demanda si on s'adressait bien à lui. Qui donc dans pareille limousine pouvait s'intéresser au transport d'un pouceux autrement que quelqu'un désirant profiter de lui? La misère a la paranoïa plutôt facile devant l'opulence. Quoique ce personnage fût de la race de ceux qui profitent du système sans le subir passivement.

Quand le futur passager se fut enfin décidé et se mit à courir, Albert contourna la voiture et vint ouvrir la portière à la hauteur de l'occupante. Il s'y trouvait deux banquettes, l'une en face de l'autre.

– Êtes-vous malade en voiture? demanda Albert, l'œil pesant. Parce que vous allez devoir voyager le dos devant.

– Pense pas! dit l'adolescent dans une voix qui s'enroua et qu'il éclaircit aussitôt en se raclant la gorge. Pense pas, redit-il en se faisant précéder d'un sac mou de couleur bleue, qui devait receler l'essentiel de sa richesse terrestre.

C'est ce que pensa Paula en tout cas quand il prit place en biais tout en se composant un sourire en coin.

– Surpris?

– Quoi?

– Surpris de voir une limousine s'arrêter pour toi?

Il bougea la tête et réprima un sourire:

– Non.

– Je m'appelle Paula et mon chauffeur, c'est Albert. Et toi?

– Sébastien… Sébastien Rousseau.

– De Québec?

– Lévis.

– Étudiant?

– Non… en recherche d'emploi.

– Ah! Et… tu vas chercher du côté de Montréal?

– Non, je vais voir des amis.

– Tu as quel âge?

– Dix-huit ans.

– As-tu de l'expérience de travail?

– Ben… non.

– Et quelle est ton degré de scolarité ?

– Ben… Secondaire 5.

– Je te demande ça parce que je pourrais peut-être t'aider… Plusieurs centaines de personnes travaillent déjà pour moi, tu sais.

Le jeune homme promena son regard sur le somptueux habitacle dans lequel il se trouvait et l'affirmation de la femme lui parut évidente. Ces cuirs ne pouvaient mentir. En même temps, il se trouvait fort mal à l'aise à se sentir ainsi scruté et mesuré.

– Ben… je vas peut-être reprendre mes études l'année prochaine… Finir mon cégep… quelque chose comme ça, là… J'aimerais ça du côté de l'informatique… Les ordinateurs, c'est cool…

– Informaxi, tu connais ?

– Ben… ça doit.

– Des boutiques d'ordinateurs… d'informatique, comme le nom le dit.

Sébastien se pencha et repoussa son sac sans avoir besoin de le faire. Il glissa ses doigts dans ses cheveux bruns dont les longues mèches lui encadraient trop le front à son goût.

– Ouais, j'pense…

– Maintenant, tu fais quoi pour vivre ? Tu vis encore avec tes parents ?

– Ben… ouais.

– T'as pas eu envie de le faire tout de suite, ton cégep, au lieu d'attendre plus tard ?

L'interrogatoire se poursuivit sur cette lancée. Et le jeune homme se rendait compte qu'il avait affaire à quelqu'un comme sa mère qui avait le goût de lui faire la morale. Ses réponses brèves raccourcirent encore et il se mit à mentir. Soudain, il tourna la tête pour s'adresser à Albert :

– J'ai oublié que faut j'arrête à Victoriaville… Ça fait que… vous pourrez m'arrêter à la sortie… Je vas…

– Quel adon, fit Paula, je dois aussi m'arrêter là-bas. Une toute petite demi-heure… Si tu veux poursuivre ton voyage avec nous autres…

– Non, ça va prendre trop de temps…

Albert s'adressa à sa patronne :

– Vous voulez vraiment aller à Victoriaville ?

– À vrai dire, je peux m'arranger avec le téléphone. Vous vous arrêterez à la sortie concernée pour accommoder ce vaillant jeune homme.

Et la femme prit le combiné et quitta mentalement la limousine jusqu'à l'arrêt. Elle répondit à peine quand l'adolescent remercia et qu'il sortit en vitesse puis quand l'auto reprit sa route, Paula dit au chauffeur :

– Je vous l'avais dit, Albert. Ces gens-là puent, ils vivent sur le bras de l'État et tu as beau vouloir les récupérer, ils ne veulent pas s'aider.

– Vous l'aviez bien dit, en effet, madame.

– Si d'autres font du pouce plus loin, laissez-les marcher, ça va les garder en forme…

– Très bien.

Et Albert laissa Paula à ses réflexions qui la ramenèrent dans le passé, mais un passé plus récent. Elle se souvint que son homme de confiance, cet ermite philosophe qui avait constitué un véritable pilier de sa première entreprise, le Gaspard Fortier, ne possédait pas de voiture et se rendait au travail à bicyclette. Et que parfois, il quittait Saint-Georges pour aller ailleurs, en un endroit que jamais il n'avait identifié et qu'il avait l'habitude malgré son âge, de voyager lui aussi sur le pouce…

– Oui, mais Gaspard, lui, c'était pas pareil, murmura-t-elle.

– Vous dites, madame ?

– Rien… je me parlais comme ça m'arrive…

***

Chapitre 5

– Albert, nous allons nous arrêter une demi-heure au restaurant à Drummondville, s'il vous plaît.

– Certainement, madame! Je m'apprêtais à vous le proposer. Je sais que l'un des moments les plus déterminants de votre carrière s'est passé là.

– Ah, je vous en ai parlé?

Dix fois déjà, elle l'avait fait, mais l'homme mentit :

– Une fois, oui.

Peu auditive et surtout visuelle ainsi qu'elle aimait se caractériser elle-même, les images restaient gravées dans sa tête mais pas trop les conversations banales. Et pour se souvenir clairement des échanges importants, elle les associait à des objets, des lieux, des visages… Mais comment se rappeler de tout ce qu'elle avait déjà raconté à ces cheveux poivre et sel et ces yeux dont elle ne voyait pas souvent le regard direct par le rétroviseur?

Un rang longeait l'autoroute plus loin et s'y trouvait une habitation isolée, petite et verte, près de laquelle un homme fendait du bois à la hache. Cela se pouvait-il encore en 1989? Bien sûr, mais rarement! se dit-elle tout en laissant à nouveau vagabonder son imagination vers les lieux de son enfance à Saint-Honoré, sa paroisse natale. À cette époque, son père aussi et tous les chefs de famille du monde rural, préparaient ainsi eux-mêmes leur bois de chauffage. «De l'érable, c'est le meilleur, répétait Rosaire, mais faut ben passer itou les chicots des arbres morts pis les arbres déracinés par le vent.»

Pour elle, malgré toutes ces années à vivre sur une ferme où il y avait une érablière puis vingt ans de plus à commercer les produits de l'érable, ce déracinement de certains arbres au beau milieu d'un bois resterait toujours un mystère. Pourquoi celui-là et pas les autres autour en pleine forêt? Le vent agissait-il comme une sorte de bêche et piquait-il chaque année en quelques endroits bien précis pour jeter à terre un merisier, un hêtre, un bouleau ou un érable? Jamais un pin, jamais une épinette, jamais un sapin. Un feuillu çà et là…

Ou bien les déracinés sont-ils des êtres plus faibles et moins capables de se défendre devant la vélocité ou la férocité des événements? Elle-même était-elle une déracinée? Non, bien au contraire, elle gardait ses racines profondes dans la vieille terre beauceronne, mais sa tête surpassait les autres dans la forêt dense des humains. Comme la grande épinette dont parlait souvent son père, un conifère qui mesurait au moins dix mètres de plus que tous les autres. Les tempêtes risquaient toujours de lui donner plus de fil à retordre qu'aux autres mais elle savait tenir le coup et triompher de leurs rages capricieuses…

Sans lien avec sa pensée précédente et aussi subitement que l'accident était alors survenu, Paula revit tout à coup Gilles Maheux, gamin de son âge dont elle avait été un peu amoureuse, apparaître en volant sur son *jumper* et atterrir sur la galerie de la maison pour s'y assommer contre le mur de bardeaux. Le pauvre garçon n'avait retrouvé tous ses esprits qu'une fois étendu sur le divan du salon. Elle l'avait soigné du mieux qu'elle avait pu puis le garçon s'était sauvé comme s'il avait eu peur d'elle tant il en était amoureux, comme elle s'en rendrait compte avec les années qui suivirent.

On épouse rarement son tout premier *flirt* et pas souvent son premier amour. Le destin pousse la plupart des cœurs d'enfants dans des directions imprévues. Gilles avait grandi. Encore jeune, il quittait sa paroisse pour se faire une vie en ville. Emporté par le tourbillon montréalais, il avait sans doute vécu trop vite et à 45 ans, une crise cardiaque l'emportait vers un monde meilleur où il n'y a peut-être pas de murs où se frapper avec son tape-cul…

À l'insu de la rêveuse, la limousine avait quitté l'autoroute pour aller aussitôt se stationner en douceur et en grâce dans une longue manœuvre dans la cour du restaurant.

– Nous y voilà, madame Paula, dit Albert qui savait la profonde distraction de sa patronne.

– J'étais, je crois, en 1948 ou 1949 dans mes pensées.

– Je vous voyais loin en effet. Vous voulez rester seule un moment de plus?

– Non, je vais descendre tout de suite. Merci de votre souci.

À l'intérieur, l'hôtesse aperçut les arrivants et son attitude devint plus sophistiquée. Et son cou devint encore plus raide lorsque le chauffeur fit entendre son accent français:

– S'il vous est possible de nous attribuer une banquette…

– Nous avons de bonnes tables avec beaucoup de lumière.

– C'est précisément ce que madame ne veut pas.

– Très bien!

On suivit cette petite femme qui portait une toque noire victorienne sur le pignon de la tête et marchait sans beaucoup de féminité. Paula demanda la banquette où elle avait pris une grande décision naguère et on la lui attribua. C'était dans une encoignure avec un mur à sa droite et un mur à l'arrière.

– Je peux vous laisser seule? dit Albert.

– Non, non, restez, nous allons parler… Je voudrais votre opinion sur certaines choses. On dit que le plus sage conseiller d'un politicien ou de n'importe quel décideur, c'est son chauffeur…

– C'est flatteur pour nous.

Elle jeta son imper sur le siège et prit place tandis que l'homme disposait de sa casquette et s'asseyait à son tour:

– On a tout le temps devant nous : l'avion ne décolle qu'à dix-huit heures. Pourvu qu'on arrive à Mirabel à dix-sept heures…

Elle soupira :

– C'est ici que j'ai pris la décision de me lancer dans les affaires voilà déjà… dix-sept ans… J'étais seule et même si j'avais déjà une entente avec Provigo dans ma poche, je n'avais pas jusqu'ici vraiment arrêté ma décision.

– Et qu'est-ce qui vous a donc donné le dernier coup de pouce ? C'est toujours un détail, paraît-il… la goutte d'eau qui fait déborder le vase.

– C'est drôle, mais je ne me souviens pas au juste. Ou plutôt oui, je pense que c'était un petit coup de fierté… En fait, oui, il était arrivé une vedette de la télévision, Suzanne Lapointe, et tout le monde n'avait d'yeux que pour elle. Je me suis dit que moi aussi, sans être une star, je pourrais prendre tout l'espace que la vie me permettrait de prendre… C'est l'ambition qui fut la goutte d'eau comme vous dites. Et je ne regrette rien. Ce n'était pas que ça, bien entendu… Je ne sais pas… le défi à relever, le challenge encore plus grand pour une femme… C'était avant même la montée de la dernière vague féministe.

Vint la serveuse, une blonde filiforme à nez busqué :

– Besoin du menu ?

– Pour moi, ce sera un café et une salade du chef.

Albert demanda la même chose. La conversation se poursuivit bon train sur les événements et personnages du passé de Paula, auxquels sa vie intense ne lui avait guère donné l'occasion de songer. Ce départ lui donnait un peu de temps pour le faire et elle aimait cela.

– Et alors, madame, ce conseil auquel vous songiez tout à l'heure à notre arrivée ?

Elle parla en hésitant

– Cela concerne Marc… Croyez-vous que j'aie raison de lui confier la haute main sur la maison ? Il y a quelque chose que je ne saisis pas en lui. Il m'arrive souvent de me trouver décontenancée quand il parle. Chacun dans la vie a des choses à cacher, mais chez lui, on dirait qu'il s'agit de choses importantes... inavouables... très profondes et secrètes.

– C'est simple, madame. Il possède une forte tendance homosexuelle qu'il ne veut pas reconnaître en lui-même et encore moins accepter.

– Mais voyons, Albert, où allez-vous chercher une idée pareille?

– Ça ne se raisonne pas, ça se sent!

– Même si cela était, quelle raison aurait-il de me le cacher? Je ne suis pas une femme à préjugés. Son orientation sexuelle, c'est son affaire et jamais je ne me mêlerais de ça; et il doit bien le savoir comme doivent aussi le savoir mes trois autres enfants.

Paula fit signe à la serveuse en montrant sa tasse pour obtenir un autre café qui fut vite servi.

– Ce n'est pas de vous qu'il a peur mais de lui-même. Et puis le sida terrorise. Ou plutôt la peur qu'en a la population en général stigmatise les hommes gais. Ne lui dites surtout pas que j'ai cette opinion de lui. Et si je faisais fausse route en plus!

– Peut-être en effet que vous faites fausse route. Je ne peux pas croire que cela aurait pu m'échapper. Mais aurais-je été si peu attentive à lui?

Elle hocha la tête pour ajouter en faisant tourner son doigt sur le rebord de sa tasse:

– Et qui sait... si peu attentive aux autres au cours de toutes ces années? Curieux, Albert, je crois que je me pose la question pour la première fois depuis de nombreuses années. Est-ce là l'expression du remords qui à mon insu couve en moi de partir si loin pour tant de temps? Non, non... ils sont tous partis de la maison. Chacun a sa propre vie et je ne suis plus qu'une… une bonne mère qu'on peut appeler à l'occasion… un peu pour faire son devoir d'enfant.

— Je vous trouve bien peu complaisante envers vous-même, madame Paula. Vos quatre enfants vous aiment beaucoup, vous savez. Et vous devriez vous compter chanceuse de cela bien plus que de votre richesse et de votre pouvoir.

Elle pencha la tête et esquissa un sourire mais ne lui donna pas la réplique sur ce sujet :

— Et si nous parlions un petit peu de vous, mon cher Albert. Tout à l'heure, je réfléchissais à ces arbres que le vent déracine chaque année dans la forêt. Mais vous, n'êtes-vous pas aussi un arbre déraciné ? Qu'est-il arrivé à part ce que vous m'avez déjà dit et qui était plutôt la goutte qui a fait déborder le vase, comme vous disiez tantôt ? Avez-vous choisi cela ou bien est-ce la vie qui vous y a poussé ?

— Vous savez, madame, il y a dans certaines personnes ce désir constant de se trouver autre part. Et en même temps, il faut à ces gens se faire violence pour quitter leur cocon. Nous sommes ainsi, Maryse et moi. Tout en attachant solidement nos amarres, l'odeur du vent du large ne nous quitte jamais.

— J'espère que vous êtes bien amarrés à Saint-Georges pour le temps du moins où je ne serai pas là. Ma maison compte sur vous et moi encore davantage.

L'homme regarda quelque part dans son avenir puis il sourit franchement :

— Nous nous conduirons comme de bons propriétaires des lieux et pourrons même faire le pont si nécessaire entre vous et les personnes que vous voudrez, aussi bien du côté de vos affaires que de votre vie privée.

— Je vous en suis et vous en serai très reconnaissante. Surveillez Marc… Et je sais que vous le ferez avec bienveillance.

— Comptez sur nous !

– Je me sens prête à m'en aller. Je savais que de m'arrêter ici et d'occuper cette table, il se passerait quelque chose d'important et de profitable.

On se tut pour un moment tandis que chacun par petites gorgées finissait son café.

Aux abords de la caisse et du bar situés au milieu de la pièce, il y avait conciliabule, rapide réunion du personnel présent. La caissière, l'hôtesse, des serveuses : on avait l'air de s'intéresser à quelque chose se trouvant dans la direction de Paula et de son chauffeur.

– Quelqu'un aurait-il embouti la limousine ?

– Je vais voir ce qui se passe.

Et le chauffeur quitta sa place pour aller vers la sortie. Il n'eut pas à se rendre bien loin qu'il comprit ce qui arrivait. Une célébrité entrait dans l'établissement et on faisait beaucoup de cas d'elle. Comme Paula, elle se donnait des airs et désirait un coin bien particulier, celui-là même occupé par la femme d'affaires.

– Pas possible, dit Albert en revenant auprès de sa patronne. Il paraît qu'on attend que nous partions parce que madame je-ne-sais-qui veut notre place.

– Restons là, juste pour leur montrer…

– Bah ! nous allions nous en aller de toute manière.

– Vous avez raison, Albert, et pourtant, j'aurais le goût de leur donner une bonne leçon.

Mais elle n'en fit rien et quitta sa place, suivie du chauffeur qui ensuite la devança pour aller mettre la limousine en marche et l'approcher de la porte d'entrée. Paula paya la facture à la caisse puis elle mit ses verres fumés et s'en alla, emportant sur son bras son imper et sous son nez une petite chiquenaude à sa fierté.

La vedette était un jeune comédien qui jasait dans l'entrée, entouré de quelques amis. Paula se demanda un moment où elle avait bien pu voir cette gueule mal rasée et c'est le chauffeur qui lui révéla l'identité du personnage quand elle fut à l'intérieur de la voiture.

– Il s'appelle Roy Dupuis...

– Vous savez, moi, la télévision, le cinéma, j'ai laissé ça aux autres depuis quinze ans. Et c'est pour ça que j'ai pu bâtir quelque chose...

On quitta les lieux et la femme d'affaires rentra à nouveau en elle-même tandis que la limousine regagnait l'autoroute.

Cette fois, elle revit par le souvenir ce Gabriel Riana dont elle avait bouffé l'entreprise, concurrente de la sienne, grâce à un incroyable coup d'audace. L'homme ensuite était venu manger dans sa main. Elle en avait fait son directeur commercial et peu après, il perdait la vie dans un banal accident de la route à deux pas des bâtisses de la Reine de l'érable...

Quand on fut en vue de Mirabel, Paula pensa que depuis son départ, elle avait passé en revue la plupart des personnes marquantes de sa vie. Enfants, mari, parents, grands-parents, employés, connaissances... Nathalie, Christian, Chantal et leur père, Grégoire. Marc, le fils de Lucie, adopté à 3 ans. Et tous les autres. Sa mère, Rita, morte de tuberculose voilà déjà quarante ans. Son père toujours vivant et sa femme Hélène. Grand-père Joseph et sa deuxième femme, la Clara si sympathique et originale. Et ses amies, surtout Aubéline et Michelle. Et les personnages hors du commun comme Gabriel Riana et Gaspard Fortier.

– Se pourrait-il que je ne revienne jamais de ce long voyage ? demanda-t-elle soudain au chauffeur. On dit que lorsqu'une personne revoit en peu de temps le film de sa vie, c'est que sa fin est proche. Eh bien, j'ai revu ce film depuis ce matin.

– C'est peut-être, madame, que vous n'avez jamais eu ou pris le temps de le faire ?

Elle resta songeuse.

***

Chapitre 6

Voyager seule : quelle idée pour une femme ! De surcroît pas même une jeune femme mais une quinquagénaire.

« Ça ne doit pas se voir souvent ! » disait tout le monde.

« Sois sur tes gardes, ma vieille ! »

Tous les mots d'empêchement augmentaient son désir et son goût de relever le défi. Le discours masculin l'habitait et la menait par le bout du nez : courir, se dépasser, dépasser les autres, compétitionner, concurrencer sur le marché mondial, solutionner... L'ambition, la fierté, le langage pourri des financiers et du hockey professionnel lui rongeait l'âme comme un ver et elle ne s'en rendait même pas compte puisque les médias, eux-mêmes très malades, lui renvoyaient d'elle une image favorable. Le public aussi...

Une femme qui a réussi aussi brillamment ne saurait être qu'une grande gagnante. On veut la questionner, s'en faire protéger comme par un dieu, la toucher comme à une étoile du cinéma, de la chanson, de la politique, comme à un chanceux qui a touché le super gros lot.

Un être béni par le ciel.

Un modèle à suivre.

Si elle a réussi, toi, t'es capable. D'où l'accusation qui pointe du doigt sur les perdants. Quand on veut, on peut. Prends exemple et bats-toi au lieu de pleurer et de bayer aux corneilles !

Des perdants, des pauvres gens sans moyens, elle en verrait en quantité et elle voulait en voir le plus possible. Cela la conforterait dans ses pensées, dans sa vie. Si une femme née en 1939 dans une petite paroisse de la Beauce au sortir d'une terrible crise économique dans une famille ordinaire, pas plus favorisée que la moyenne, vivant des produits d'une ferme qu'il fallait piocher à la main, dont la mère mourait après une longue hospitalisation au sanatorium, avait grimpé un à un tous les échelons menant à la fortune, et si ce peuple québécois avait émergé sans aide extérieure de sa dèche et de sa noirceur, que ne pourraient réaliser de nos jours ces pays dits du tiers-monde grâce au soutien des pays développés et grâce à la technologie, à la mécanisation, à l'informatisation maintenant disponibles?

« Nous, Québécois, sommes sortis du bois à pied. On offre à des pays pauvres les véhicules nécessaires, soutien financier et technologique, pour qu'ils sortent aussi du bois, et pourtant, à chaque année, ils s'enfoncent plus profondément dans leur jungle : pourquoi? »

Voilà un paradoxe souvent exprimé par elle lors de ses discussions de naguère.

« Les Japonais, à l'étroit sur leurs îles minuscules et sans ressources naturelles, réussissent brillamment. Les Chinois, malgré le poids démographique énorme sur l'économie intérieure, s'en tirent de mieux en mieux. D'autres, Singapour, Taïwan, la Corée du Sud, la Birmanie, font des pas de géants en avant; pourquoi pas leurs voisins? Et pourquoi pas l'Afrique? Et pourquoi pas l'Amérique du Sud? »

Tous ces marchés à ouvrir.

Tous ces marchés à nourrir.

C'est en femme d'affaires et en philosophe qu'elle voyagerait de par le monde. Comme le proclamait Benedict Arnold sur l'enseigne de son commerce à New Haven en 1770, aux dires de Gaspard Fortier : *Sibi totique*, c'est-à-dire « pour lui-même et pour les autres ».

Plus on est riche soi-même, plus on rayonne autour de soi. C'est vrai au moral comme du côté matériel. Et plus on rayonne, plus il tombe des miettes de la table pour les autres. Voilà la seule et unique pensée qui avait mis les Américains aux commandes de la planète dans tous les domaines.

L'esprit de Paula ressemblait à celui du monde en cette fin des années 1980. Elle le traînait dans ses bagages et il y prenait beaucoup de place avec ses vêtements et accessoires. C'est en regardant tout le clinquant américain de l'aéroport de Chicago qu'elle refaisait le procès de la richesse dispensatrice et de la pauvreté coupable.

Prudente, elle emportait plutôt des jeans et des bijoux de pacotille que du chic à tenter les détrousseurs de touristes. Et en chaque lieu l'attendraient, à sa demande, un chauffeur-interprète et un véhicule utilitaire sans apparat.

Sans voisin de banquette pour la déranger, elle dormit sur un coussin contre le hublot tout le long du vol Chicago-La Paz. L'avion se posa au cœur de la nuit à l'aéroport El Alto, et dès lors, elle fut prise en charge par un Bolivien dans la quarantaine qui avait déjà vécu à Montréal pendant une dizaine d'années et travaillait maintenant dans son pays pour l'agence de voyages Autour-du-Monde, avec laquelle Paula faisait affaire.

À cette heure, l'achalandage étant réduit, on se reconnut aisément, l'homme portant casquette de chauffeur et montrant une pancarte qui affichait le nom de Paula. De plus, elle était la seule femme à voyager seule.

– Mon nom est Juan Prado, dit-il avec un accent pas très prononcé en s'approchant de la femme qui venait de lui répondre par un signe et un sourire.

– Et moi Paula. Vous me montrez votre carte d'identité émise par l'agence?

– Mais sûrement!

Et il sortit la carte demandée de la poche de sa veste en denim. Elle vérifia puis le toisa de pied en cap.

– Est-ce que je suis convenable? On m'a demandé de me vêtir sans façon, à l'américaine…

– Vous êtes parfait comme ça. Et maintenant, allons prendre mes valises pour que je puisse aller à mon hôtel au plus vite. J'ai dormi dans l'avion, mais je me sens quand même très fatiguée… comme si je manquais de souffle… comme si quelque chose m'agrippait à la gorge.

– Oh! vous savez, madame, c'est l'altitude. La Paz est la capitale la plus élevée du monde à plus de trois mille sept cents mètres, mais l'oxygène y est plus abondant qu'ailleurs…

– Je savais mais je n'y pensais pas.

– Dans un jour ou deux, vous serez habituée.

Il montra la direction du convoyeur à bagages et on s'y rendit. Paula n'emportait avec elle que deux valises et pas des plus grandes. Noires avec des sangles rouges. Faciles à repérer. Juan les prit et on se dirigea vers le stationnement où on se rendit sans se parler à une Jeep de couleur blanche. Elle trouvait qu'il faisait très cru dehors et à ça non plus, elle n'avait pas songé. Car début avril, dans l'hémisphère sud, on s'en va vers l'hiver.

Quand on fut à l'intérieur, Juan mit le moteur en marche et le climatiseur poussa de l'air sur les deux passagers.

– Il ne fait pas si chaud, mais c'est pour vous aider à respirer mieux.

– Je vous remercie. Et dites-moi, depuis quand faites-vous ce métier?

– Sept ans.

– Et que faisiez-vous à Montréal?

– Chauffeur de taxi. Et durant mes congés, j'étudiais à l'université.

– Malgré cela, vous êtes encore chauffeur?

– Je travaille pour l'agence et mon salaire m'est versé en dollars américains. C'est plus payant que ce que pourrait me rapporter mon diplôme d'ingénieur. J'ai plusieurs bouches à nourrir, vous comprenez.

La voiture entra dans la nuit en direction de l'hôtel. Et à si grande vitesse que Paula s'en plaignit d'autant que le plus souvent, la route était descendante.

— En tant que garde du corps, vous devez aussi me protéger des accidents, non?

— C'est noté pour le reste du voyage, madame.

Et Juan réduisit la vitesse. Paula reprit le cours de la conversation tout en luttant contre le grand inconfort que son corps continuait de ressentir:

— Ne seriez-vous pas plus utile à votre pays à travailler comme ingénieur que comme chauffeur?

— John Kennedy disait avec beaucoup d'éloquence et de vibration patriotique: «Ne te demande pas ce que ton pays peut faire pour toi mais ce que tu peux faire pour ton pays.» Je pense exactement le contraire. Comme la plupart des gens du Canada et des États-Unis d'ailleurs, non? Vous me jugerez très mal, mais je crois que mon pays, c'est d'abord ma famille. Et puis il faut bien quelqu'un pour accomplir ce que je fais. Je parle français, anglais, espagnol, je connais le Canada… et la mécanique, et je sais me bien servir d'une arme. Préféreriez-vous être conduite par un jeune sans expérience? La demande pour des chauffeurs comme moi est là et créée par la clientèle; et on paye bien parce qu'il y a un besoin. Au fond, c'est un peu vous qui me soustrayez à ce que monsieur Kennedy aurait pu appeler mon devoir patriotique.

Paula comprit que son bien-être de femme du Nord empêchait tant soit peu mais d'une certaine façon tout de même le développement d'un pays du Sud. Ce fut la première leçon de son voyage. Et pas la dernière.

*

C'est en se proposant d'aller au bout de son sommeil qu'elle éteignit la lampe après s'être glissée sous les couvertures et n'avoir pris que le temps nécessaire à se démaquiller et sans avoir disposé de ses bagages autrement qu'en posant les valises sur une table basse.

Elle téléphonerait à Juan à son réveil pour lui faire part de ses projets immédiats lesquels se préciseraient sans doute au cours du restant de la nuit et dans l'avant-midi suivant.

Rien ne ressemble plus à une chambre d'hôtel qu'une autre chambre d'hôtel de même catégorie où qu'on se trouve dans le monde, et à part ce mal de l'altitude, Paula ne se sentait guère dépaysée. D'autant qu'elle se trouvait dans un Sheraton. Ce fut différent quand à son réveil, elle se mit à sa fenêtre pour voir la ville. Cette étendue infiniment montueuse au lacis de rues inextricable parsemée de bâtisses de quelques étages ne lui donnait à penser à aucune ville déjà vue et la cordillère Royale en arrière-plan la plongeait dans un paysage lunaire avec ses rochers dénudés qui découpaient le fond de l'horizon. Et pourtant, le bleu pur du ciel ne pouvait en rien rappeler l'astre des nuits dont les montagnes et cratères ne sont dessinés que par la nuit sidérale. Son regard accrocha vite à la majesté de l'Illimani, superbe montagne aux neiges éternelles, à trois pics massifs, fière comme une femme bolivienne roulant dans ses veines du sang indien. Il faudra s'en approcher, pensa-t-elle, encore qu'une montagne perd son charme à mesure qu'on va vers elle.

En raison d'une industrialisation modérée, la pollution paraissait peu et après ce premier coup d'œil de reconnaissance, Paula retourna aux nécessités du matin. Elle prit une douche puis composa le numéro de son chauffeur. Il lui fallut sortir quelques mots d'espagnol et ça lui plut d'être comprise sans devoir passer par l'anglais.

Puis elle prit l'ascenseur et descendit à l'étage de la salle à manger où elle se fit servir un petit déjeuner très international. Et comme au restaurant de par chez elle, la femme surveilla gras saturés et cholestérol. « La Bolivie, mais c'est à la porte d'à côté », se dit-elle en levant sa tasse de café.

C'est alors que pour la première fois, elle fut confrontée au machisme sud-américain. Un personnage en veston pâle vint s'installer à la table voisine. Un fort bel homme d'environ 40 ans qui lui adressa dès que leurs regards se croisèrent un large sourire auquel Paula ne sut répondre que par un salut à peine esquissé.

Tandis qu'elle achevait son café et que la serveuse s'empressait de remplir sa tasse, la femme se demandait à qui cet homme pouvait ressembler. Car il lui rappelait quelqu'un de familier. Mais elle avait beau chercher et chercher encore...

– *I guess you are from... New York*, entendit-elle soudain venir du personnage aux airs indéniablement latins alors qu'elle s'était penchée en avant pour écrire sur une serviette de table.

Elle releva la tête et vit à nouveau que cet homme et elle-même étaient seuls dans les environs immédiats ; et force lui fut de constater qu'il s'adressait à elle. Et puis comment échapper à ce regard envoûtant qui lui rappelait celui de Ricardo Montalban... en plus jeune.

– *Or maybe... Montreal ?* insista-t-il.

– Je suis du Canada...

– Je l'aurais juré que vous aviez du sang latin, dit le personnage dans un très bon français. Vous êtes du Québec au Canada, donc de descendance française. Dites-moi que je me trompe.

Tournant la tête, Paula vit que la serveuse et un homme de bar se disaient quelque chose, sans doute à leur sujet, et elle pensa qu'elle avait affaire à quelque séducteur du matin.

– Vous ne vous trompez pas.

– Je n'en ai pas l'air, mais je suis Américain. Bien sûr, hispano-américain. Pour tout vous dire, d'origine mexicaine. De passage en Bolivie... pour affaires. À vous voir écrire, on pourrait aussi vous croire dans les affaires. Dites-moi que je me trompe.

Elle sourit un peu :

— Vous ne vous trompez pas.

— Et vous négociez dans le domaine du textile. La laine d'alpaga peut-être…

— Cette fois, vous vous trompez. Trop cher pour mes moyens, mentit-elle.

— Et… vous ne faites que passer ici à La Paz ?

— Je n'ai pas pris de décision encore. Je suis une touriste qui improvise. Peut-être irai-je à Cochabamba. Peut-être plutôt vers le lac Titicaca et le Pérou un jour ou deux.

— Ah, madame, le Pérou, je ne vous le conseille pas beaucoup ! Le Sentier lumineux, le terrorisme, la violence urbaine… Trop dangereux par les temps qui courent. Allez au Brésil, en Argentine, c'est plus calme par là-bas. Et puis, vous pouvez trouver ici en Bolivie tout ce que le Pérou peut offrir moins le Machu Picchu ; mais ce ne sont là que des ruines.

— Je prendrai votre conseil en haute considération.

— Vous ne vous tromperez pas.

Paula aperçut alors son chauffeur qui entrait dans la pièce somptueuse. Il portait une livrée, comme le lui avait demandé la femme pour cette première journée de visite de la capitale. On jouerait aux touristes de campagne les jours à venir quand on irait justement à la campagne. Juan s'approcha, jeta un œil sur l'occupant de la table voisine qui le salua d'un certain sourire.

— Asseyez-vous et parlez-moi des lieux touristiques de la ville, demanda Paula sans plus se préoccuper de son interlocuteur.

— Il semble que vous connaissez déjà quelqu'un à La Paz, dit Juan en ajoutant un signe de tête qui désignait l'homme de la table voisine.

Il prit place dos à l'autre homme. Paula se pencha pour lui dire à voix basse :

– Il ressemble comme deux gouttes d'eau à Ricardo Montalban. Il ne lui manque plus que le nain à ses côtés pour crier « *the plane, the plane!* »

Et elle s'esclaffa.

– Méfiez-vous, c'est peut-être un séducteur de jolies touristes solitaires.

– Je ne fais pas de ce tourisme-là.

– Je n'en doute pas, chère madame.

Paula savait déjà depuis la nuit précédente que Juan était marié et père de trois adolescentes, qu'il vivait avec sa femme et ne risquait pas de jouer au macho avec elle, en tout cas, pas au macho séducteur. Et tant mieux, sinon elle aurait appelé l'agence de voyages au plus vite afin qu'on lui donne un autre chauffeur.

« Une femme seule dans les pays latino-américains, ça finit par succomber à la tentation omniprésente ! » lui avait déjà dit sa secrétaire.

Elle n'avait pas encore passé douze heures là-bas qu'on commençait à lui faire du charme ou bien était-ce la coutume entre gens qui déjeunent et sont de bonne humeur ?

Et pourtant, elle n'était guère d'humeur à cela. Sa fatigue était plus grande que celle ressentie à son arrivée à l'hôtel et il lui faudrait se reposer un bon moment après le petit déjeuner.

– Aidez-moi à préparer un itinéraire pour l'après-midi et demain, dit-elle, désignant des dépliants qu'elle avait ramassés dans sa chambre.

– Les lieux les plus visités à La Paz sont les suivants. La cathédrale San Francisco, le Palacio de Gobierno, la place El Prado où vous trouvez plein de boutiques et de restaurants, le musée d'architecture, le parc archéologique comprenant le temple de Tihuanaco, le Musée de l'Or…

– Je ne devrais pas vous interrompre, fit leur voisin en étirant la tête, mais il ne faudrait pas oublier l'attraction la plus fascinante de La Paz… le marché des Sorciers. Commencez par là. Vous y trouverez la chance. Une amulette, un talisman, une magie quelconque portée dans la substance même d'un objet d'art ou d'une pièce artisanale…

Juan se montra agacé par cette intervention :

– J'allais le dire mais vous ne m'en avez pas laissé le temps…

L'autre se leva et gesticula pour mieux s'exprimer :

– Oh ! je dis ça comme ça. Je n'avais pas l'intention de vous montrer à faire votre travail, mais voyez-vous, ce lieu est si mystérieux et emballant, si unique au monde, si rempli de pouvoirs étranges et inconnus… et bénéfiques ! À moins bien sûr que vous n'ayez à… disons envoûter quelqu'un. Non, ça n'a rien à voir avec le vaudou, c'est l'âme des Incas qui continue de vivre dans les choses… Permettez-moi de me présenter, je suis Fernando Garcia.

Et il tendit la main au chauffeur qui jeta un œil à Paula avant de se prêter au geste. Elle donna le nom :

– Lui, il s'appelle Juan Prado, et moi, je suis Paula Nadeau.

– Mais c'est un beau nom qui sonne latino, s'exclama Fernando en serrant doucement et longuement la main tendue. Prado, Fernando, Nadeau…

On s'amusa de la sonorité et l'homme poursuivit en pointant sur la femme un index à la joyeuse menace :

– Ne manquez surtout pas le marché aux Sorciers ; j'y vais chaque fois que je débarque à La Paz. Mais je ne saurais trop vous recommander aussi La Vallée de la Lune ou si vous voulez *El Valle de la Luna*, un véritable paysage lunaire… vous serez transportée dans un autre monde… Je sais que Juan vous en aurait parlé, et maintenant je vais me taire. De toute façon, je dois me presser de manger car je ne suis pas en vacances, vous comprenez… Encore une fois, excusez mon intrusion dans votre entretien. Et bon séjour en Bolivie !

– Merci ! dit sèchement Juan.

– Merci ! dit moins sèchement Paula.

Fernando dit un dernier mot :

– Et songez que La Paz se traduit par « la paix » en français. Pourrait-on trouver plus beau nom de ville dans le monde entier ?

Paula se pencha ensuite sur les dépliants et elle échangea des banalités avec Juan, dont l'humeur était sombre depuis l'intervention de cet homme exubérant. De toute manière, son état de fatigue empirait et elle pensa qu'il valait peut-être mieux donner à son sang un peu plus de temps pour fabriquer les globules rouges permettant au corps de s'adapter à l'altitude.

– On ira… disons à El Prado, cette place de boutiques et restaurants, mais en fin de journée seulement. Je vais me reposer et manger à ma chambre et je vous rappelle.

Le chauffeur se leva en saluant et il quitta les lieux sans adresser un seul coup d'œil à Fernando qui de toute façon garda le nez dans ses affaires.

Puis Paula partit et elle ne reçut qu'un vague sourire de l'homme qui lisait un journal du matin. Néanmoins, il la regarda marcher et quand elle fut à un tournant où elle risquait de l'apercevoir, il remit le quotidien devant son visage.

Étourdie, le regard envahi par des éclaboussures de lumière qui sautaient sans arrêt, un sifflement dans l'oreille gauche, Paula se coucha tout habillée dans l'espoir de se rétablir au plus vite de ce mal des hauteurs.

Pour la première fois de sa vie, elle prit vraiment conscience de ce que sa mère avait longtemps enduré avant de mourir. Cette recherche permanente et si angoissante de son souffle. Aspirer profondément et ne jamais se sentir rassasiée. Quelle souffrance !

***

Chapitre 7

Paula raya Cochabamba de son itinéraire approximatif et décida à la place d'inscrire à son agenda deux jours de plus à La Paz dont un serait utilisé pour aller faire une croisière en bateau sur le lac Titicaca. En tout, quatre jours avant de repartir par avion vers le Brésil et la suite de son périple.

Aucune visite ce jour-là. Trop malade. Repas légers pris à la chambre. Problèmes de pression au cours de la nuit. Paula appela à l'aide. On avait l'habitude de ces malaises au Sheraton. Vint une préposée parlant anglais. Femme courte et grassouillette au prénom de Gloria, elle jaugea la pression artérielle avec un appareil électronique et porta son jugement :

— Ça va s'améliorer tout doucement d'une heure à l'autre, madame. Un remède connu dans le monde entier, c'est un peu de cognac… Et si ce n'était pas totalement illégal, je vous conseillerais de mâcher des feuilles de coca. C'est le truc des paysans et travailleurs pour se bien sentir malgré les efforts quand l'altitude dépasse trois mille mètres.

Affalée sur son lit et confrontée à tant d'impuissance, Paula lança de travers :

— Trouvez-en et je vous donnerai ce que vous voudrez. Dix dollars américains par feuille, mais trouvez-en…

— C'est illégal et je perdrais mon emploi si je faisais cela…

— Est-ce qu'on a déjà vu ça, un pays où les drogues médicinales sont illégales ?

– C'est leur vente aux étrangers qui est illégale. Faudrait voir un docteur qui vous la prescrira sous une autre forme, vous comprenez?

Gloria partit et peu de temps après, on frappait à la porte. Tant bien que mal, Paula trouva son peignoir et se rendit ouvrir.

– C'est Fernando Garcia, je vous apporte quelque chose… pour vos malaises… On m'en a parlé.

Paula ouvrit et l'homme en robe de chambre entra avec une petite enveloppe dans la main droite.

– Prenez. Je ne viens jamais à La Paz sans m'en procurer dès l'aéroport. C'est la meilleure façon de combattre rapidement le mal de l'altitude. Et ça ne crée pas l'habitude puisque la coca n'est pas raffinée. Mâchez-la crue; n'en faites pas une tisane pour ne pas perdre ses vertus. Prenez-en une par deux ou trois heures. Dans une douzaine d'heures, vous irez mieux…

Cet homme était-il donc un trafiquant de drogues? Paula questionna par ses rides accentuées sur le front et une lueur sombre dans le regard.

– Ne craignez rien, ce n'est pas illégal d'en posséder et d'en utiliser. Là-dessus, je vous souhaite de vite retrouver votre bien-être car vous manqueriez beaucoup à ne pas voir La Paz dans de meilleures conditions de santé.

– Je vous dois combien?

– Là, vous vous trompez. Je ne suis pas un vendeur de mithridate, je suis un ami à qui on a déjà rendu le même service dans des circonstances semblables. Bonne nuit, chère madame!

L'homme fit un geste élégant et se retira.

Devait-elle lui faire confiance? Et pourquoi pas? Elle examina les feuilles, une douzaine, puis en prit une qu'elle introduisit dans sa bouche. Goût amer. Il n'y avait pas eu échange d'argent. On ne pouvait tout de même pas l'empoisonner pour le plaisir.

Au matin, elle se sentait déjà mieux. Et fit un effort pour se rendre à la salle à manger afin d'y remercier son bon samaritain du cœur de la nuit. Mais l'homme brillait par son absence. Elle trouva le repas fade.

Puis elle appela Juan et lui fit part de ses projets pour la journée. On irait à la cathédrale San Francisco puis au Palais du Gouvernement, et ensuite, on irait souper à El Prado où elle magasinerait. Tout ça si son état physique s'améliorait.

Ce qui se produisit.

Et au déclin du soleil, on était dans un petit restaurant de la place animée. Un lieu bondé et enfumé mais pas trop louche au regard en tout cas d'un latino. Paula allait maintenant beaucoup mieux et elle se sentait en appétit. Elle en était à choisir sur le menu lorsque le chauffeur s'exclama :

– Elle est bonne, celle-là, je viens d'apercevoir passer notre ami d'hier matin qui avait l'air de tout connaître de La Paz sans même, avez-vous dit, qu'il ne soit un Bolivien.

Paula se tourna aussitôt vers la fenêtre.

– Une ressemblance peut-être... J'avais une secrétaire comme ça qui pensait toujours voir une de nos connaissances quelque part, mais quand on vérifiait, on se rendait toujours compte qu'elle s'était trompée.

– Je ne me suis pas trompé, j'en suis certain. Mais que pourrait-il bien faire à El Prado ? En quoi est-il négociant ?

– Je n'en sais rien, moi, fit-elle un peu agacée.

– C'est le genre d'individus dont il faut se méfier. Trop brillant. Trop démonstratif. Trop autoritaire.

– Ça, il est coloré, très coloré...

Juan n'ajouta rien et fit dévier la conversation vers autre chose. Un peu plus tard, Paula voulut marcher sur la place. Le soleil penchait sérieusement et partout les lumières du soir prenaient la relève.

– Notre oiseau encore là-bas qui traverse la rue, regardez, je vous disais la vérité.

En effet, Paula crut reconnaître Fernando dans ses vêtements pâles qui s'en allait à bonne distance devant eux parmi
les nombreux marcheurs. La femme ne sut comment réagir.
Sans aucun doute que ce personnage plus grand que nature,
à la fois envahissant et fuyant, aux manières excessives et au
charme incontestable exerçait sur elle un attrait qui la contrariait. Plaisant mais peu souhaitable pour une touriste qui passe.
Et puis elle ne savait rien de lui. Son négoce. Sa vie privée. Sa
vérité.

– J'aurais voulu le remercier pour quelque chose… Mais je
le verrai peut-être à l'hôtel demain matin…

Juan ne demanda rien et il conduisit sa patronne du moment
vers des boutiques intéressantes.

*

Paula fit son entrée dans la salle à manger. Elle l'espérait
mais ne croyait pas que Fernando y serait. Ou y viendrait. Car
elle était venue tôt. Pas assez pour lui, car il lisait son journal à
la même table que l'avant-veille. Ou bien avait-il un œil sur les
nouvelles du jour et l'autre sur la porte d'entrée, toujours est-il
qu'il ferma les pages, posa le quotidien et se leva en écartant
les bras :

– Chère madame Paula Nadeau, je vous invite à ma table
puisque nous sommes seuls tous les deux.

Elle s'approcha sur un certain sourire. Il ajouta :

– Et je vais vous indiquer quelques petites choses très bien
et typiquement boliviennes pour vous dépayser un peu dans
ce… cet antre de l'américanisation.

Il tira la chaise. Elle hésita une fraction de seconde, juste
assez pour qu'il saisisse le message puis prit place.

– Je voulais vous remercier pour les feuilles de coca.

– Shhhhh… ne parlez de cela qu'à voix basse ou bien je me retrouve en prison. Et je dois absolument rentrer dans un jour ou deux, au plus trois.

– Vous rentrez où ?

– Mais à New York, bien entendu ! Ne vous l'avais-je pas dit ?

– Je ne crois pas, non…

Ce jour-là, Paula avait revêtu un ensemble en denim pour le confort.

– Permettez-moi de vous dire que vos vêtements vous habillent fort bien !

– Merci… J'insiste pour vous dire que votre remède fut très efficace.

– C'est le meilleur et tout le monde l'utilise.

– Ainsi donc vous achevez vos affaires à La Paz ?

– Pour cette année.

– Un séjour fructueux ?

– Aucune transaction majeure cette fois-ci, mais j'ai préparé le terrain pour la prochaine… Au fait, je suis dans le domaine minier, le cuivre. Importation vers les États-Unis. Pas très romantique comme occupation, mais il faut gagner son sel et c'est ce que j'ai trouvé de mieux jusqu'à maintenant. Et vous ? Quelles sont vos affaires là-bas au Canada ?

– Vous ai-je dit que j'étais dans les affaires ?

– Vous ne l'auriez pas dit que ça se verrait aisément, tout comme votre sang latin… et ça aussi, je vous l'ai dit.

La serveuse vint verser du café et prendre la commande. Fernando désigna un numéro sur la carte et Paula dit qu'elle désirait la même chose, histoire de goûter les particularités du pays comme il le lui avait conseillé.

– Beaucoup de touristes voudraient se dépayser, et pourtant, ils traînent leurs vieilles habitudes dans leurs bagages.

– Ça ne sera pas mon cas ce matin.

Il lui fit parler de ses affaires et s'y intéressa au plus haut point. Et à la fin du repas, il posa sa serviette sur la table et parla avec émotion :

— Ce fut une fort agréable rencontre avec vous, chère madame. J'aimerais que ça dure, croyez-moi. Surtout, j'aimerais que ça se répète, mais le destin en veut autrement et je dois songer à retourner à mon port d'attache.

— Vous partez aujourd'hui ? s'étonna la femme.

— Ou demain mais très tôt. Tout dépendra d'un appel à New York aujourd'hui.

— Quelqu'un vous attend ?

Il hocha la tête, hésita un moment, se montra embarrassé, même honteux :

— Pas particulièrement ! Je suis un homme divorcé depuis quelques années et je vis seul dans mon petit appartement qui donne sur Central Park. Mais ce que j'avais à faire ici est presque terminé donc je dois m'en aller.

— Donnez-moi votre numéro de téléphone là-bas et je vous appellerai un de ces quatre.

— Si vous me donnez aussi le vôtre au Canada…

Il prit une petite carte d'affaires dans son portefeuille et la tendit à Paula qui fit de même dans le même temps.

— En toute amitié ? dit-elle en levant la carte à hauteur de leurs regards.

Il sourit et ses yeux noirs émirent des intensités dans lesquelles Paula cherchait à lire. Il baissa les yeux et hocha la tête à plusieurs reprises avant de la relever.

— Je voudrais qu'il en soit autrement, qu'il en soit plus, que je ne le pourrais pas. Quand on perd… sa femme et son meilleur ami du même coup, et surtout qu'on se sent coupable de ce formidable fiasco, il faut plus que trois petites années pour retomber sur ses pattes. Mes gestes, vous l'aurez remarqué, sont larges et expriment la force et la fierté, mais les ailes du cœur sont… littéralement coupées.

Il serra les mâchoires et ravala à quelques reprises comme pour desserrer un peu l'étau qu'elle savait lui serrer la gorge. Qu'avait-il donc fait de si terrible pour mériter un tel sort, lui un homme de belle apparence et de si bons sentiments?

– Chère Paula, vous-même vivez seule. Je ne sais pas, mais... peut-être avez-vous, tout comme moi, mis trop de cœur dans les affaires d'argent et pas assez dans celles du cœur. J'ai fait cela et me voilà seul et surtout sans la volonté de revivre autre chose, sans désir de recommencer une autre étape de ma vie. Et c'est ça le pire. Comme pour des millions de gens en ce monde, ma liberté est la pire des prisons.

Paula pensait à la fois à elle-même, à son passé, à ce miroir devant elle. Un homme si fort et si vulnérable à la fois. Il poursuivit après un petit éclat de rire amer:

– Incroyable que je vous fasse ainsi de pareilles confidences, moi, le Latino-Américain fier, machiste qui ne saurait prendre les femmes que pour les aimer, les protéger et parfois les humilier...

Elle traversa la table avec la main gauche et toucha celle de l'homme, qu'elle trouva ferme et chaude.

– Vous n'êtes pas un macho, je le sens maintenant. Je l'ai cru au départ mais plus maintenant.

Il s'empara de la main féminine et la serra:

– Vous savez, il faut des coups de gourdin sur la tête pour se déshabiller de pareille culture. Enfin... Je n'aurais pas voulu vous laisser l'image du délabrement moral derrière ma gestuelle pleine d'emphase.

La serveuse arrivait. Il tendit sa carte American Express et demanda qu'on règle les deux factures.

– J'ai un compte ouvert mais pas pour deux repas par repas, vous comprenez? Je ne suis pas comme vous à mon propre compte, moi.

– J'aurais bien pu payer pour les deux...

– Que ce modeste repas soit notre complicité!

Ils se levèrent pour partir. Elle dit, la voix blanche :

— Promettez-moi de me donner des nouvelles avant de partir. Un coup de fil à ma chambre, même aux aurores.

Il tendit la main vers elle :

— Je vous laisserai un message, c'est certain. Si vous n'êtes pas partie dans une heure ou deux, je vous parlerai de mon appel à New York.

Quand elle fut dans sa chambre, Paula eut envie de se mettre à pleurer et pareille chose ne lui était pas arrivée depuis longtemps. Comment en si peu de temps cet homme avait-il pu remuer autant de sentiments en elle et susciter autant d'émotions ?

Elle appela Juan et lui dit de ne pas venir la chercher avant midi. Deux heures plus tard, le téléphone sonna et elle se surprit à décrocher en tremblant.

— Chère Paula, lui dit Fernando de sa voix la plus suave et chantante, vous ne croirez pas ce qui m'arrive. J'ai obtenu un sursis de deux jours, ce qui nous mène au week-end ; voilà que je peux donc rester à La Paz jusqu'à dimanche. En conséquence, si nous voulons faire plus ample connaissance... Que diriez-vous de mon accompagnement pour vous rendre au lac Titicaca, comme vous le souhaitiez, et au marché des Sorciers ? En toute amitié, comme on le sait... Il vous suffira de donner congé à votre chauffeur. De toute façon, pour aller au lac Titicaca, tout le monde prend l'autobus.

— Excellente idée !

***

Chapitre 8

– Non, ça ne me regarde pas, madame, mais je soutiens encore une fois que vous devriez vous méfier.

– Écoutez, Juan, vous allez toucher votre salaire tout comme si vous étiez à m'accompagner au lac Titicaca ou ailleurs demain et vendredi. Qu'importe pour vous?

– Je suis professionnel. Mon devoir est de veiller sur vous autant que de vous conduire et de servir d'interprète et garde du corps. C'est pour ça qu'on me paye. C'est pour ça que je fais ce métier et non pas celui d'ingénieur, comme vous m'en avez fait le reproche.

– C'était une question et c'était sans savoir… Ne prenez pas d'inquiétude, je vais appeler à l'agence et leur faire savoir que je vous libère pour les jours qui viennent. Je les paierai et vous aurez votre salaire et votre pourboire.

– Ce n'est pas pour moi que je me fais du souci, c'est pour vous, madame.

– Ne vous inquiétez pas! insista-t-elle avant de raccrocher le combiné. Je vous rappelle dès mon retour.

*

Un temps clair et frais enveloppait La Paz ce matin-là. Paula regardait l'Illimani par sa fenêtre quand on frappa à sa porte. C'était Fernando qui venait la retrouver pour l'accompagner tel que prévu dans cette randonnée en autobus vers le lac Titicaca.

Elle ouvrit. Il était là, qui aussitôt la regarda des pieds à la tête.

— Pardonnez-moi de vous examiner ainsi, c'est pour me rendre compte que vous êtes chaudement vêtue et ne risquez pas de prendre froid. Sur le lac, c'est terriblement venteux. Tiens, j'ai apporté deux ponchos en poil de vigogne.

Il les tenait sur son bras.

Paula portait un jeans de couleur noire et une veste de même tissu mais en denim bleu.

— Suis-je assez…

— Avec un poncho si requis, tout ira. Allons! Le prochain autobus est dans une demi-heure et il s'arrête devant les principaux hôtels de la ville, donc ici. Nous pourrons l'attendre dans le hall d'entrée.

Ils se rendirent à l'endroit convenu tout en s'échangeant des banalités quant au temps qu'il faisait et à l'état physique de Paula. Elle se sentait tout à fait remise maintenant des mauvais effets de l'altitude et se déclara prête à faire l'escalade de l'Illimani. Et dans le hall, on parla justement d'alpinisme et des risques encourus par les grimpeurs à cause du mal des hauteurs.

Paula avait l'impression de renouer avec quelque chose de perdu de vue depuis longtemps. Comme si elle partait faire une marche avec Gilles au temps de leur enfance. Ou comme si elle était à vendre des médailles avec lui aux abords du cap à Foley de son village natal. Ça remuait fort au creux de sa poitrine. Tous ces visages qu'elle apercevait semblaient si détendus, toujours souriants et comme épargnés par la crispation et le souci du quotidien.

Elle qui depuis avant la mort de sa mère avait toujours mené quelque chose ou quelqu'un n'aurait pour un jour ou deux qu'à se laisser faire. Se laisser accompagner par un homme fort, malgré ses dires. Se laisser transporter par un véhicule. Plus aucune décision à prendre, pas même celle de s'habiller assez pour affronter le vent du Titicaca. Quel bien-être! Quelle détente! Quelle décompression! Et pourtant, jamais elle ne s'était sentie accablée par ses responsabilités de femme d'affaires; la pression se faisait sentir à son insu même. Et il fallait ce dépaysement, cet état de santé physique et mentale, cet homme si humain pour lui faire réaliser qu'elle n'avait jamais plus donné le temps au temps après le départ de sa mère pour le sanatorium.

L'autobus vint. Paula se mit à rire devant cette drôle de machine bringuebalante et voyante dans sa peinture rouge et jaune.

— C'est pour mieux être vu de loin par ceux qui viennent en sens inverse, dit-on. Car les routes, vous le verrez, sont parfois étroites, surtout en montagne.

— Ne me faites pas peur avant de partir!

— Ce sont probablement les meilleurs chauffeurs du monde... Meilleurs qu'au Mexique. Pas plus d'un accident... par mois.

C'est en s'amusant qu'ils montèrent dans le véhicule où déjà une quinzaine de touristes prenaient place. Des Allemands et des Autrichiens qui se faisaient reconnaître par des drapeaux cousus sur leurs vêtements.

Paula et Fernando se rendirent au fond du car où ils prirent place.

— On risque de manger un peu de poussière, mais c'est la rançon du tourisme de montagne.

Il lui parla ensuite de la randonnée sans tout lui dire afin que lui soient ménagées des surprises agréables ou des moments de suspense.

— Parlez-moi de vos enfants. Vous en avez trois?

— Quatre. Trois à moi et mon neveu pris en adoption alors qu'il avait 3 ans seulement. Sa mère est décédée d'un cancer. C'est lui qui prend soin de ma maison. Lui et un couple français.

Et pendant qu'elle l'entretenait de Christian, Nathalie et Chantal, il arriva que les yeux de Fernando s'embrouillent.

– Des souvenirs? s'enquit-elle.

– Pas que ça. Je vous écoute, vous savez. Ce que vous dites m'émeut simplement.

– Parlez-moi donc des vôtres! Vous les voyez régulièrement?

– Lolita est devenue infirmière l'an passé. Elle vit en appartement pas très loin de chez moi et elle vient me voir chaque semaine quand je ne suis pas quelque part à l'étranger.

– Vous avez une photo d'elle sur vous?

– Mais oui! Vous voulez vraiment la voir?

– Et moi, je vous montre les photos des miens.

Il sourit et sortit son portefeuille de la poche intérieure de son veston. Il contenait une section détachable dans laquelle étaient les photos de ses enfants, Lolita et Ricardo de même que celle d'une femme en laquelle on pouvait deviner leur mère, donc l'ex-épouse de Fernando.

– Comment elle s'appelle?

– Gladys.

– Ah!

– Américaine avec un peu de sang hispanique.

Vite il reprit les photos en s'exclamant:

– Qu'est-ce que nous voilà en train de faire? Pleurer sur le passé tandis que le présent est là dans cet autobus, sur cette route… en vous, en moi… On ne parle plus que d'aujourd'hui, qu'en dites-vous?

– C'est une bonne idée. Bon, à quelle distance se trouve le lac Titicaca de La Paz?

– Bonne question! À pas plus de quatre-vingt-dix kilomètres.

– Donc environ cinquante milles.

– Je le conçois beaucoup mieux en milles moi aussi… Et nous avons déjà franchi au moins quinze milles. Ce qui veut dire que bientôt, nous allons quitter la voie macadamisée pour une route de terre et de poussière. Vous avez un mouchoir?

Le ton devint gai. Les Allemands y aidèrent. On se salua. Ils se montrèrent exubérants, se mirent à chanter des airs bavarois. Le couple se joignit à eux. On se présenta. On se parla en anglais. Et on entra dans la poussière qui ne tarda pas à entrer dans l'autobus sans pour autant réduire le tohu-bohu et la joie qui éclatait de toutes parts.

Soudain, Paula jeta un cri. Elle venait de regarder dehors et d'apercevoir juste à côté un abîme de plusieurs centaines de pieds. Comme si on était sur le point d'y plonger tant la route frôlait le précipice.

– Je vous l'avais dit, Paula. Mais si vous avez le vertige, il vaut mieux ne pas regarder en bas.

D'instinct, elle se poussa contre lui mais Fernando eut un mouvement de recul.

– Je m'excuse, je n'ai pas peur en avion ou dans un édifice mais ici… il me semble…

– Vous voulez qu'on change de place? Ce n'est pas la première fois pour moi…

– Et puis vous avez le cœur plus solide que moi.

Il la fit glisser à sa place et passa par-dessus elle en prenant soin de lui toucher le moins possible. Une pensée fugace traversa l'esprit de la femme. Elle n'avait tout de même pas affaire à un homosexuel puisqu'il manifestait autant de réserve. Ce qu'Albert lui avait confié à propos de Marc lui restait en avant de la mémoire. Et elle chassa vivement cette idée tout en se rendant compte que son attitude ne serait pas la même si tel était le cas de Fernando.

Plus loin, l'autobus s'arrêta. Une crevaison. Tout le monde descendit. Le pneu fut changé en un temps record par un chauffeur habitué qui sifflotait en travaillant à deux pas de l'abîme en bordure de la route.

Paula et Fernando s'éloignèrent d'une vingtaine de pas et il lui parla de la jungle, dont on pouvait apercevoir le tapis vert au loin puis des Indiens quechuas qui habitaient, nombreux, les environs du lac Titicaca et auprès desquels elle pourrait se procurer des ouvrages artisanaux d'un raffinement étonnant.

Elle aurait voulu que ce moment dure un mois, peut-être une année. Mais il fallait repartir et les heures à venir ne seraient pas moins heureuses que les premières de ce jour si frais et si beau.

Et les Allemands reprirent leurs chants joyeux.

On fut aux abords du lac vers midi après un voyage plaisant malgré les vives émotions que la route parfois fit vivre à d'aucuns, les moins habitués à de telles pérégrinations.

Tout d'abord du point de vue où l'on se trouvait dans la cordillère centrale, on aperçut la grande surface plane de l'eau avec, très loin au fond de l'horizon, la découpure de la cordillère occidentale. Temps clair. Ciel indigo.

— Nous aurons le choix de partir en voilier ou en bateau à moteur pour nous rendre à l'île du Soleil et à l'île de la Lune. Nous serons plus en sécurité sur un bateau à moteur et notre séjour sur l'eau sera abrégé, ce qui nous donnera une heure ou deux de plus sur les îles, là-bas.

— Je me laisse faire.

On entra dans un petit village pauvre habité par des Indiens quechuas. Masures, boutiques basses s'alignaient le long d'une voie de terre et le tout rappelait vaguement un village-frontière de l'époque du Far West. Çà et là, des femmes lourdement vêtues, coiffées de chapeaux typiques hauts et ronds, se tenaient immobiles derrière un étal.

— Le temps est toujours de leur côté, dit Fernando. Ils n'en manquent jamais comme les gens du Nord...

— Vous en manquez, vous ?

— Souvent, mais pas aujourd'hui puisque je ne suis pas pressé de faire autre chose et que ce que je vis me comble tout à fait...

— C'est pareil pour moi, s'étonna Paula. Et ça m'émerveille.

L'autobus se stationna à proximité d'un long quai à jetées flottantes près desquelles des bateaux mouillaient. Un voilier s'apprêtait à partir. Fernando indiqua un guichet où il se vendait des billets.

– On pourra aller au Pérou sans avoir besoin de visa.

Les deux îles à visiter étaient cependant boliviennes et pour traverser la frontière, il eût fallu aller débarquer sur l'autre rive du lac, trente-cinq milles plus loin. Fernando vit que Paula frissonnait et il lui proposa d'enfiler le poncho, une pièce de laine d'un blanc cassé à motifs tournoyants à tons pâles, et à larges rebords frangés. Elle accepta et il mit les deux vêtements sur un banc afin de libérer ses mains pour aider sa compagne à mettre le sien. Il tint le poncho en disant:

– Tournez-vous, chère amie.

Ce qu'elle fit. Il jeta un regard intéressé sur ses formes restées jeunes malgré le demi-siècle qu'elles avaient transporté: une seconde ou deux que Paula ressentit en frisson sur son dos et ses hanches. Il prit soin de ne pas toucher ses cheveux pour faire passer sa tête par l'ouverture puis laissa retomber le poncho sur elle. Puis il appuya ses paumes sur les épaules:

– Ça vous va comme un gant.

– Un poncho, ça va à tout le monde...

– Ça va à tout le monde à cause de l'ampleur, il est vrai, mais ça ne va pas bien à tout le monde comme à vous.

– Vous me flattez.

– Peut-être, mais ce n'est pas sans une bonne raison.

– Alors, laissez-moi vous aider à enfiler le vôtre.

Elle se tourna. Il mit sa tête en biais, piétina un peu:

– Fort bien.

– Tournez-vous, fit-elle en prenant le vêtement.

Et elle fit pour lui ce qu'il avait fait pour elle. S'établissait entre eux un premier jalon de rituel. Entre gens qui s'attirent, on a vite tendance à se bâtir un symbolisme qui fixe la complicité. Se revêtir l'un l'autre, c'est se caresser pudiquement.

Pour Paula, la suite passa comme dans un rêve. Bien sûr, l'eau qui berce votre bateau comme votre mère le petit ber de votre prime enfance. Bien entendu le vent frais qui vous rappelle les novembres crus de la vallée de la Chaudière alors qu'en soi-même, d'instinct, et dans le quotidien, on se bâtit des réserves pour l'hiver. Et les îles qui vous laissent dans les mémoires le souvenir d'avoir vécu aux confins de votre monde, pas trop loin du cosmos mais bien en dehors de vous-même.

— Ces gens n'ont presque rien pour survivre, dit Fernando tandis qu'on déambulait dans l'allée des étals au retour du lac. Mais ils mangent à leur faim et c'est cela le principal, n'est-ce pas ? Comme vous le savez sûrement, ils ne se sentiraient pas bien dans votre belle et grande maison.

On s'arrêta à un étal de joaillerie derrière lequel se trouvait une femme sans âge, bardée d'au moins une douzaine de jupes tombant en éventail autour d'elle et dont la plus apparente, celle du dessus, était aux couleurs de l'orange, de la banane et de la pomme.

— On peut dire ce qu'on veut, surtout en français, car ils ne comprennent que le quechua et un peu l'espagnol.

— Donc on peut dire du mal de leur marchandise tout en leur souriant ?

Il soupira puis jeta vivement :

— Quand on dit du mal de quelqu'un, il ou elle le sent ; l'important, c'est peut-être de dire la vérité ou de la taire... pour ne pas blesser. N'est-ce pas ?

Paula perçut le reproche. Toutefois, elle trouva tant d'honnêteté et d'altruisme dans ce propos que son opinion favorable sur lui augmenta d'un autre cran.

— Vous avez raison. Je me sens ridicule et... égoïste.

Et elle acheta de la pacotille comme pour se faire pardonner. Chacun acheta aussi des petites choses à l'étal suivant.

– Nos ancêtres les ont tant méprisés, tant décimés, que je ne peux m'empêcher d'encourager chaque famille quand il m'arrive de visiter des villages comme celui-ci.

– C'est admirable de votre part, Fernando.

Ils étaient entre deux boutiques. Il lui prit la main et s'arrêta pour la porter à sa bouche :

– Je suis très tourné vers moi-même, mais je dois vous dire que j'aime beaucoup vous entendre prononcer mon nom. Surtout avec cet accent français qui, comme vous m'en parliez sur l'île du Soleil, est un accent québécois.

Paula fut pénétrée jusqu'à ses fibres les plus sensibles, elle, la femme politisée, la nationaliste.

Plus tard, alors qu'on cassait la croûte dans un petit restaurant, elle dut se rendre aux toilettes et Fernando en profita pour remercier le chauffeur de l'autobus et lui donner d'avance un pourboire généreux.

Et ce fut le voyage de retour. Les descentes accusées avec virages en épingle se faisant plus nombreuses qu'à l'aller, et la fatigue du jour aidant alors qu'on se trouvait déjà au penchant du soir, les occupants du véhicule étaient plutôt silencieux. Quelques Allemands roupillaient tandis que d'autres échangeaient à voix mesurée. Paula et Fernando se parlaient par bribes. Lui s'inquiétait.

– À moi de craindre les précipices maintenant. Je trouve que ce chauffeur va trop vite, beaucoup trop vite.

Et Paula vit que son compagnon avait les mains croisées, crispées, nerveuses. Peut-être priait-il ? On n'avait pas dit grand-chose de la religion ce jour-là, même quand on avait visité le sanctuaire de Copacabana sur l'île de la Lune.

– Je vais aller lui parler…

Fernando eut du mal à se rendre à l'avant et il se retenait aux banquettes tant le véhicule cahotait, décélérait pour accélérer à nouveau. Il revint de la même façon après avoir, sembla-t-il à Paula, engueulé l'imprudent qui conduisait si drôlement.

– Il a certains problèmes avec les freins; je n'ai pas pu lui parler fort. Il travaille avec le levier de vitesses…

– Nous sommes en danger…

– Plus qu'à l'aller, soupira Fernando. Mais tâchons de n'y pas trop penser. De toute façon, si nous tombons dans l'abîme, ce sera comme de s'écraser dans un avion. Chute libre et perte de conscience instantanée…

Paula ne put faire appel à ses ressources de femme d'affaires, de femme d'avenir et, pas très croyante, elle ne pensait pas à prier et pourtant sentait le besoin d'être protégée.

– Fernando… serrez-moi les mains entre les vôtres.

– Croyez bien que cela va me réconforter autant que vous, dit-il en lui obéissant.

Et il ramena leurs quatre mains enfermées ensemble sous son poncho sur sa poitrine.

– Nous ne devons pas penser à la mort: ce n'est pas ce qui va la rapprocher ou l'éloigner. Il doit savoir ce qu'il fait sinon, il s'arrêterait… Encore que ces chauffeurs sont poussés au maximum par leur patron. Si les routiers américains sont coincés dans pareil engrenage, imaginez ce qui doit se passer dans un pays aussi pauvre et où le transport est si peu encadré par des lois !

– Fernando, j'ai un aveu à vous faire.

Il reçut le regard intense de Paula qui finit par dire :

– Je… je… j'ai peur…

Il serra plus fort ses mains :

– Nous sommes trop forts pour qu'il nous arrive quoi que ce soit. Ayez confiance Paula ! Ça ne durera pas longtemps. Le pire est passé déjà…

À voir les Allemands agrippés à leurs sièges, Paula sentait l'épouvante monter en elle. L'altitude y était aussi pour quelque chose. Et sous l'étoffe, elle pouvait sentir le cœur d'un homme assez fort pour ne pas avoir peur de montrer sa peur. Le moteur se trouvait à l'arrière et il rugissait, toussait, et parfois même, éclatait comme un coup de fusil quand l'autobus décélérait. Les têtes bougeaient comme celles de vulgaires pantins de guenille.

– Mon Dieu, cela aura-t-il donc une fin?

– J'aime vous entendre faire appel à Dieu.

– Tutoyez-moi, Fernando, tutoyez-moi s'il vous plaît!

– Donnez l'exemple…

– Merci pour… ta sympathie à mon égard.

– C'est plus que de la sympathie, chère Paula, c'est une grande amitié. Disons, si tu me permets et pardonne-moi d'oser te dire cela, que c'est un coup de foudre amical, un coup de foudre de l'amitié.

– J'aime cette expression que j'entends pour la première fois, je l'aime beaucoup.

Il garda le silence. Elle le rompit:

– Irons-nous au marché des Sorciers demain?

– Je ne saurais trop te le recommander. C'est un endroit qui me transporte dans un autre monde. La magie des Incas perdure là-bas dans les objets… Mais tu devras y aller avec le respect du sacré; car le sacré est présent en plusieurs boutiques là-bas, pas toutes bien sûr, mais plusieurs. Je crains même l'envoûtement lorsque j'y vais.

L'allure diminua. On approchait de la route pavée.

– Comme j'aurais voulu te faire boire le jus d'une sorte de cactus de montagne. Le goût resterait gravé en toi pour toujours et en y pensant, tu te rappellerais de ton ami d'un jour: Fernando Garcia. Peut-être que l'autobus va s'arrêter. J'ai envie d'aller le demander au chauffeur. D'un autre côté, il faut parfois une demi-heure pour trouver le cactus en question.

– Mon ami, ce moment restera gravé en moi à tout jamais.

Pudiquement et puisque la tempête suscitée par la course folle du véhicule avait pris fin, Fernando redonna à Paula ses mains qu'il avait rendues très, très chaudes…

***

Chapitre 9

L'autobus fit un arrêt pour le plein dans les faubourgs de la capitale. Paula et son compagnon descendirent et se dépoussiérèrent l'un l'autre. Chacun ôta son poncho et le battit contre le vent. Ce fut un exercice joyeux, comme celui de deux enfants qui s'amusent sans s'inquiéter du lendemain.

Puis on rentra à l'hôtel où on réserva une table pour deux à la salle à manger. Et chacun se rendit à sa chambre pour y prendre un bain et se changer de vêtements.

« Reste à l'aise : on se sentira plus à l'aise ! » avait-il dit à Paula autant qu'à lui-même.

Mais elle ne suivit pas son conseil à la lettre, quoique le deux-pièces noir et blanc qu'elle endossa lui seyait si bien qu'il lui donnait une allure décontractée et sophistiquée tout à la fois. Veste croisée à col châle, garnie de liseré et jupe droite à taille élastique, fente au dos. Elle était Paula, en pleine possession de ses moyens, femme de réussite et surtout, ce soir-là, femme de charme.

Et bien entendu, elle se fit attendre près d'un quart d'heure puisqu'ils avaient pris rendez-vous pour dix-neuf heures.

Quand elle se présenta, il ne joua pas le jeu auquel une femme s'attend, consciemment ou non. Pas un mot sur son ensemble. Pas un regard éloquent. Il s'était vêtu modestement. Complet souple, léger, déstructuré, de couleur cognac sur une chemise sport en coton imprimé.

La salle était remplie aux trois quarts et le groupe d'Allemands de l'excursion de la journée adressa des salutations par signes à l'arrivante.

— Je suis en retard, ce qui n'est pas une de mes caractéristiques.

— Ce n'est rien du tout, je ne m'en suis même pas rendu compte, fit-il en tirant la chaise pour elle.

— Merci.

— Revenue de tes émotions ?

— La peur en tout cas est partie avec l'eau du bain.

— Et moi, je me suis étendu un bon quart d'heure pour me détendre. Je dois avouer que cette descente en autobus a laissé ses traces du côté de mes nerfs.

— Mais c'est une expérience que je ne regrette pas.

— Ni moi non plus, mais pas au point de vouloir la recommencer.

Même si la conversation alla bon train, Paula sentait en lui de la réticence, de la retenue et elle pouvait voir une sorte d'anxiété ou de tristesse parfois dans son regard. Au milieu du repas, elle le lui fit remarquer :

— Quelque chose ne va pas, Fernando ?

— Qu'est-ce qui pourrait bien ne pas aller dans un moment pareil, chère amie ?

— Un côté de toi est... absent peut-être ?

— Un côté de moi est toujours absent du moment présent.

— Non, pas celui-là... un autre... je ne sais pas.

Il leva son verre de vin et proposa un autre toast. Elle leva le sien et le cristal tinta.

— À cette grande journée éprouvante et émouvante ! dit-il avec emphase.

— À ce qu'elle nous donne encore !

Maintenant, Paula eût voulu qu'il se montre plus entreprenant, car ces deux derniers jours, un « oui » avait pris naissance au fond d'elle, embryon tout d'abord, qu'elle avait ignoré, mais qui s'était implanté et avait grandi jusqu'à devenir aussi puissant que les nombreux « non », à courir et fermer portes et fenêtres de sa maison intérieure. Il lui semblait que le personnage ne correspondait pas à son image extérieure. Il n'était pas de ces machos qui prennent et qui s'en vont. L'âge sans doute. Un passé blessant. Le désabusement qu'il essayait de cacher. Les passions érodées par le temps et par les autres. Comme ils se ressemblaient tous les deux! Et c'est ce constat surtout qui faisait croître son oui, à elle. Un oui qui devait transparaître et qui, en écho, ne recevait pas de réponse équivalente.

Peut-être qu'au lieu de chasser d'elle-même la femme de décision qu'elle avait toujours été depuis la jeune adolescence, elle devrait l'appeler à l'aide? Prendre les choses en mains comme le font bien des femmes modernes. Le faire retomber sur ses pattes, ce chat sauvage aux dehors pourtant séduisants et amicaux. Lui faire oublier ses cicatrices. Lui montrer que la vie peut offrir beaucoup encore. L'aider. L'aider à solutionner son malaise intérieur, son mal du cœur.

– Je ne vais pas me coucher bien tard ce soir. La journée fut belle mais rude et tu verras demain qu'au marché des Sorciers, il faut de l'énergie, beaucoup d'énergie.

– Je suis déjà fascinée par cette visite.

– C'est comme si l'âme des Incas s'y trouvait toute... Bien plus qu'à Machu Picchu même. Il y a des amulettes, des masques, des pièces d'artisanat, de l'or, du cuivre, du bronze, des assiettes, de la monnaie, des objets étranges... Tu verras, quand tu en prendras dans tes mains, tu sentiras leur pouvoir, leur force...

Son regard devenait si profond que Paula se demandait si la clé de l'âme de Fernando ne se trouvait pas là-bas et si elle ne devait pas attendre au lendemain pour la chercher. Mais elle y parviendrait mieux encore si on passait tout d'abord par l'extase physique. Cette journée grandiose ouvrait très grand son appétit de lui...

– Peut-on obtenir au marché des Sorciers quelque grâce, quelque faveur, oh! pas pour soi-même, mais pour quelqu'un qu'on aime? Les âmes des Incas ne sont pas des créatures entre les mains du diable.

– Le ciel et l'enfer se côtoient au marché des Sorciers, tu verras, tu verras… As-tu besoin d'une intervention pour un des tiens?

– Peut-être qu'en passant par les objets incas, je pourrais atteindre ma sœur Lucie dans l'autre dimension et obtenir ses lumières pour savoir comment traiter avec son fils qui, comme je te le disais, est mon fils adoptif?

– À moi aussi, il semble que quelque chose d'important va finir par m'atteindre là-bas… Je le sens, je le sais. J'y suis allé plusieurs fois et je sais que je trouverai là ce que je cherche.

Il fit une pause puis fit dévier le propos:

– Au fait, as-tu apporté les photos dont tu me parlais aujourd'hui?

Quelle ouverture! se dit-Paula. Elle grimaça:

– Pas pensé… Mais en partant, tu viendras à ma chambre… En toute amitié, bien entendu.

– Ah! mais avec joie!

Il passait neuf heures quand elle mit la clé dans la porte. Il avait fallu une bonne discussion à la table pour savoir qui paierait. Elle réclamait la facture et lui s'objectait avec force jusqu'à se faire joyeusement qualifier de macho. Pour Paula, c'était moins par générosité ou par plaisir de donner que pour avoir bien en mains les cartes afin de les distribuer à sa façon. En affaires, la personne qui paye le repas est généralement gagnante dans l'échange: une leçon qu'elle avait reçue d'un businessman juif.

Il la suivit à l'intérieur.

– On devrait se faire apporter quelque chose à boire, moi, je n'ai rien… Je veux dire qui réchauffe un peu…

– Mais je ne serai pas longtemps, il faut que…

Elle referma la porte :

– Il est encore très tôt : on a tout notre temps…

– Je ne veux pas avoir l'air de…

– Qui te fait le moindre reproche ?

Elle posa sa bourse sur la table basse devant l'appareil de télévision et se rendit à la salle de bains tandis qu'il allumait l'appareil. On y présentait un épisode de la série *Dynastie* dans lequel Kristel et Alexis se crêpaient joyeusement le chignon.

– Comme ça fait drôle d'entendre ça en espagnol ! dit Fernando quand Paula sortit.

– Je fais venir une bouteille de champagne, dit-elle en prenant le combiné.

Il écarta les bras pour se montrer vulnérable :

– N'en fais pas trop parce que je suis là. Tu as payé la facture et maintenant le champagne. Je commence à me sentir mal à l'aise…

– Au Québec, on dit : « Rien n'est trop beau pour la classe agricole ! »

Il rit et se reprit d'attention pour la télé.

– Assieds-toi !

Un divan profond à tissu moiré les attendait et il y prit place distraitement. Elle le rejoignit après son appel.

– On va se faire pétiller les papilles, et ensuite, je te montrerai les photos.

– Soit !

On jasa de télévision en attendant la bouteille qu'un garçon de chambre vint livrer dix minutes plus tard, couchée dans un bac de glace.

– Je m'en occupe, dit Fernando. Dom Pérignon : ce n'est pas de la petite bière.

Et il ouvrit la bouteille avec précautions pour ne pas trop perdre de liquide. Et servit dans des flûtes qu'ils firent s'entrechoquer en même temps que leurs regards s'allumaient l'un à l'autre de lueurs neuves.

On se parla de n'importe quoi et les bulles de champagne se mirent à éclater dans les mots, les voix, les gestes, les rires et surtout les yeux. Paula posa son verre et se glissa vers lui qui tenait le sien, presque vide aussi, entre eux.

— Je me sens toute drôle.

— Je devrais m'en aller.

— Je t'ennuie à ce point?

— C'est tout le contraire.

— Pourquoi partir? Et ne pas voir les photos?

— Rester, c'est risquer de plonger dans l'abîme...

Elle lui ôta la flûte et la posa sur la table puis mit sa main sur le genou masculin:

— On m'a dit aujourd'hui que ce serait comme de s'écraser dans un avion: on flotte dans l'air puis, sans douleur, on perd conscience... Que l'autobus de notre désir plonge au fond du précipice!

Il hocha la tête:

— J'ai si peu l'habitude de plonger depuis quatre ans; j'ai perdu la manière... je ne sais plus...

Paula se rua sur lui. Cette hésitation apparaissait comme un délicieux demi-oui et demandait qu'on décide à sa place.

— Le plus grand mot d'un couple n'est pas «je t'aime», c'est «OUI»...

C'est elle qui réunit leurs lèvres. Il crispa les muscles de son visage, de ses mains, de son corps...

— Je...

Elle lui ferma à nouveau la bouche avec la sienne.

— Je... Tu me prendras pour une bête fauve... Il ne faut pas, chère Paula... Je suis incontrôlable... Je deviens fou... dangereux... Mais je resterai tendre...

Alors il s'empara d'elle de toute la force de son corps et lui renversa la tête en arrière contre le dossier du divan pour l'y clouer avec ses baisers enflammés, répétés, quémandeurs et protecteurs à la fois...

— Ne crains pas pour ma santé : je ne fus jamais un coureur...

— Ne crains pas pour la mienne !

À nouveau, il passa à l'assaut, enveloppant le visage ardent de ses mains fébriles, dévorant ses lèvres, sa langue, son souffle... Et elle, déjà si enivrée, si brûlante, laissa son cœur battant guider sa main vers le sexe masculin qu'elle trouva, frôla, toucha à travers les tissus. L'homme souffla une menace à travers son plaisir :

— Tu sais, je suis de sang latin, hispanique, et ta main, c'est comme la cape rouge devant le regard de la bête dans l'arène...

Elle fut encouragée par ces mots et se fit encore plus caressante. Ce qui était irrésistible devint impératif. Et le vertige se mua en prodige. Pour chacun.

Abandonnée : pour la première fois depuis vingt ans sans doute. Envahie dans toute sa substance par le rare mélange de l'exaltation qui comble un être de femme, mariant désir, langueur, confiance, énergie vitale, goût du fruit un peu défendu, sentiment de faire bouger l'âme de l'homme plus encore que sa chair...

Il se leva vivement ; et vigoureusement s'empara de la personne de Paula qu'il transporta jusqu'au vaste lit.

— Je serai terrible, je serai terrible, redisait-il sans cesse en lui ôtant ses vêtements.

Il le faisait quand même avec une certaine retenue, sans rien arracher, et le mot terrible sonnait donc terriblement doux aux oreilles et au cœur de Paula. Et pour qu'il soit encore plus terrible, elle lui prodiguait des caresses plus pressantes.

— Demain, tu m'en voudras...

— Jamais de toute ma vie je ne t'en voudrai, Fernando, jamais... quoi qu'il advienne.

Aidé par elle, il la dénuda à moitié, ne lui laissant que sa culotte et un soutien-gorge noir qu'elle dégrafa mais n'ôta pas. Pour seul éclairage, on avait les images changeantes du téléviseur et les reflets modérés d'une lampe de chevet. Et les voix de l'émission masqueraient les leurs aux oreilles indiscrètes qui, de toute manière, ne se sauraient atteindre à travers des murs épais, insonorisés, silencieux et recouverts d'un rembourrage capitonné.

— Une femme en veut toujours à l'homme qui l'a possédée : cela fait partie d'un regret inavouable...

— Pas moi, pas moi !

Pas une seule fois, il ne se fit complimenteur et elle ne l'aurait pas voulu. Car passé un certain âge, une femme non seulement ne croit plus les éloges sur son corps, mais ceux-ci risquent de se retourner contre celui qui les énonce. Et le sexe masculin parle avec beaucoup plus de certitude et d'éloquence que sa bouche.

Et pour abreuver sa faconde, elle ne cessa de le toucher sauf les quelques secondes qu'il prit pour se libérer des contraintes de ses vêtements. Lui non plus ne se dénuda pas entièrement. Comme elle, il savait que leur obstacle nourrit le désir et doivent être abattus avec mesure. Il la couvrit pour qu'ils puissent s'échanger des intensités nouvelles.

Feu de la passion, feu de l'aurore, lumière, couleurs, chaleur, tout l'attaquait si magnifiquement et l'homme était si beau que la femme avait déjà laissé tombé toutes ses gardes.

Il essaima des baisers sur tout le visage féminin, sur la nuque, l'épaule, le ventre, la cuisse tandis qu'elle continuait de soutenir cette virilité à nulle autre pareille et qui lui faisait anticiper que ce serait pour elle, oui, que ce serait terrible... Et divin.

Il revint lui souffler des mots à l'oreille tout en l'explorant de sa main :

— Je ne le ferai pas sans remords, tu sais... mais après, je ne vais... rien regretter...

– C'est vrai… Moi aussi, je devrais avoir du remords… On se connaît à peine… Une journée ensemble… Mais il ne m'a fallu que quelques heures pour savoir qui tu es… si fort et si vulnérable… si doux et si puissant… si bon et si lucide… si fougueux et pourtant si réservé… Fais-moi l'amour… Jamais je n'en ai autant dit à un homme, jamais je n'en ai autant ressenti au même moment… Tu m'as envoûtée sans le vouloir… Comme je te veux, Fernando Garcia, je te veux, je te veux…

– Tu es au début de ton deuxième âge adulte ; tu es donc dans ta nouvelle jeunesse… Que j'aime ton odeur, ta peau, ton corps !

Elle n'avait plus besoin de caresses préliminaires qui pourraient devenir frustrations et voyait bien que lui non plus, alors elle le lâcha un moment et retira sa culotte et l'oublia quelque part sur sa cheville gauche.

– Viens en moi, viens…

Elle s'ouvrit bien large tout en l'aidant à se libérer à son tour de son vêtement.

– Je vais me noyer en toi…

– Plonge et nage… aussi vite que tu le veux…

Il aspira profondément, fit glisser les sexes l'un contre l'autre puis s'enfonça le plus loin que ses reins le poussèrent.

***

Chapitre 10

Paula fit servir le petit-déjeuner dans la chambre après que chacun eut pris une douche matinale et se fut habillé, lui des mêmes vêtements que la veille et elle d'une robe en denim. Sa préférée. En coton javellisé à effet marbré. Une jupe très ample coupée en biais, s'évasant sous la taille qu'enserrait une large ceinture de cuir.

— J'aime la façon dont tu t'habilles. Hier soir, ton ensemble, c'était superbe. Je ne te l'ai pas dit pour éviter d'être pris pour une espèce de séducteur. Si un homme veut être cru de nos jours, il doit envoyer les fleurs après l'amour, pas avant.

L'œil énamouré, elle commenta :

— Tu n'as pas besoin d'envoyer de fleurs pour séduire. Tu n'as qu'à être là. Avec toi, même le silence est séducteur. On ne te l'a jamais dit ?

— Si l'un de nous deux s'est fait séduire par l'autre, ce fut bien moi, non ? Mais c'est la mode aujourd'hui…

— Mécontent ?

— Ce fut le plus beau moment de mes cinq dernières années. Je ne regretterai que ton départ.

L'œil de Paula brilla encore plus :

— Si je pense à ta façon de me faire l'amour, je n'ai pas de mal à te croire. Et cela me ravit et me transporte.

— Aujourd'hui, tu seras transportée dans un tout autre monde : l'univers des Sorciers. Tu veux toujours qu'on s'y rende ?

— J'ai bien hâte de découvrir cela. Je ne manquerais pas cela pour tout l'or du monde.

— Et de l'or, tu en verras là-bas. L'or, la matière sacrée qui porte des forces séculaires, disent les gens qui connaissent et aiment ce métal.

— Tu en parles comme d'une chose sacrée… Tes yeux ont des reflets d'argent quand tu parles d'or.

— Et pourtant, chère amie, je ne possède rien qui soit en or, excepté peut-être le plaqué de cette bague et de ce bracelet de montre.

Il leva son bras velu au-dessus de la table et montra les bijoux dont il parlait.

— Et nous verrons de ces choses qui furent fondues par des artisans d'il y a des siècles et qui furent portées par des petites princesses indiennes ou des braves d'une autre époque… d'avant l'arrivée des Européens… Des choses pures et belles…

Dans la rue du marché aux Sorciers, Paula s'accrocha au bras de son compagnon et se laissa entraîner par la beauté du ciel et de son âme. Elle portait un chapeau de paille qu'elle avait acheté la veille chez les Indiens quechuas du lac Titicaca et ses verres fumés achevaient de lui donner l'air de la parfaite touriste venue du Nord.

— Il ne fait pas trop frais aujourd'hui ; je me sens juste bien vêtue.

— Ça doit rôder dans les dix degrés.

Une devanture était ornée d'un soleil, symbole de la brillante civilisation inca. Et l'enseigne en bois à lettres dorées disait : *Tienda de Oro*.

— Ici, on va trouver des objets en or. C'est une boutique pour ça…

— C'est là que je veux aller, dit-elle, l'entraînant et s'y dirigeant.

L'endroit était sombre, bas, incroyablement chargé. Paravents incrustés, armes blanches, un long comptoir vitré rempli d'amulettes et ornements, beaucoup de statuettes...

– Attends-moi un moment, je vais appeler à l'hôtel. Je pourrais avoir reçu un message de New York...

– Je regarde en attendant...

Fernando sortit de la boutique et se rendit à une cabine téléphonique tandis que sa compagne regardait chaque chose avec intérêt sous l'œil taciturne d'un vieil homme à tresses blanches, sûrement un Indien à en juger par les traits de son visage, et qui restait debout, derrière le comptoir, immobile, imperturbable, comme un totem du Canada. Étrange et muet.

Au bout du comptoir, une ouverture donnait sur une autre pièce et au-dessus de la porte était écrit le mot « *Mascaras* »... Des masques, pensa la femme. Elle attendrait son ami pour y aller. Fernando revenait justement.

– Tous les prix sont en dollars américains, pas en pesos.

– Je trouvais aussi que les chiffres étaient bas.

On examina de plus près plusieurs pièces, ce qui obligea le vieil homme à montrer qu'il n'était pas une statue de marbre. Fernando lui parla en espagnol et le personnage parut tout comprendre. En tout cas, il répondit aux attentes du couple.

– Je crois bien qu'il y a des masques de l'autre côté, dit Paula.

– En tout cas, l'écriteau le dit. On y va ?

– D'accord.

Mais le chemin leur fut coupé par le vieil homme qui leva la main et dit de sa voix profonde et lointaine :

– *¡Ojo!*

Alors il appuya ses deux pouces l'un contre l'autre et toucha le front de chacun puis eut l'air de se recueillir, après quoi il les invita à franchir le seuil.

– Un rituel sacré, proposa Fernando. Pour nous protéger des esprits les plus noirs. Quant aux autres, il va nous falloir y faire face par nos propres forces.

– J'ai peur mais je n'ai pas peur, fit-elle en riant.

L'endroit était encore plus sombre et seules de petites lumières cachées derrière des masques accrochés répandaient des lueurs jaunes, ce qui rendait les objets encore plus inquiétants. Comme mû par quelque chose au-dessus de ses forces, Fernando se rendit au mur sur sa gauche et, la main tremblante, il décrocha un masque noir incrusté de pierres brillantes en disant, la voix brisée :

– Je savais que je trouverais, je savais que…

Il porta l'objet à son visage et aussitôt sa main libre se souleva et les doigts s'écartèrent doucement en tournoyant dans un sens et dans l'autre.

– Qu'est-ce qui se passe ? Qu'est-ce que tu as trouvé ? s'inquiétait Paula tandis que son ami semblait entraîné dans un tourbillon insondable et bizarre.

– C'est ça, j'en suis… certain, c'est le masque de la Luna… Il faut le porter treize fois l'an… C'est pour revivre… Tout devient… lumière… clarté… naissance…

– ¡Ojo! ¡Ojo! ¡Ojo!

Paula saurait plus tard que le mot voulait dire « prenez garde », « attention », mais sur le coup, elle en saisit le sens derrière ce mot dont pour elle, la signification était « œil » et non pas « attention ».

– Ôte-le, ça pourrait être dangereux.

Il la repoussa doucement :

– Non, laisse… laisse…

Et il se courba en deux. Et il mit ses deux mains sur le masque comme pour se l'appliquer sur le visage avec plus de force.

Paula regarda le vieil homme et l'interrogea par les contractions de ses lèvres et les rides de son front. Il demeura froid comme la mort. Fernando tomba sur les genoux et se courba vers l'avant. Elle le toucha à l'épaule, se fit suppliante:

– Enlève ce masque, enlève ce masque...

Il se mit à marmonner des choses inintelligibles. Elle n'avait entendu cela qu'à deux ou trois reprises dans sa vie dans des assemblées charismatiques où des personnes qu'elle jugeait illuminées utilisaient un mystérieux baragouin, et dont on disait qu'elles parlaient en langues.

Puis Fernando hurla et le son qu'il émettait ressemblait au long gémissement d'une âme damnée. Paula avait beau le secouer, lui crier des avertissements, le montrer au vieil homme, rien n'y fit. Au bout de quelques minutes, la puissance de l'envoûtement diminua peu à peu et l'homme relâcha la pression sur le masque qui s'éloigna de son visage. Il resta prostré un moment puis se remit sur ses jambes.

– Qu'est-ce qui s'est passé?

– Tu veux essayer? dit-il en tendant l'objet vers elle.

Paula eut un mouvement de recul.

– Tu vois ta réaction: il n'est pas pour toi mais pour moi. Je vais l'acheter... Je sais l'histoire de ce masque. On l'utilisait dans l'époque précolombienne pour présider aux naissances et pour les rituels de guérison. Les prêtres lui ont conféré un pouvoir certain... Tu dois te moquer de tout cela, toi, la femme d'affaires si terre à terre, si cartésienne. Je te demande pardon, je n'aurais pas dû te faire pénétrer dans cet univers. Tu sais, tu risques d'en voir bien d'autres à travers le monde...

Assise dans son salon de la Beauce à lire un livre ou à voir un film à la télé, Paula n'aurait jamais pu imaginer que pareille aventure ne soit pas de la pure fiction et surtout puisse lui arriver. Mais là, avec ce dépaysement, ces modifications dans son sang à cause de l'altitude, ce tourbillon émotionnel de la veille, sa confiance en cet homme, l'étrangeté du lieu, elle prenait la chose au sérieux et pas le moindre doute n'aurait eu de prise sur elle du moins pour le moment.

– Pourquoi acheter ce masque? dit-elle en fronçant les sourcils.

– C'est… personnel.

Et il s'approcha du vieil homme:

– Quinze mille pesos, je le prends…

Mais l'autre hocha la tête et marmonna quelque chose que Paula ne saisit pas.

– *¿Quince mil dólares?*

L'Indien fit un signe affirmatif.

Fernando baissa la tête, regarda longuement l'objet.

– Quinze mille dollars? dit Paula.

– Il faut comprendre: il vient directement de l'époque précolombienne… Mais… ce sera pour une autre fois.

Et il retourna accrocher le masque là où il était.

– Partons d'ici!

– Mais au moins essaie de le négocier?

– Le prix est immuable, il me l'a dit.

– Fais-le mettre de côté au moins.

– Non, vaut mieux s'en aller.

Il quitta la pièce. Elle le poursuivit:

– Si tu me disais au moins ce que tout ça veut dire. Pourquoi veux-tu ce masque?

– Partons d'ici, je t'en prie. Et oublie tout ça! C'est un problème tout à fait personnel.

Ils quittèrent les lieux et poursuivirent leur tournée mais plus rien n'avait le même sens. Une profonde inquiétude assombrissait l'âme de Paula et pesait sur leur excursion. Il se montra désinvolte mais cette attitude ne fit qu'augmenter le désarroi de sa compagne. Et prématurément, il suggéra leur départ et leur retour à l'hôtel, prétextant la fatigue.

Dans le lobby du Sheraton, Fernando fit une rencontre imprévue. Une connaissance qui s'informa aussitôt de sa santé. L'autre ne répondit pas et il présenta Paula. Le personnage du nom de David Guzman était un Bolivien de Cochabamba, personnage moustachu d'une quarantaine d'années, qui avait pris une chambre pour la nuit et qui se trouvait dans la capitale pour traiter des affaires. On se promit de se revoir au bar plus tard.

Au repas du soir, Paula ne tira rien de Fernando à propos de leur visite au marché des Sorciers à la boutique de l'or. Il se fit évasif et le seul mot qu'il échappa et qui permit à son amie de suivre une piste fut « régénérescence ».

Mais il avait affaire à une tête dure doublée d'une volonté de femme d'action. Paula résolut de parler à ce Guzman et elle s'arrangea pour le voir privément au bar avant que Fernando lui-même n'y vienne.

Ce qu'elle sut la renversa. Tout d'abord, l'homme fut discret, comme sur ses gardes, puis quand il sut qu'elle était de passage et que son séjour à peine commencé prendrait fin dans deux jours, donc qu'elle n'était pas une amie de longue date de Fernando, il ne retint plus la vérité qu'il livra en anglais avec un accent espagnol fortement épicé.

– C'est un condamné à mort. En sursis. Le cancer. Au cerveau. Inopérable. Ça lui vaut parfois des terribles maux de tête. Il a vu les meilleurs spécialistes à New York. On va peut-être tenter une chirurgie au laser en dernier recours, quand la fin sera imminente. En attendant, il continue sa vie mais il est devenu superstitieux comme tous ceux qui sont ainsi condamnés : il cherche un objet venu d'une autre époque et qui pourrait le régénérer, comme il dit, quelque chose qui lui redonnerait la vie. Il m'a glissé un mot d'un masque qui lui aurait fait beaucoup d'effet.

– Vous l'avez vu après notre rencontre ?

– Au téléphone, je l'ai appelé, mais il voulait se reposer et nous avons peu parlé. En tout cas, pas de vous, ne craignez rien. Vous avez dû remarquer des tremblements dans sa main gauche ? Et son regard qui s'en va très loin parfois comme dans un autre univers…

– Et pourquoi n'a-t-il pas acheté le masque ? Question d'argent ?

– Il croit que quinze mille dollars, c'est de l'exploitation. D'autre part, il va tâcher d'emprunter l'argent de quelqu'un à New York… Il a dû appeler déjà. Quinze mille dollars, d'un autre côté, ce n'est pas cher pour revivre, même si l'objet n'est pas aussi puissant qu'il le pense, l'important est qu'il le pense…

– Ça, c'est bien vrai !

– Et puis faut comprendre le marchand. Si l'objet est authentique, ça n'a pas de prix. Il n'en vendra de pareils qu'une seule fois dans sa vie.

– C'est peut-être un faux… Qui dit que ça ne vient pas des Indiens quechuas du lac Titicaca et que ça ne date pas de plus de dix ou cent ans ?

– Il m'a dit qu'il avait essayé le masque et qu'il a senti des forces le bouleverser, est-ce vrai ?

Le regard de la femme traversa les brillances du mur derrière le bar, miroirs, verrerie, tablettes de verre et elle revit la scène de l'après-midi. Elle soupira :

– Il s'est passé quelque chose d'important. Ou bien le masque a agi ou alors, c'est la propre force de sa pensée qui a agi. Quoi qu'il en soit, le masque lui fut utile et je sais qu'il le voulait. J'aurais dû l'acheter pour lui…

Guzman secoua la tête et rit :

– Vous ne le connaissez pas. Jamais il ne demandera quoi que ce soit à personne, encore moins à une femme. Oubliez ça. Oubliez ça.

– Vous n'êtes donc pas assez intimes pour lui avancer l'argent ? Va-t-il pouvoir le payer de toute façon ?

– Je crois savoir que sa femme qui l'a quitté il y a deux ou trois ans lui a coûté et lui coûte un bras. Ça l'a rendu un peu amer envers les femmes, mais on dirait qu'il ne l'est pas avec vous. En tout cas, j'ai cru lire ça dans son regard aujourd'hui.

Paula ridait le front, hochait la tête. Guzman posa son verre après avoir vu par le miroir derrière le bar Fernando qui venait. Il glissa vivement :

– Si vous tenez à son amitié, ne lui offrez jamais d'argent. Il vous fuirait aussitôt. Et vous ne pourriez pas le rattraper, ça, je peux vous le garantir…

– Tiens, tiens, mes deux meilleurs amis sont en train de comploter contre moi ? s'exclama Fernando, qui se mit entre les deux et posa ses mains sur les épaules de l'un et de l'autre.

– Elle vient juste d'arriver…

Paula se tourna et se rendit compte que son ami avait le visage terriblement crispé. Au point où elle s'en inquiéta :

– Tu as l'air soucieux.

– C'est la migraine, cette chère migraine, mon horrible maîtresse… Jalouse, elle me soustrait à tout le monde. Possessive, elle réclame toute mon attention et toutes mes énergies. Quelle engeance ! Je suis venu vous dire que je ne fais que passer. Vous me comprendrez et me pardonnerez de retourner à ma chambre. La lumière me tue comme si j'étais un vampire. Les bruits sont comme autant de marteaux qui me frappent à l'intérieur de la tête… Je n'ai plus qu'à m'étendre, me détendre et attendre. C'est le soin que je dois prendre de ma pauvre petite personne…

– Est-ce que je peux faire quelque chose ?

– Oui…

– Et ?

– Prier.

– Oui, mais…

– Je te revois demain matin, Paula.

Il l'embrassa sur la joue.

– Et toi, mon ami David, seras-tu parti ? Tu sais, Paula, je le connais depuis vingt ans… Hein, David, ça doit bien faire tout ce temps-là qu'on se connaît ? Les affaires et puis divers prétextes ensuite. Et même le hasard comme aujourd'hui… Je vous laisse ensemble… Jasez bien, jasez de rien…

— À demain matin sans faute ! dit Paula.

Il fit un signe affirmatif et partit.

— Je vais téléphoner à mon chauffeur, fit Paula qui se glissa hors du tabouret.

— Vous reverrai-je ?

— Ça ne sera pas bien long.

Elle revint contrariée.

— J'espérais qu'il soit là, même si je lui ai dit que je ne risquais pas de l'appeler ce soir. Écoutez, David, vous allez m'aider. Vous êtes le seul sur qui je puisse compter. Il me faut quelqu'un qui parle espagnol couramment… Vous voulez m'aider ?

— Pour faire quoi ?

— Nous allons au marché des Sorciers acheter le masque et vous le lui donnerez sans dire de qui il vient.

David ricana :

— C'est assez gros comme idée. Il saura tout de suite.

— Qu'il sache ! Et puis, il n'aura d'autre choix que de le prendre.

Les choses se précipitèrent alors. À la manière de Paula. Un vrai bélier mécanique. Et un Bélier tout court. Tête première après réflexion pour que se réalise le projet installé dans sa volonté. Elle pouvait réunir en peu de temps les quinze mille dollars voulus pour acheter le masque. Banques fermées ? Qu'importe, elle pouvait réunir pas mal de liquide grâce à la réception de l'hôtel et à ses cartes de crédit. Et ses chèques de voyage pouvaient aussi servir ; elle les ferait renouveler le jour suivant.

Le jeu valait dix fois cette somme. Ce qu'ils s'étaient apporté l'un à l'autre depuis deux jours n'avait pas de prix. Elle se pressa à la réception qui s'en remit à la direction du Sheraton. Et vivement, elle eut huit mille dollars américains à combiner avec ses chèques de voyage. David Guzman la suivait à quelque distance comme elle lui avait demandé de le faire et bientôt, on fut dans le lobby en attente d'un taxi qui devait les conduire au marché des Sorciers.

Une heure plus tard, ils étaient de retour avec le précieux masque qu'elle avait fait mettre dans un poncho.

– Je vous demande d'aller le lui porter. Et qu'il le mette tout de suite, et qu'il le mette tout de suite.

– Et si ce n'était que de la pacotille ? redit David pour la dixième fois depuis qu'il avait entendu de la bouche de Paula l'annonce de sa décision ferme.

– C'est le résultat qui compte, répondit-elle pour la dixième fois.

Et, comme une enfant sage et bien contente, la femme se rendit à sa chambre en nourrissant le faible espoir que Fernando l'appelle avant la nuit. Comment pourrait-il le faire avec une pareille migraine et par-dessus le mutisme de David. Car elle avait obtenu la promesse formelle et répétée de son ami de ne jamais révéler la provenance de l'objet. Le procédé était gros comme l'Illimani mais il suffirait à empêcher Fernando de protester...

Son cœur d'adolescente battait quand elle s'endormit en pensant quelque peu à son premier amour des années cinquante et beaucoup à ces deux jours prodigieux qui se terminaient sur tant de bonheur...

Fernando et elle, chacun derrière un masque, retrouveraient un nouvel âge.

C'est sur un immense nuage qu'elle entra dans le monde du rêve

***

Chapitre 11

Tôt debout, blottie dans son peignoir, elle regarda longuement les splendeurs éternelles de l'Illimani par delà la cité froide sur laquelle un ciel au bleu profond tombait comme un globe de pur cristal.

Elle s'attendait à un appel d'un instant à l'autre. Fernando viendrait la prendre pour l'emmener visiter la Valle de la Luna. Pourvu que sa migraine ne dure pas. Et puis elle brûlait du désir de savoir ce qui s'était passé, comment il avait reçu le masque. L'avait-il utilisé, l'accuserait-il d'avoir agi malgré lui ?

Enfin le téléphone sonna. Elle se pressa vers la table sur lequel le combiné se trouvait. C'était Juan, le chauffeur qui lui dit qu'il se trouvait dans le lobby en bas.

— Mais je ne vais sûrement pas avoir besoin de vous aujourd'hui, mon ami, retournez chez vous. Mais restez en *stand-by*, s'il vous plaît !

— Je ne comprends pas, madame Paula.

— Je sors avec Fernando. Nous allons à la vallée de Lune.

— Ça me surprendrait, madame. Il a quitté l'hôtel avec sa valise.

— Vous dites ?

— Qu'il est parti. Il était avec un autre homme, un moustachu.

— C'était sans doute la valise de l'autre ou bien quelque chose qu'ils transportaient pour aller le mettre en lieu sûr.

— En tout cas, je les ai vus régler la note à la réception.

– Restez en bas et rappelez-moi… Ou, tiens, allez vous renseigner à la réception, je vous attends sur la ligne. Demandez si Fernando Garcia et David Guzman sont partis.

Elle attendit. Il y avait méprise et elle ne voulait penser à rien d'autre. Juan revint :

– Garcia et Guzman ont quitté l'hôtel pour ne pas y revenir.

– Merci, Juan. Attendez-moi dans le lobby, je vous rejoins dans une demi-heure pas plus.

– Très bien, madame.

Elle posa le combiné et alla s'asseoir sur le divan. Coléreuse. Humiliée. Elle s'était fait avoir comme une débutante, elle, la femme d'affaires millionnaire. C'était une belle arnaque, tout ça. Impeccable ! Mais attention, il se brasserait de la merde avant son départ. Elle enquêterait, alerterait la police et s'il le fallait, l'ambassade canadienne.

Quinze mille dollars, elle pouvait en rire, mais on ne lui subtiliserait pas sa dignité. Elle ricana. Le faux timide derrière les gestes emphatiques n'ayant pas couché avec personne depuis quatre ans : c'était peut-être un homosexuel par surcroît. Et si c'était un homo, il pouvait bien porter la maladie…

Cette pensée insupportable la mit dans tous ses états. Puis elle la chassa. Non, il n'aurait pas eu cette fougue au lit, cette passion, pour simplement de l'argent. Il aimait la femme. À n'en pas douter. Un macho sud-américain sans doute. Un profiteur sûrement. Tout ce qu'on voudra, mais pas un inverti.

Peu de temps après, ayant gémi et maugréé tout le long du trajet, elle entrait dans un poste de police avec son chauffeur qui traduisit alors ses doléances. L'officier hochait la tête et souriait en la regardant. Puis il écarta les bras et se montra désolé.

– Que voulez-vous que nous fassions ?

– Une enquête policière.

– Mais pourquoi ?

– Extorsion.

– Quelle extorsion ?

– Quinze mille dollars.

– On vous a volé quinze mille dollars ?

– C'est tout comme.

– On vous a menacée ?

– Non.

– Vous avez pris quinze mille dollars et vous êtes allée acheter un masque au marché des Sorciers ? En toute liberté et en toute connaissance de cause. Et vous avez confié l'objet à quelqu'un que vous connaissiez depuis quelques heures seulement. Et vous avez acheté l'objet pour un homme que vous connaissiez depuis trois jours. Où est le crime ? Où est le sujet à enquête ? Et si vous avez fait cela, madame, vous vouliez payer quelque chose, n'est-ce pas ? Une nuit d'amour peut-être ?

– Cela ne vous regarde pas, lança-t-elle avec colère.

– Mais oui, puisque ça fait partie de la transaction. Si on trouve que cet homme – soit dit en passant connu de la police et pour qui ce n'est pas la première affaire, un très bon acteur de théâtre – a couché avec vous pour de l'argent, on le fera comparaître pour prostitution et vous de même pour sollicitation.

Remplie de colère jusqu'à la pointe des cheveux, bafouée dans son orgueil par ce pays, par cette mentalité, Paula se pinça la lèvre inférieure et quitta la place sans rien ajouter.

Dans la voiture, elle ne dit que deux phrases :

– Je m'en vais dès aujourd'hui à Rio. Vous m'attendrez le temps que je fasse mes bagages et que je remette ma clé.

Sur le chemin de l'aéroport, elle insulta la Bolivie :

– Comment voulez-vous que les touristes viennent vous encourager dans votre pauvre pays de merde si vous les traitez de cette façon ?

Piqué au vif, Juan protesta :

– Et l'exploitation que vous du Nord faites de nos ressources, c'est aussi profiter des autres, ça, non ? Même si je trouve bien regrettable ce qui vous arrive.

– Quinze mille dollars, c'est plus que vous n'en aurez jamais dans vos poches.

– Je le sais, madame. Mais je vous redis que les profiteurs…

– J'ai fait le gros de mon argent avec une ressource naturelle de chez nous. Ça s'appelle l'érable à sucre. Sirop d'érable et produits dérivés.

– Entre nous, quinze mille dollars pour vous, c'est moins qu'un peso pour moi.

– Tant que vous voudrez.

– Que ça vous console !

– Ne comprenez-vous pas que c'est une question de dignité ?

– Bien sûr que je comprends et je compatis. Mais je cherche un moyen de faire diminuer votre amertume.

– Le meilleur moyen, c'est de la laisser sortir.

Elle ne regarda pas la misère d'un bidonville que la route traversa. Ni plusieurs habitations de fortune sous les viaducs. Elle ne vit même pas le fronton de l'aéroport avec ses visages incas et la porte du soleil.

Malgré la franchise brutale de Juan, elle lui donna un bon pourboire pour son dévouement et lui dit en partant :

– Au moins, je garderai un bon souvenir de toi.

– Je vous remercie, madame.

Et bientôt, l'avion décollait de la piste et emportait la passagère dépitée vers d'autres cieux. Plus cléments, espérait-elle. Moins élevés en tout cas.

Juan se rendit au téléphone et logea un appel.

– Mon cher Fernando, elle était folle de toi. Tu aurais dû lui passer la savonnette une fois de plus avant de partir pour qu'elle se rappelle encore mieux La Paz.

— Le plus drôle, je pense, ce fut dans l'autobus en revenant de Titicaca. J'ai payé le chauffeur pour qu'il nous fasse un spectacle en descendant… Elle en a eu pour son argent en tout cas. Ce que je lui ai fait vivre vaut bien plus que quinze mille dollars et ça lui servira de leçon toute sa vie en plus. Quant à toi, mon cher Juan, j'irai te verser ta part demain à l'aéroport, à moins qu'une nouvelle poule de luxe à belles plumes ne s'annonce pour aujourd'hui.

— J'aurai quelqu'un la semaine prochaine. Comme celle qui part n'a pas l'intention ni même le goût de se plaindre à l'agence après avoir fait rire d'elle au poste de police. En passant, l'ami Hugo de la police a été superbe et il mérite au moins deux cents dollars, surtout qu'il sait que l'affaire, cette fois-ci, est très payante.

— Et vive le Canada!

— *¡Viva el Canadá!*

***

Chapitre 12

Tout le long du trajet, Paula essaya en vain de dormir. Et qu'importe l'enfer vert au-dessous, immense et inextricable couvert végétal de cette Amazonie aux eaux bourrées de crocodiles et piranhas carnassiers, aux arbres tortueux enracinés dans des sols pauvres que d'aucuns s'acharnent à vouloir récupérer sur la forêt pour y trouver une pitance.

Elle n'avait pas le goût de philosopher sur les problèmes de cette pauvre humanité tant elle s'occupait d'elle-même en écumant sa colère et sa frustration, petite pensée par petite pensée.

Des paroles mensongères de Fernando lui revenaient en mémoire pour alimenter son dépit car elles y prenaient un tout autre sens maintenant qu'au moment où il les lui avait servies.

« Quand on perd sa femme et son ami d'un seul coup, et surtout qu'on se sent coupable de pareil fiasco, il faut plus que trois petites années pour retomber sur ses pattes… Mes gestes, vous l'aurez remarqué, sont larges et expriment la force et la fierté, mais les ailes du cœur sont… littéralement coupées. »

Espèce de menteur !

« Chère Paula, vous-même vivez seule. Je ne sais pas, mais… peut-être avez-vous, tout comme moi, mis trop de cœur dans les affaires d'argent et pas assez dans celles du cœur. J'ai fait cela et me voilà seul, et surtout, sans la volonté de revivre autre chose, sans désir de recommencer une autre étape de ma vie. Et c'est ça le pire. Comme pour des millions de gens en ce monde, ma liberté est la pire des prisons. »

Et j'ai gobé tout ça comme une idiote…

« Incroyable que je vous fasse ainsi de pareilles confidences, moi, le Latino-Américain fier, machiste qui ne saurait prendre les femmes que pour les aimer, les protéger et parfois les humilier… »

La quintessence du mâle humain vraiment !

« Lolita, ma fille, est devenue infirmière. Elle me visite chaque semaine… Ma femme était une Américaine avec un peu de sang hispanique… Qu'est-ce que nous voilà donc à faire ? Pleurer sur le passé tandis que le présent est là, dans cet autobus, sur cette route de montagne… en vous, en moi… »

Elle pensa à la manière qu'il avait utilisée pour la pousser, elle, la femme d'affaires, de décision, de volonté, à le faire coucher avec elle…

« J'ai si peu l'habitude de plonger, Paula, depuis quatre ans ; j'ai perdu la façon… je ne sais plus… »

Sale hypocrite, va ! Et quelle comédie en portant le masque !

« C'est ça, j'en suis certain… C'est le masque de la Luna… Il faut le porter treize fois l'an… C'est pour revivre… Tout devient… lumière… clarté… naissance… »

Et ce vieux tricheur de faux Indien avec son *¡Ojo!* Et ce Guzman, un autre complice…

« C'est un condamné à mort. En sursis. Cancer au cerveau. Inopérable. »

– C'est dans le cœur que ces gens-là ont le cancer, marmonna-t-elle en se tournant la tête sur l'oreiller collé sur le hublot.

Par chance que la banquette voisine était libre, Paula pouvait tout à loisir se vider de sa frustration. Ce Guzman à qui elle songeait maintenant : sans doute un autre acteur de théâtre.

« Si vous tenez à son amitié, ne lui offrez jamais d'argent. Il vous fuirait aussitôt. Et vous ne pourriez pas le rattraper, ça, je peux vous le garantir. »

Et ce pauvre visage crispé par la migraine, martelé par la douleur.

« C'est la migraine, cette chère migraine, mon horrible maîtresse… »

Et pour enfoncer le dernier clou dans le cercueil de son orgueil, ce policier de merde!

« Si on découvre que cet homme a couché avec vous pour de l'argent, on le fera comparaître pour prostitution et vous de même pour… sollicitation. »

Elle finit par ouvrir les yeux et se redressa sur son siège. Chaque fois qu'il passait un homme latino, elle avait envie de lui adresser une grimace de mépris. À qui faire confiance en ces pays-là désormais?

Il y eut un repas. Elle n'y toucha guère et voulut plutôt se faire servir des martinis après les consommations que son état de passagère de première classe lui valait. Et c'est à moitié abasourdie qu'elle devait apercevoir dans le soleil couchant le formidable spectacle offert par Rio et ses quatre attraits touristiques majeurs à pouvoir être vus d'un avion: la baie de Guanabara, la plage de Copacabana, les reliefs granitiques, dont le célèbre Pain de Sucre, et le Christ Rédempteur des Andes aux immenses bras protecteurs…

Un autre Sheraton bourré de gens d'affaires, pour la plupart des hommes, parfois des femmes accompagnées, mais sans doute pas une autre femme seule à part elle. Rio n'était pas la ville pour ça, pensa-t-elle.

Une fois dans sa chambre, elle consulta le calepin noir de ses intentions et de son itinéraire sommaire. Après Rio, l'Argentine. Puis le Venezuela. Peut-être devrait-elle presser le pas puisque ces pays ne sauraient que lui rappeler constamment le goût de cendres qu'elle avait dans la bouche. Puis elle logea un appel dans la Beauce. Elle s'entretint avec Maryse qui ne lui signala rien de particulier. Tout allait normalement là-bas. Marc était absent pour l'heure.

Elle se rendit à sa fenêtre. Le Pain de Sucre lui rappela l'Illimani et ça la mit en rogne une fois de plus. Il ne fallait pas que cette incroyable mésaventure de La Paz vienne gâcher la plus grande aventure de sa vie, ce voyage à travers le monde. Et il lui revint en tête une pensée que Gaspard Fortier lui servait les jours où elle subissait un coup dur dans ses affaires du temps où elle se battait encore avec toutes ses énergies contre les difficultés de l'ascension :

« Si je ne vois que ce qui me manque, je perds de vue tout ce que j'ai. »

Et puis Fernando Garcia n'avait-il tout simplement pas accompli ce que Gabriel Riana avait préparé du temps où il travaillait pour elle après l'absorption de sa compagnie par la Reine de l'érable ? Et sa relation avec Gabriel n'avait-elle pas été préparée de longue main par sa relation avec Grégoire ? Tant qu'à faire, aussi bien remonter à André Veilleux, à Gilles Maheux ! Chaque geste posé n'est-il pas la résultante de tous les autres de sa vie jusque-là ?

C'est une bonne douche qu'elle devait prendre. Pour effacer d'elle ce qui blessait faute de pouvoir se débarrasser de la blessure elle-même. Mais avant, elle céda à sa curiosité et prit dans ses affaires la carte que Garcia lui avait donnée à La Paz. Et elle composa le numéro à New York. Un répondeur lui parla en espagnol. Le nom de l'abonné était bel et bien Garcia, mais *Rene*… Sans doute le frère ou le cousin de l'autre… Lui parler et recevoir des mensonges préparés d'avance ?

Elle raccrocha et déchira la carte qu'elle mit à la poubelle. Et elle se rendit à la salle de bains.

*

Le jour suivant, en bonne touriste, elle se rendit voir le Christ des Andes et la ville depuis les hauteurs. Elle y fit la connaissance d'un jeune couple français qui, malgré l'amour et le voyage de noces, se sentait quelque peu perdu dans cet univers de carte postale, tout comme elle d'ailleurs. On fraternisa aussitôt grâce au merveilleux pont que constitue sa langue maternelle quand on se trouve en terre étrangère et dans une autre culture. Ils avaient l'âge de Nathalie et Christian. Lui, un employé de la SNCF, et elle, une boutiquière. Des Nantais.

Paula qui avant son départ en voyage avait prévu visiter les favelas de Rio, n'y songeait plus maintenant, mais voilà que ces gens lui donnèrent l'occasion de le faire. Cela fut accompli dans un autobus qui promenait ses passagers dans un tour de ville. Paula vit la pauvreté mais elle s'y attendait. C'était comme on le voit à la télévision. Masures. Enfants en haillons, sales et curieux. Des plus grands qui courent et crient. Des jeunes mères aux yeux remplis de résignation.

— Ils aiment vivre comme ça, dit Paula au couple sur le chemin du retour.

— Qui aimerait ça ? répliqua la jeune femme un peu déçue de pareille attitude de la part de cette riche Canadienne.

Et c'est ainsi que la communication entre eux fut moins agréable qu'auparavant. Les Français, c'est connu, sont plus sensibles aux misères du tiers-monde que les Québécois et cette divergence de vues éloigna les nouveaux amis.

De toute manière, il tardait à Paula de partir pour ailleurs. Prochaine destination : Buenos Aires, capitale de l'Argentine, ville immense qu'elle ne désirait pas visiter malgré tous ses attraits. Elle y fut dans le milieu de la semaine suivante. De là, elle partit en autobus pour la campagne. Une autre région, pour elle mythique, l'attendait : la pampa.

Dès son arrivée dans la capitale, elle apprit qu'il y avait en fait deux pampas : l'humide, plus riche de tout, et la sèche, au climat aride, pauvre et peu peuplée avec ses paysages de brousse et de steppe. Le pays des gauchos, ces bergers cowboys qui surveillent tout aussi bien les troupeaux ovins que bovins.

Après quelques chevauchées sur des bêtes lourdes et fort peu excitantes, Paula regagna la capitale et prit l'avion pour Caracas. Et elle ne garda de la pampa que des souvenirs de poussière, de cette poussière rouge lui rappelant la campagne australienne qu'elle ne connaissait encore que par un bon livre et la minisérie télévisée *Les Oiseaux se cachent pour mourir*.

Le souvenir de Meggie prenant des vacances seule dans un coin perdu au bord de la mer, à s'ennuyer du cardinal, sans espoir de vivre mieux que l'ennui et le regret, vint la frôler à plusieurs reprises dans les jours suivants alors qu'elle se rendait à une plage peu fréquentée mais sécuritaire.

Il lui apparaissait de plus en plus clairement qu'il manquait un sens à ce voyage, qu'après les premières heures si belles et brutales, la suite n'était plus que vide et solitude. Ne vaut-il pas mieux souffrir que de mourir d'inanition ?

Pourtant, c'est un voyage superbe qu'elle voulait faire sien, et voilà qu'elle se retrouvait dans une sorte de fuite en avant la menant d'un jour ennuyeux à un autre jour ennuyeux.

La veille de son départ pour la Jamaïque, étendue dans le sable fin, son grand chapeau de paille agité par le vent du large venu lui-même trouver le calme dans la ligne des végétaux de la côte, elle entreprit une discussion.

Avec elle-même.

Il lui parut en effet que son clone lui répondait. Clone, pas tout à fait : plutôt un négatif d'elle-même puisque l'une contredisait sans cesse ce que l'autre avançait.

« – Ce que je cherche par ce voyage, c'est mon avenir.

– Non, ma vieille, ce que tu cherches à retrouver, c'est ton passé.

– Le passé, le passé, qu'est-ce que tu veux que j'en fasse du passé ? Plus j'ai vécu, plus j'ai progressé…

– Tu crois ?

– Et toi, tu ne le crois pas ?

– Ne parlons pas de toi, là, pour un petit instant. Disons le Québec, est-ce que tu crois qu'il a un peu progressé depuis 1960?

– Ridicule, ça! Évident!

– Les gens sont plus riches. Ils consomment plus. Ils vivent un peu plus longtemps. Ça, c'est évident, mais le reste, tout le reste, hein? Le dedans de l'âme, lui?

– Le joug religieux. La noirceur. L'absence d'éducation. La petite pitance. Papa qui travaillait à six piastres par jour sur dix heures à faire des boîtes à beurre dans la poussière et le bruit strident. Et maman qui est morte au bout de son souffle... C'est pas trop le bonheur total, ça, non?

– Le progrès matériel qui en sauve d'aucuns en fait périr d'autres. Une morale victorienne, pas de divorce. Une morale victorienne, pas d'épidémie de sida...

– Tout n'est pas beurre que fait la vache.

– Bon, sors tes maximes!

– C'est ça pareil!

– Ta grosse maison, tes richesses, tes actions, tes contacts, ton pouvoir, à quoi ça sert tout ça si t'as que ça?

– Niaiseuse, j'ai pas rien que ça...

– T'es sûre? Les femmes ordinaires de Saint-Georges, elles vont pas se faire bafouer à trois mille milles de chez elle dans un voyage de recherche de leur avenir...

– Non, mais elles mangent de la merde d'une autre manière, souvent à endurer à leurs côtés un pire que Fernando Garcia. Laisse-moi te dire ça!

– Puisque ce monde est condamné à l'imperfection, pourquoi ne vas-tu pas chercher le meilleur des valeurs de naguère et le meilleur de celles de maintenant pour te construire un avenir?

– Là, on va s'entendre parce que c'est en plein ça que je suis en train de faire, espèce de vieille limoneuse que t'es!

– Ça paraît pas trop en tout cas...

– Ah, et puis laisse-moi tranquille, hein! Moi, j'étais en train de penser au cardinal de Bricassart qui a enfin mis ses culottes pis qui s'en vient sur la plage à la rencontre de Meggie…

– Sauf que lui aussi, il va faire comme Fernando Garcia, il va sacrer son camp avec ses biens et un morceau d'elle après l'avoir f… fff… après l'avoir ff… flétrie…

– Comme tu commences à bégayer pis à déparler, serait peut-être temps que tu sacres ton camp.

– *OK*, d'abord! Si t'aimes mieux être tu seule… »

*

En se rendant aux Antilles, Paula, sans trop se le dire, se rapprochait de son pays. Non seulement en distance mais parce que les Québécois sont des familiers des îles des Caraïbes. Quelques jours plus tard, après avoir vécu dans beaucoup d'indifférence depuis son étape brésilienne, elle prit l'avion pour la Jamaïque.

On était à la mi-mai: à Kingston, la capitale, le plus beau temps de toute l'année.

La femme descendit à l'hôtel Shaw Park, à Montego Bay, l'une des plus importantes stations balnéaires des Antilles. Ambiance britannique. Population noire. Ça changerait de la mentalité latino qui lui avait coûté si cher déjà. Vue directement sur la plage mais aussi, en bougeant les yeux vers la gauche, sur des montagnes imposantes en arrière-plan.

Et beaucoup de monde sur la plage.

Mais tout d'abord, elle voulait dormir.

Quelques appels à ses lieutenants dans ses diverses entreprises. Un coup de fil à la maison. Elle était prête pour une autre étape. Elle se sentait déjà loin du lac Titicaca. Et c'était tant mieux pour elle!

Elle s'étendit sur son lit sans avoir ôté ses vêtements. Et tourna un bouton à la tête. C'était le volume du son d'une chaîne stéréo. Musique des îles. Elle entra dans la somnolence. L'air célèbre *Montego Bay* se fit entendre et ça la transporta vingt ans en arrière, l'année même où elle s'était lancée en affaires pour se transformer en femme d'avenir.

Les jumeaux avaient 8 ans et Chantal, 4 seulement. Paula conduisait l'auto. Avec les enfants, elle se rendait visiter grand-père Joseph et sa femme Clara à Saint-Éphrem, et pour cela, il fallait passer par les érablières de Saint-Benoît. C'était l'automne. Les arbres aux coloris les plus chauds se déshabillaient doucement de leurs feuilles. Le soleil brillait, brillait...

Et voilà que la radio locale fit jouer en demande spéciale un air très ensoleillé : *Montego Bay*. Les enfants s'étaient mis à taper sur la banquette et à suivre le rythme. Elle leur avait dit qu'un jour, elles les amènerait à Montego Bay...

Ils y étaient. Mais seulement dans son cœur et sa mémoire.

***

Chapitre 13

Si Paula put trouver calme et repos dans cette autre station balnéaire, elle n'y trouva point la paix. La paix du cœur surtout. Lors d'une fausse alerte cardiaque, elle avait appris à connaître certains médicaments, dont les bêtabloquants, qui ont pour effet de retenir l'organe de battre trop vite et de forcer. Il lui semblait que sa raison agissait de la même manière sur ses émotions et qu'elle empêchait son cœur de battre à son propre rythme. En cela, elle ne se différenciait pas trop de la plupart de ses collègues de l'autre sexe, surtout de ceux dont elle partageait le domaine des affaires.

Les deux premiers jours, elle fit du tourisme traditionnel. Magasinage, visite de la galerie d'art Harmony Hall et visite des chutes de Dunn's. Puis elle s'en tint au tourisme de sable fin.

Tous les après-midi, elle se rendait à la plage pour une heure ou deux. Ce n'est que la veille de son départ qu'elle noua une relation aussi éphémère qu'orageuse avec un couple de Montréal, une infirmière à sa retraite et son mari qui promenait sa grosse bedaine aux quatre coins de la plage et possédait un don pour repérer les compatriotes du Québec.

En fait, lui et sa femme avaient fait un pari durant la semaine au sujet de Paula à savoir s'il s'agissait bien d'une Québécoise ou pas, la femme croyant que non, et lui, sûr de son coup. Pour trancher la question, il fallait lui parler. Quand on l'aperçut, bien installée dans ses affaires et allongée à l'ombre de son parasol, on s'approcha pour se tailler une place sur le sable chaud. Et à la première occasion, sans même que Paula n'ait les yeux ouverts, l'homme lui adressa la parole en français :

– Je gagerais que vous êtes une femme de la Beauce, la questionna-t-il de but en blanc.

Elle ouvrit les yeux et aperçut ce ventre énorme qui l'observait. Comment cet homme de proche 60 ans avec une chevelure à la 1955 avait-il pu deviner cela ? Peut-être pour ces raisons ?

– Ben… ouais. Êtes-vous un détective ou quoi ?

– Non, mais je me disais itou… Y a ma femme, là, qui pensait que vous étiez une Américaine… Mais c'est-il ben vrai que vous venez de la Beauce ?

– Saint-Georges… Née pas loin… à Saint-Honoré.

– Pas possible ! Moi, je viens de Saint-Évariste, juste à côté, s'étonna la femme, une noiraude aux grands yeux bruns.

L'homme était fier comme un paon de son intuition. Il n'avait jamais autant frappé dans le mille. Cela conférait à la dame une haute place dans son estime. Il montra beaucoup d'assurance :

– Moi, les Juifs, les Anglais, les Américains, ou quelqu'un de la Beauce, je reconnais ça… Pis les Noirs avec, ben sûr.

La blague fit rire les deux femmes et l'homme se redressa le torse comme un enfant heureux. Il ajouta :

– Ça fait deux, trois jours qu'on vous voit, hein, Marjo, pis on s'obstinait… Elle disait que vous étiez une millionnaire américaine pis moi, j'pensais que vous étiez… ben…

Paula glissa, l'œil taquin :

– Une vieille colonne de la Beauce…

– Ben non… Dans ce cas-là, nous autres, on est des vieux colons de Laval.

– C'est quoi votre nom ? demanda Marjo qui devait une fois encore ramener son mari sur les rails.

– Paula Nadeau. Et le vôtre ?

– Janvier Lambert. Ma femme, Marjolaine…

– Marjolaine comment ?

– Martin.

– Ah! les Martin, les Nadeau, les Poulin, les Veilleux, c'est pas ça qui manque dans la Beauce. Encore que Saint-Évariste, dans le temps, c'était plutôt le comté de Frontenac que la Beauce.

– Ben… non… fit Marjo qui ne prisait pas trop cette exclusion.

Et puis cette Paula lui paraissait bien sûre d'elle-même. Une sorte de suffisance émanait de sa personne et Marjo en avait connu des comme elle dans sa vie.

– Vous, monsieur Lambert, vous aurez pensé qu'une femme riche ne serait pas seule comme moi à Montego Bay. Donc je ne pouvais pas être une Américaine millionnaire?

Et l'identité de chacun se dégagea rapidement au fil de la conversation. Janvier parla de son quartier bien coté, de leur intention d'en finir avec le tourisme nomade aussi bien qu'avec l'hiver québécois par l'achat d'une maison mobile en Floride. Paula se montra impressionnée puis elle avoua qu'elle-même possédait plusieurs entreprises, dont le chiffre d'affaires annuel dépassait les cinquante millions de dollars.

Ensuite, divers sujets furent abordés puis Paula annonça qu'elle devait partir afin de faire des appels téléphoniques au Canada pour ses affaires. Elle ramassa les objets lui appartenant sous le parasol de location et quitta sur des salutations. Mais elle dut rebrousser chemin, croyant avoir oublié sa montre. Et elle surprit des éclats de voix entre les Lambert qui ne la voyaient pas venir ni ne l'entendaient.

– Je ne t'ai jamais fait de reproches de parler aux bonnes femmes à gauche et à droite, mais cette Paula Nadeau se prend pour une autre.

– Ben non… Elle est ben *smart*… pis millionnaire en plus!

– Justement, elle est plus fine que l'humanité qui marche à deux pattes. Madame achète des voitures à ses enfants. Madame possède la plus grosse maison de la Beauce. Madame voyage autour du monde. Le pape doit l'attendre pour lui donner une audience, je suppose…

– T'es jalouse… C'est rien qu'une vieille carotte !

– Je ne te fais pas de reproches, je dis que tu tombes en pâmoison devant une bonne femme qui se prend pour une reine. Pas pour rien qu'elle s'est fait appeler la Reine de l'érable. Non mais, faut-il être prétentieux pour faire ça ?

– C'est pas pire que le roi de la patate au coin de la rue chez nous…

– Elle, j'sais pas, elle a donc l'air d'une guêpe toujours prête à piquer.

Il rit :

– C'est peut-être parce qu'elle a gardé sa taille de guêpe pis toi pas… Pis ça te donne rien de chialer après elle, elle est partie pis on la reverra jamais de notre vie.

– C'est mieux parce qu'elle ne laisse pas un trop bon souvenir…

Paula se souvint qu'elle n'avait pas apporté sa montre à la plage et elle se demanda pourquoi elle ne s'en souvenait pas un moment plus tôt. Le destin avait-il voulu lui mettre le nez dans une image d'elle-même pas très flatteuse ? Les riches suscitent l'envie et la jalousie, mais ce n'était pas sa richesse que l'on mettait ici en cause, et c'était plutôt sa personne. Sa personnalité. Son âme…

Elle tourna les talons.

Cette rencontre faisait partie du voyage. Un voyage qu'elle anticipait beau et plaisant avant son départ, mais qui s'avérait à chaque escale dur et traumatisant.

*

Jour suivant : Cuba.

C'est la stagnation engendrée par le communisme et le totalitarisme de Castro qui l'y intéresserait le plus, s'était-elle dit en incluant La Havane à son tour du monde. Une semaine là-bas, et peut-être dix jours avant de passer au pays de la pauvreté : Haïti.

Sa limousine au pays de Fidel serait une Cadillac rose décapotable 1959. Par bonheur pour ce jour-là car il faisait chaud et humide.

– C'est toujours pas une voiture ayant appartenu à Elvis Presley ? demanda-t-elle au chauffeur après y être montée pour la première fois.

– Vous savez, je ne pense pas qu'il se trouve une seule voiture américaine plus jeune que 1963 sur toute l'île de Cuba, madame.

Leur conversation se déroulait en anglais. Elle durerait une demi-heure puisque l'hôtel choisi là-bas par l'agence pour Paula était le El Viejo y el mar situé à trente minutes de l'aéroport international José Marti dans le quartier Santa Fe.

La douloureuse expérience de La Paz commençait à s'estomper dans le cœur de Paula, et dès sa descente de l'avion, elle s'était sentie dans une ambiance amicale et familiale. De quoi repartir de zéro dans ce périple autour de la planète.

Une fois installée dans sa chambre, elle n'eut plus qu'un seul désir : prendre un bain à l'extérieur dans la piscine de l'hôtel. Elle ne tarda pas à s'y rendre et y fit la connaissance de trois femmes du Québec qui prenaient leurs vacances là-bas. Deux serveuses de rôtisserie et une coiffeuse de leurs amies, personnes d'environ 40 ans qui en étaient à leur deuxième journée dans la perle des Antilles. Les présentations furent faites. Tout d'abord entre Paula et Pierrette qui sortaient de la piscine ensemble. Puis Pierrette présenta ses deux copines : Lorraine et Raymonde. Elles étaient toutes les trois de la région de Laval. Et se montrèrent étonnées de connaître une femme de 50 ans qui voyageait seule. Paula dit qu'elle envisageait de faire le tour du monde en deux ans, et à la questionner, on apprit forcément qu'elle était une femme d'affaires riche et puissante.

Dès lors, une certaine distance s'établit entre elles, que Paula ressentit et voulut réduire par son attitude décontractée et un esprit convivial et égalitaire où le tutoiement mutuel se trouva vite une place.

Formant un cercle sur des chaises longues sous le soleil, toutes affublées de verres fumés, elles placotèrent sans contrainte.

– On a décidé de prendre des vacances de célibataires, avoua Pierrette, une maigrichonne à cheveux blonds et longs.

– Il faut ben : on n'a pas d'homme, pas une, lança Lorraine, une autre blonde, mais à cheveux courts, celle-là, et femme bien enveloppée.

Et Raymonde d'ajouter de sa voix de bébé :

– Trois veuves à l'herbe et un grand pâturage à brouter pour une semaine.

– J'ose dire quatre veuves à l'herbe, fit Paula qui voulait mesurer la valeur de l'accueil dont elle faisait l'objet dans le groupe.

Et avant que l'une ou l'autre ne puisse commenter, elle enchaîna à sa manière :

– Tiens, les filles, laissez-moi vous offrir un daiquiri.

Venait un serveur moustachu, mi-trentaine, peau dorée, sourire engageant. Il répondit au signe de Paula qui commanda les quatre consommations.

– Celle qui s'objecte, qu'elle lève la main !

Chacune était un peu mal à l'aise. Si cette femme levait le coude aisément, il faudrait lui répondre par la pareille et on s'embarquerait dans une spirale coûteuse qui ne servirait bien que la femme d'affaires.

– Vous apporterez la facture plus tard que je la signe. Merci… Quel est votre nom ?

– Alphonso…

– Merci, Alphonse…

– Alphonso, redit l'homme en montrant ses dents blanches.

– … so… Alphonso…

Et c'est sous les petits rires des quatre femmes que le serveur repartit quérir la commande.

– Comme ils disent au cinéma, celui-là, je lui ferais la peau… mais pas tout à fait comme ils le font au cinéma. Autrement.

C'était Raymonde, la brunette espiègle qui cherchait – et réussissait – à mettre du piquant dans la conversation. Après quelques joyeusetés sur les hommes de Cuba, on se parla de La Havane.

– Une des plus belles villes du monde, il paraît, dit Paula. Y a même un quartier qui fait partie du patrimoine de l'humanité, comme Québec.

– C'est terrible, mais moi, dit Lorraine, je ne suis jamais allée de ma vie à Québec.

– Ah ben, avoue jamais ça ou tu vas te faire huer, fit Pierrette.

– Ouais, ouais, ouais, dit Raymonde en prononçant le mot comme «huer»…

Ce fut un rire général.

– Nous autres, on a l'intention de faire un tour de ville demain, tu veux venir, Paula?

– Si ça vous dérange pas de vous promener avec une vieille bonne femme de 50 ans…

– T'as pas l'air plus âgée que nous trois, dit Lorraine. Et puis même si t'avais l'air de 70, c'est pas une raison.

Une fois la consommation bue, Pierrette en proposa une seconde, mais Paula refusa afin de bien montrer qu'elle n'entendait pas leur imposer quoi que ce soit. On se donna rendez-vous le lendemain matin pour la visite de la ville. Une fois à sa chambre, Paula appela l'agence afin de libérer son chauffeur, quitte à le reprendre plus tard au besoin. Elle ne voulait pas faire peur à ses amies de passage et pour ça, il fallait qu'elle se conforme à leur façon de faire.

Le car les emporta tout d'abord dans une exploration de quelques forteresses. L'impressionnant Castillo de los tres Reyes del Morro protégeant l'accès à la Baie de la Havane date du XVIe siècle tandis que le Castillo de la Real Fuerza est plus vieux encore et fut considéré comme une place imprenable par les Espagnols qui en avaient fait leur siège principal. C'était beau tout ça, mais on avait bien hâte d'arriver Place de la Vieille Cathédrale autour de laquelle on pourrait visiter des boutiques, aller aux bars du coin, dont celui peut-être de la Bodeguita del Medio où le célèbre écrivain américain Ernest Hemingway buvait ses mojitos, une mixture locale.

Il y avait une centaine de personnes allant dans un sens ou l'autre sur la place quand le groupe des quatre y arriva à pied. On s'exclama sur les beautés de la façade de la cathédrale comme il est de rigueur de le faire quand on a lu au moins quelques dépliants touristiques sur la capitale cubaine. Niches, colonnes et les deux clochers du campanile ne parvinrent pas toutefois à faire oublier le décapage naturel du matériau, causé par le temps, le soleil, le vent, la pluie, l'humidité de l'air ambiant. Au moins, on ne vit aucun véhicule motorisé sur la place et tout au plus quelques bicyclettes, le plus grand moyen de locomotion individuel au pays de Fidel.

Aucun arbre sur la place, mais les arcades des palais voisins fournissaient toute l'ombre nécessaire, encore que ce jour-là, la température fut chaude mais bien tolérable. La visite des lieux fut écourtée, toutes quatre désireuses de se rendre siroter un piña colada dans un bar voisin. On emprunta une rue ombragée sur laquelle plusieurs petits établissements donnaient.

Une toute jeune fille à sourire pleines dents sur un métissage doré et des cheveux abondants faisait le service aux tables et s'exprimait aisément en anglais. Son nom était Terez et sa gentillesse venait du cœur, sans égard au pourboire espéré.

Paula insista une fois de plus pour payer la note. Elle le fit en devises américaines, les plus prisées sur l'île depuis nombre d'années. D'autres tables, d'autres Québécois; d'autres joies. Un grand parleur proposa tout fort de mettre en commun le plaisir à se célébrer et il lança un *Gens du pays* qui retentit jusque dans les bars voisins pour exprimer au monde une ferveur nationaliste et un flattement de bedaine forgés par des siècles de fierté fière à travers les feux follets, les archets de violon, la tourtière et les cretons, Honoré Mercier, Wilfrid Laurier, René Lévesque et Lucien Bouchard sans oublier Louis Cyr, le gros jambon.

Puis à table, il fut question de Céline Dion, star montante appelée à glorifier le pays sur toute la Terre et, comme John Lennon, à dépasser Jésus-Christ en popularité et sûrement en richesse matérielle.

On prit deux autres consommations. Il fut entendu que chacune paierait pour elle-même, ce qui lui permettrait de boire à sa mesure. Puis on se rendit dans un restaurant où l'on fraternisa devant un *ajiaco*, plat national constitué d'un pot au feu de légumes mijotés avec de la viande, et que toutes aimèrent.

Retour à l'hôtel. Soirée à un spectacle de danse folklorique…

Paula s'endormit avec, sous son oreiller, un morceau de jeunesse retrouvée. Et son sommeil fut sans agitation pour la première fois depuis son départ.

***

Chapitre 14

Le jour suivant, les quatre amies en apprirent beaucoup sur l'histoire de Cuba grâce à d'autres visites. Découverte de l'île par Colomb le 27 octobre 1492. Son émerveillement devant les beautés naturelles. Conquête et colonisation par Velasquez qui y fonda sept villes. Extermination de la population aborigène puis importation d'esclaves africains. Luttes pour l'indépendance et triomphe de la Révolution.

On se rendit à la Place de la Révolution, au Jardin botanique national, à Expocuba et sur l'avenue La Rampa : tous des lieux fréquentés par les touristes.

Une journée bien remplie mais insatisfaisante. Et quand on se retrouva au bar-piscine de l'hôtel, Paula fit une proposition :

— Et si on quittait pour Varadero, les filles ?

— Ah ! quelle belle idée ! lança Pierrette qui fut aussitôt approuvée par Raymonde.

— Impossible, fit Lorraine. Il nous reste encore deux nuits ici, et ensuite, c'est le départ pour Montréal.

— Prolongez votre séjour à Cuba d'une semaine. Ça ne coûtera que trois cents dollars à chacune tout au plus, hein ! On réserve un bungalow droit en vue de la plage à Varadero et c'est là que ça se passe.

Paula sollicitait chacune du regard. Lorraine fut la première à se désoler en posant son verre de Cuba Libre sur la table-parasol.

— Pas de budget pour plus pour cette année.

– Ni moi non plus! soupira Pierrette. C'est pas l'envie qui manque. Défriser un Cubain dans un coin de plage, ça passe bien le temps…

Quant à Raymonde, elle se contenta de hausser les épaules en signe de désolation.

– Si c'est rien qu'une question d'argent, les filles, je m'en occupe, moi. Mille dollars de plus ou de moins, j'irai quand même au paradis… ou en enfer.

– Y a pas que l'argent, y a l'ouvrage qui nous attend. Moi, je pourrais toujours, mais Lorraine et Suzanne, c'est des grosses cuisses qui manquent à la rôtisserie, ça…

– Facile, dit Pierrette, inventons-nous une maladie.

Raymonde, vivement:

– Ben oui… la fièvre jaune…

Lorraine:

– Es-tu folle? Ça n'existe plus depuis quasiment… quasiment un siècle, cette maladie-là.

– À la rôtisserie, ils n'en savent rien, eux autres.

– Tant qu'à mentir, aussi bien dire quelque chose de vrai…

Pierrette, drôle:

– Faudrait se trouver un dépliant sur les maladies… Dans une clinique peut-être.

Paula trancha en souriant:

– Le plus simple, vous ne pensez pas que ce serait un empoisonnement alimentaire?

– La tourista à la Cuba! annonça Pierrette, le visage sérieux.

Lorraine:

– Je voterais plutôt pour une salmonellose: c'est assez fréquent et on en parle souvent à la rôtisserie… à cause du poulet.

En conclusion, Paula exposa son projet:

– Je réserve des bungalows à Varadero, avec les lits qu'il faut et les repas compris pour une semaine. On y va en taxi, c'est pas loin. Ou bien je fais venir la «limousine» que j'avais la première journée: une Cadillac rose décapotable 1959…

– Comme Elvis ! dirent ensemble en exprimant leur étonnement joyeux Pierrette et Raymonde.

– Le bonheur total ! enchérit Lorraine.

– J'ai même un chauffeur payé d'avance. J'appelle l'agence pour faire prolonger la location du char et du gars…

– C'est beau, le pouvoir de l'argent !

– Des fois oui, Raymonde, mais des fois, ça fait peur aux gens. Heureusement que vous n'êtes pas des peureuses, vous autres.

– D'habitude, on l'est, dit Pierrette, mais en vacances à Cuba, à trois… maintenant à quatre, on l'est pas.

Paula vida la dernière gorgée de son verre et se leva. Elle rajusta les pans de son peignoir et serra le cordon de la ceinture.

– Je vais m'occuper de tout. Il vous reste à préparer vos affaires. On part demain matin en Cadillac rose.

– On pourra jamais te remettre ça, Paula, tu le sais bien, hein ? dit Lorraine, le front soucieux et la voix réaliste.

– Autrement, je serais seule ici. C'est moi qui vous devrai quelque chose.

– Dans ce cas-là, il nous reste rien qu'à tomber malade pis appeler notre cher Alain, le superviseur au restaurant.

Paula s'en alla.

– Pensez-vous qu'elle va le faire pour de vrai ? dit Raymonde.

– C'est ben certain, elle est sérieuse, dit Pierrette.

– Je le pense aussi, moi.

– Elle l'a, le bacon, elle, hein, les filles !

– Le salaire d'un joueur de hockey.

– Et puis c'est probable qu'une bonne partie de ses dépenses sera déductible de son impôt…

– Dans ce cas-là, vargeons dans le tas !

– Et pourquoi pas ?

– Une en avant, trois en arrière.

Le coffre arrière de la Cadillac ne pouvait pas tout loger et le chauffeur avait dû en attacher le hayon avec du fil de fer et de la corde. Un rafistolage qui risquait de se défaire selon Paula. Mais pas d'après lui puisque, affirmait-il, on ne roulerait qu'une heure pour couvrir la distance entre La Havane et Varadero.

— La place d'honneur pour la dame d'honneur! proposa Pierrette en désignant Paula.

— Non, j'aimerais mieux en arrière… mais si vous préférez…

— Ben moi, je vais m'asseoir en avant, dit Raymonde qui passa aussitôt à l'acte.

À cause du temps et du soleil, la tôle du véhicule ne brillait guère et avait perdu son aspect lustré malgré sa propreté impeccable; mais les chromes gardaient leur éclat. Le bleu du ciel se faisait encore plus indigo ce jour-là pour toutes les quatre qui avaient le sentiment de revivre une partie de leur adolescence à la différence qu'ici, la maîtrise des choses n'appartenait pas, comme autrefois, à des gars qui ne laissaient aux filles et encore que le seul contrôle de leurs agrafes de sous-vêtements.

À genoux sur la banquette, elle tira le dossier pour permettre aux autres de prendre place à l'arrière. Le chauffeur regardait au loin sur l'avenue, et s'allumait distraitement un cigare. Paula qui s'asseyait au milieu à l'arrière s'adressa à lui :

— Raoul, pas de cigare dans l'auto, s'il vous plaît.

— Excusez-moi, je pensais que vu que c'est une décapotable, l'odeur pour vous ne pourrait être que fugace et agréable… une odeur typique de La Havane quoi!

— On va se contenter des autres odeurs typiques de La Havane, si vous le voulez bien.

— Très bien et toutes mes excuses, dit l'homme qui se pencha aussitôt pour écraser le bout du cigare et tuer le feu.

Il se remit sur ses jambes et rangea le mégot dans une boîte plate qu'il mit dans la poche de sa chemise colorée. Et il rajusta son petit chapeau de paille avant de reprendre le volant.

— Et en route pour Varadero! cria Pierrette.

– À quel hôtel ? demanda Raoul, qui interrogeait aussi de son regard sur Paula par le rétroviseur.

– Melia Varadero.

Raoul, un blanc sans métissage, siffla :

– Cinq étages, cinq étoiles : le grand luxe. Et même des ascenseurs avec vue sur la mer.

– Rien de trop beau pour la classe agricole ! lança la femme d'affaires qui reprenait l'expression favorite de son ex-mari.

– Manque rien que des chansons américaines de 1960, dit Pierrette.

Le chauffeur comprenait le français. Il fouilla dans une console et montra une cassette de Del Shannon qu'il inséra dans le lecteur.

– La compagnie Havanauto a fait installer des lecteurs dans tous ses véhicules, tout aussi bien les Tico et les Jeeps que les vieilles bagnoles comme celle-ci, dit Raoul d'une voix satisfaite.

Et c'est sur le célèbre *Runaway* que la Cadillac accéléra sur la voie côtière en direction des joies anticipées offertes par les plages de sable blanc, de nouvelles beautés de la nature, les excursions dans l'arrière-pays à la recherche de sites grandioses, les services hôteliers, le soleil qu'éclaireraient par leur tan des centaines de baigneurs et quoi encore. La *dolce vita* pour sept jours pour au moins trois d'entre les voyageuses.

On fut à l'hôtel à neuf heures et demie après un trajet en chansons, en rires et en blagues dites en joual à propos des Cubains et que le chauffeur ne pouvait pas apprécier faute de les comprendre autrement que par les éclats de ses passagères.

– Cinq cents chambres, il paraît, dit Paula quand on fut devant l'entrée. On manquera pas de compagnie. Elle descendit pour aller régler les formalités et se renseigner sur la situation des bungalows voisins qu'elle avait réservés depuis La Havane la veille.

Il fut décidé que Paula et Lorraine partageraient celui de droite et que leurs compagnes s'installeraient dans l'autre. Raoul aida au transport des bagages et bientôt chacune occupa sa niche pour les jours à venir.

Entourées de palmiers, les bâtisses à toit rond s'alignaient en arc de cercle léger et toutes possédaient des terrasses donnant sur la mer. Le confort des hôtels cinq étoiles s'y trouvait et Paula put se servir du coffret de sûreté individuel pour abriter des chèques de voyage, de l'argent liquide et des cartes de crédit.

On avait rendez-vous sur la plage à dix heures et demie. Au programme de l'avant-midi, un bain de mer puis repas du midi au restaurant de l'hôtel.

Le plaisir de la table s'ajouta à ceux de la découverte et de la convivialité. Il apparut vite pourtant que tous les serveurs préféraient s'adresser à Paula et qu'ils la dodichaient par leurs sourires éclatants et leurs attentions particulières.

— C'est toi qui pognes le plus de nous autres, lui dit Pierrette sur un ton taquin entre le plat principal et le digestif.

— C'est pas à cause de ma personne, c'est qu'ils savent sûrement qui va signer la facture.

— Parle-nous donc de la richesse, Paula, dit Lorraine. Pas de tes richesses, mais de ce que ça fait de pouvoir tout s'offrir comme toi. De voir les gens à tes pieds et tout ça... D'abord, as-tu déjà connu la pauvreté ?

— J'ai été élevée comme tout le monde... Non, pas tout à fait puisque ma mère est morte quand j'avais 10, 12 ans. De tuberculose. On se faisait pointer du doigt dans ce temps-là quand y avait de la consomption dans la famille. On mangeait trois fois par jour comme tout le monde dans ma paroisse. Excepté deux ou trois familles. Une veuve, Marie Sirois, a mangé de la misère un bout de temps mais elle s'est lancée dans de l'ouvrage d'homme, et moi, ça m'a impressionnée. Je me suis dit qu'un jour, je réussirais en passant par le chemin que les hommes empruntent pour réussir. Faire travailler les autres pour moi. Leur payer un salaire convenable. Faire du profit. Vendre nos produits chez nous d'abord puis ailleurs dans le monde. J'ai réalisé mes rêves. Pas facile, mais je l'ai fait à force de travailler et de prendre des risques.

— Oui, mais ça fait quoi de pouvoir dépenser comme on veut, de se payer la plus belle maison de la ville, avoir les gens à ses pieds ?...

— Écoute, Lorraine, ça change pas grand-chose. Jeune fille, j'ai travaillé un an pour pas deux mille dollars et j'ai administré l'argent que j'avais du mieux que j'ai pu. Ainsi de suite... Tu sais, un proverbe chinois dit ceci, écoute bien : « Prétendre contenter ses désirs par la possession, c'est compter que l'on étouffera le feu avec de la paille. »

— Ce qui veut dire en clair ? demanda Pierrette avec un clignement de l'œil.

— Ben voyons, fit Raymonde qui ne voulait pas passer pour peu subtile elle aussi, ça veut dire que les biens matériels étouffent ceux qui les possèdent.

— C'est un peu pas mal ça, dit Paula. Si t'as une grosse maison, par exemple, t'as besoin de gens pour s'en occuper. La présence de serviteurs crée un certain stress et ton intimité y perd. Si t'as une piscine intérieure, t'as des problèmes d'humidité dans la maison, même si l'isolation devrait l'empêcher. Ainsi de suite... Les araignées qu'il faut combattre. La visite qu'il faut combattre aussi...

Ce fut un éclat de rire général.

Un serveur s'amena pour prendre la commande de digestifs.

Pierrette pencha légèrement la tête pour lui parler sans en avoir l'air :

— Vous êtes un petit qui, vous ?

— Ernesto Moreno, madame, dit le personnage en français et sans sourciller. Et que peut-on vous servir comme digestif.

Je vous rappelle que vous avez déjà un crédit pour boissons de cinquante dollars.

– Cinquante dollars chacune ? s'étonna Pierrette qui voulait aussi faire oublier son effronterie.

– C'est inclus dans le forfait, intervint Paula. Commandez ce que vous voulez.

Quand le serveur fut parti, on blagua sur sa personne physique.

– On le dirait sorti d'un *soap* américain, dit l'une.

– Il ressemble à Daniel Pilon bronzé…

– Avec dix ans de moins.

C'est sur le même ton que se passa le reste de la journée. Le lendemain, on partit à l'aventure sur les chemins de l'arrière-pays. Au détour d'une route peu fréquentée, on fut surpris par une vallée aux diverses nuances de vert jaspées de rouge. Puis l'on s'arrêta devant un torrent aux eaux cristallines dévalant en cascades irisées par le soleil et offrant la surprise d'un arc-en-ciel à portée de la main. Plus loin, une chaîne de montagnes bleutée. Et tout le long de l'excursion, des arbres et des oiseaux du pays : colibris, tomeguines, tocororos, pics, perruches ou perroquets.

On put voir aussi des mogotes, curieux tertres typiquement cubains, et quelques grottes géantes. Et des fleurs tout partout : palmes royales, orchidées, jasmins, yagrumas, orangers, goyaviers odorants.

Un paradis ayant pour seul nom la couleur.

Une journée de détente sur d'autres vieux airs américains. Une jeunesse retrouvée pour quatre femmes qui ne se posaient pas de questions sur le sens à donner à la vie et sur les maux sociaux et planétaires.

Tout le temps, Raoul ajusta l'intensité de son rire à celui de ses passagères, qu'il comprenne ou non et moins souvent qu'autrement, les folies qu'elles se disaient et trouve drôles ou moins les cris d'écolières qu'elles poussaient parfois pour exprimer leur ébahissement ou autre chose de joyeux ou à rendre tel.

Il fut décidé d'acheter des fruits à un petit marché du voisinage de l'hôtel car aucune ne voulait aller plus loin que le bungalow ce soir-là tant la fatigue se faisait sentir. Il y a un prix à la joie.

Lorraine et Paula se partagèrent une orange tout d'abord. Elles étaient assises de chaque côté d'une table ronde à dessus de verre sur lequel se trouvait le panier de fruits.

– Je commence à aimer mon voyage, soupira la femme d'affaires. Jusqu'à Cuba, ce fut plutôt un fiasco. Encore que l'échec est porteur de bons fruits, ça, c'est connu de tous.

– C'est indiscret de savoir?

– Je me suis fait avoir à La Paz… mais je pense que je n'ai pas trop envie d'en parler. Peut-être plus tard cette semaine… Et toi, parle-moi de ton travail à la rôtisserie. Tu fais ça depuis longtemps?

Paula ressentit une douleur au ventre et grimaça un peu. Lorraine répondit à sa question. La conversation se poursuivit à bâtons rompus et sans jamais de profondeur tandis que l'on continuait à manger lentement. Puis Paula commença à se plaindre d'étourdissements et d'un mal de ventre plus soutenu.

– J'espère que cette histoire de salmonellose inventée ne va pas tourner à la réalité, dit-elle en s'allongeant sur le lit.

Mais elle en fut quitte ce soir-là pour ces seuls symptômes.

***

Chapitre 15

– Je crois que je ne vais pas vous suivre aujourd'hui, les filles, je ne me sens pas très bien. Et même, pas bien du tout.

Depuis le milieu de la nuit que Paula était malade, elle n'avait cessé d'aller à la salle des toilettes pour se soulager un peu par les deux bouts. Elle récupérait un peu entre ses aller-retour pour souffrir de crampes d'estomac et d'un cruel mal de ventre.

– Mais vous ne devrez pas vous empêcher de faire ce qu'on avait prévu ; la Cadillac et le chauffeur seront là.

Paula utilisait le vous comme si elle s'adressait à plusieurs personnes, mais seule Lorraine se trouvait là.

– Je ne vais pas décider seule…

– Appelle les filles. Qu'elles viennent ici !

Ce que fit sa compagne de bungalow en les prévenant de la maladie de Paula. Entourant le lit, elles s'exprimèrent tour à tour.

– On n'a qu'à changer le programme et au lieu de partir en maraude, rester ici et aller à la plage, soumit Pierrette, la plus compatissante des trois envers la malade.

– Oui, pourquoi pas ? approuva Raymonde d'une voix un peu en biais.

– Je suis d'accord avec elles, conclut Lorraine.

Couchée en chien de fusil, Paula les désapprouva :

– Pas moi ! Je vous demande de tout faire ce qui était prévu sans tenir compte de ma tourista… D'autant que j'en ai pour trois ou quatre jours. Autrement, vous resterez aux alentours et j'aurai gâché une partie de votre séjour ici.

Ceux qui ont le pouvoir financier sont aisément obéis, même quand ils aimeraient mieux ne pas l'être. Les filles s'échangèrent des regards. Il aurait fallu qu'elles y réfléchissent, et même là, comment résister à la volonté de la personne qui paye la facture ? Comment lire dans la filigrane d'un billet de banque la vraie volonté de qui le possède et le brandit ?

— Oui, mais t'as l'air mal en point en maudit !

— Pas plus que quiconque a la tourista.

— Es-tu sûre que c'est ça ?

— Quoi d'autre ?

— Pis nous autres, pourquoi on l'a pas ?

— J'ai pu prendre la bactérie à Montego Bay et l'emporter ici dans mes bagages…

— Peut-être que ça va nous prendre durant la journée, nous autres aussi ?

— Je ne vous le souhaite pas.

— On n'aime pas ça, te laisser comme ça, toute seule.

— Ça sera pas la première fois dans ma vie pis pas la première non plus depuis que je voyage… Allez, je n'ai plus le goût de parler, ça tourne trop.

Elles firent des gestes de désolation résignée et s'en allèrent à petits pas. Sur la terrasse, elles délibérèrent un moment alors même que Raoul se présentait au volant de la décapotable en saluant du petit chapeau ridicule qu'il portait toujours, de travers en plus.

— Il me semble qu'on devrait pas la laisser toute seule, opina Pierrette à voix retenue pour éviter que Paula n'entende à travers le treillis de la porte encore ouverte.

— C'est peut-être mieux, dit Raymonde. Qu'elle reste au frais de l'air climatisé. Elle a sûrement des médicaments dans ses bagages. Elle peut téléphoner, être un peu mieux à son aise sans personne pour la déranger…

– Quant à ça, c'est pas mal vrai! fit Lorraine. Laissons-la donc tranquille... Si elle a besoin absolument de quelque chose, elle va appeler à l'hôtel. Dans l'état où elle est, elle ne va pas manger grand-chose aujourd'hui, je pense bien...

Pour réduire les risques, une seule traînait un sac avec ce qu'il fallait pour répondre aux petites nécessités de toutes, et ce jour-là, c'était au tour de Raymonde qui l'avait déjà au bras.

– D'abord que Raoul nous attend, en avant marche!

Et elles se mirent à pépier. De son lit de misère, Paula les entendit exprimer leur contentement lorsque la voix de Del Shannon entama *Runaway* tout comme la veille à deux ou trois reprises, si bien qu'elles en avaient fait leur chanson porte-bonheur. Elle eut un pincement au cœur par-dessus toutes ces torsions de ses tripes et de son estomac.

Le temps n'arrangea pas les choses. La fièvre se mit de la partie. À midi, elle téléphona à la réception et demanda qu'on la conduise à l'hôpital.

Dans tout autre pays non considéré comme riche, elle aurait attendu davantage pour se faire hospitaliser; mais Paula par ses lectures, connaissait la réputation de Cuba en matière de santé publique. Espérance de vie des Cubains: 75,2 ans. Nombre de médecins: 1 par 274 habitants. Polycliniques: 421. Hôpitaux: 267. Et toutes ces découvertes en matière de cicatrisation, de vaccins, de médicaments dans le traitement de l'infarctus, de thrombose, de faiblesse du système immunitaire, d'hypertension, de cholestérol, de cancer...

Nourrie de ces statistiques et quoique malade à en mourir, la femme d'affaires se livra en toute confiance à la médecine cubaine. Et dans un sens, tant mieux qu'elle soit malade là plutôt qu'ailleurs, plutôt qu'à Haïti, qu'en Afrique, qu'en Asie. C'est sous bonne garde que son corps développerait des lignes de défense contre les inévitables bactéries qui attaquent les gens du Nord et auxquelles sont habitués les natifs; et la suite de son voyage en serait meilleure parce qu'elle serait mieux protégée.

Trop malade pour laisser un message écrit à ses compagnes de séjour, elle demanda au préposé de l'hôtel de les avertir dès leur retour. Il savait déjà le nom de l'hôpital puisqu'il avait lui-même fait appel aux ambulanciers.

Dès son arrivée à l'hôpital, on la conduisit à l'urgence et tout de suite, un médecin parlant français l'examina tout en la questionnant. Il fallait tout d'abord contrôler cette fièvre maintenant très élevée. Injection. Sacs de glace sur tout le corps. Surveillance étroite. Moniteur. Tout fut mis en œuvre pour la sortir de son mauvais pas. Pas question de retourner un cadavre à Montréal. Et puis on savait déjà que la femme était millionnaire... Donc une affaire de réputation et de gros sous.

Des microbiologistes la virent, étudièrent son cas. Il y avait bel et bien tourista et salmonellose : un mélange fort dangereux si on ne le traite pas intensivement. Le pire dura trois jours. Les visiteurs n'étaient pas admis à l'unité où elle se trouvait, Lorraine, Pierrette et Raymonde ne purent que glaner des nouvelles par-ci par-là auprès de ceux qui pouvaient en donner. Même si on trouvait ça de valeur pour elle, on continua à jouir des vacances prolongées qu'on avait grâce à Paula.

– Comme elle le voulait ! se répétait-on à satiété.

Enfin le dimanche vint. Paula, quoique toujours alitée, put appeler ses amies qu'elle rejoignit toutes trois dans le bungalow qui n'était pas le sien. Pierrette répondit :

– Hey, les filles, un appel de l'hôpital...

Les deux autres s'approchèrent. La communication fut établie avec Paula.

– C'est la morte qui parle...

– Paula ! Comment vas-tu ? Maudit, tu nous as donc fait peur...

– Je reprends un peu du poil de la bête... mais ça va pas encore trop fort...

– On t'a pas visitée, c'est défendu.

– De toute façon, j'étais souvent dans les limbes.

– Ben, on est contentes de t'entendre.

– Ils doivent me transférer aujourd'hui dans une chambre, demain au plus tard…

– Ben on va pouvoir aller te voir.

– Non, non, vivez vos vacances comme vous voulez… comme vous devez… On se verra à ma sortie.

– C'est beau, ça, mais tu sais qu'on s'en va dans trois jours.

– Ben… je vous verrai le jour de votre départ.

– Veux-tu que je te passe Lorraine?

– Oui.

Chacune s'entretint avec la malade. Des banalités. Ce qu'elles avaient fait les jours précédents. Ce qui s'était passé pour Paula. Les bons soins dont elle jouissait là-bas. Le professionnalisme des médecins cubains.

– Et Pierrette a pas pu défriser un beau Cubain dans un coin de plage, dit Raymonde.

Pour la première fois, Paula rit un peu et sa voix paraissait très affaiblie, pâle… On raccrocha pour la laisser reposer.

– On pourra pas la visiter tant que son transfert ne sera pas chose faite… En attendant, Cuba nous attend, les filles, Cuba nous attend…

– Pis Raoul itou! ajouta Pierrette qui regardait par la fenêtre.

*

Son transfert eut lieu, mais Paula insista quand même pour que les filles profitent au maximum de leurs vacances dorées sous le soleil. Et elles, apprenant que leur amie se rétablissait peu à peu, avaient de moins en moins le désir de lui rendre visite. Les arguments augmentaient y compris ceux relevant d'un faux altruisme.

«On part demain, ça va juste la faire ennuyer.»

«On lui envoie des fleurs pour lui montrer qu'on n'est pas des sans-cœur...»

«D'abord qu'elle continue son voyage seule, autant qu'elle le soit déjà...»

«Avec tout son argent, elle aura pas de misère à se trouver de la compagnie partout où elle va aller...»

«Ben oui, les serveurs n'avaient d'yeux que pour elle, on l'a vu, ça.»

«Après tout, on n'est pas trop du monde de son niveau, nous autres, les petites serveuses pis la petite coiffeuse... Madame Paula possède cinquante, cent magasins pis des compagnies de gros... On est petites devant elle, hein, pas mal petites...»

Paula se sentit seule au monde quand elle reçut le bouquet de fleurs et sut que les amies de fraîche date ne lui rendraient pas visite avant leur départ pour Montréal. Elle pensa un court instant qu'elle avait payé plus de quinze cents dollars pour s'assurer leur amitié et elle chassa aussitôt cette idée dans laquelle il se pouvait reconnaître de la mesquinerie, en fait beaucoup de mesquinerie. Devant semblable événement naguère, elle aurait, dans son âme, crié à l'ingratitude, mais pas là. Non. Le peu qu'elle avait reçu d'elles, il fallait qu'elle le garde intact dans un beau grand tiroir de son cœur pour le contempler par la mémoire plus tard... Peut-être...

***

Chapitre 16

C'est sur un imposant bateau de croisière que la femme d'affaires se rendit à Haïti où elle descendrait lors d'une escale du navire à Port-au-Prince. Elle en eut du regret un long moment à cause du tangage qui risquait à tout moment de lui ramener les grands étourdissements, le mal de mer prenant la relève de ce double malaise qui l'avait clouée au lit à l'hôpital cubain.

Mais son tourbillon intérieur ne s'accrut point. Et pas même quand, parvenu dans le canal du Vent, le bateau se montra plus capricieux encore.

Tout au long de son trajet, plus houleux que nauséeux, Paula repassa en sa tête les souvenirs de La Paz et de Cuba. Elle leur trouvait une certaine continuité avec l'évolution de sa vie ces dernières années. La richesse n'est pas un sommet qu'on atteint, une montagne que l'on escalade et dont on s'empare pour voir grand, mais un gouffre dans lequel on est précipité corps, cœur et esprit, abîme au fond duquel se trouvent maints pièges dont surtout cette substance boueuse qui est l'argent lui-même et dont on ne peut plus se tirer, qui vous aspire par les pieds, qui exerce sur vos forces une succion à laquelle vous ne pouvez pas résister, vampire qui prend le meilleur de vous pour le transformer en sa propre matière visqueuse... Elle s'imagina ce grand oiseau, superbe goéland, qui survolait avec tant de grâce le bateau dans l'espérance de trouver à sa suite des restes de table, happé par une marée noire, englué dans le pétrole, utilisant toutes ses énergies déclinantes pour libérer ses longues ailes lourdes et reprendre son envol, incapable de s'offrir à la gueule d'un requin, à la pointe d'une aiguille rocheuse, privé d'une mort rapide par ce liquide aux brillances dangereuses, boue infernale pas même capable de lui donner mieux qu'une asphyxie longue et lente, farcie de sentiments noirs allant du désespoir à la rage, en passant par la tristesse et une foi en Dieu soudaine et frénétique.

– Voici une dame qui semble avoir la nostalgie, dit en anglais une voix masculine dans son dos.

C'était un passager qui la surveillait depuis leur embarquement à Varadero et qui avait maintenant la certitude d'avoir affaire à une riche solitaire.

– Ou peut-être qui souffre du mal de mer? ajouta-t-il alors qu'elle se tournait pour savoir.

– Un petit peu de l'un, un petit peu de l'autre.

– Je puis peut-être vous aider, je suis docteur.

– Paula Nadeau, femme d'affaires du Canada.

– Bill Boutin, Manchester, New Hampshire.

– Des voisins…

Alors il parla en français:

– Je suis d'une lignée qui vient du Québec.

– Je l'ai deviné par votre nom. J'ai un fils adoptif dont le nom de famille est justement celui-là.

C'était un grand personnage carré, très noir, à sourcils épais et broussailleux, probablement dans la quarantaine avancée, au sourire presque permanent et involontaire, causé par une double ride à la joue.

– Je suis en croisière depuis la Floride. Et vous?

– En voyage plutôt qu'en croisière.

– Vous avez pris des Gravol, j'imagine?

– Non.

– En ce cas, laissez-moi vous proposer quelque chose qui non seulement fait du bien mais prévient le mal de mer. Tenez, c'est une pilule inoffensive quand on la prend une fois ou deux et avec laquelle on traite le syndrome de Ménière, c'est-à-dire un déséquilibre du liquide de l'oreille interne.

Paula tendit la main et regarda l'homme avec une certaine interrogation dans l'œil.

– Faites-moi confiance, je suis vraiment docteur.

Le bateau se faisait de plus en plus turbulent et Paula comme si elle avait été en état d'ébriété, recevait du personnage une drôle d'image. Embrouillée et flottante. Elle dit en se retournant vers la proue afin de mieux absorber le tangage :

– Excusez-moi de vous tourner le dos, mais je crois que c'est mieux pour ma santé.

– J'allais vous le suggérer.

Et il s'approcha et il s'appuya comme elle à la rampe métallique.

– Peut-être devriez-vous vous étendre sur le pont bain de soleil sur une chaise longue… Il est imprudent de rester ici par cette mer. On ne sait jamais, une grosse vague…

– C'est pire en position couchée.

– La vague ?

– Les vagues que j'ai en dedans…

Elle n'avait toujours pas mis la pilule dans sa bouche et il le lui fit remarquer.

– Faut établir une relation de confiance avec son médecin.

Elle prit la pilule et l'avala après l'avoir enrobée d'un peu de salive.

– Ainsi donc, vous brassez des affaires ?

– Oh! de bien petites affaires! Quelques magasins de campagne. Vêtement pour dames, informatique.

– Vous savez où poser votre pied, chère madame, même si vous n'avez pas le pied marin. En réalité, selon moi en tout cas, voici les deux meilleurs domaines qui soient pour gagner beaucoup de sous et ne jamais faire faillite.

– Je ne me plains pas.

– Il y a longtemps ?

– Près de vingt ans.

– D'abord dans le vêtement pour dames puis…

– D'abord dans le sirop d'érable, mais j'ai lâché ce secteur.

– On dirait que vous regrettez quelque chose. Vous soupirez en le disant.

– Bah ! je ne suis pas en voyage pour me sentir malheureuse, nostalgique et pour me plaindre mais pour trouver l'évasion… non pas l'évasion puisque je ne me sens aucunement prisonnière, mais un recul face à mon petit univers de la Beauce.

– La Beauce ? Quelle coïncidence, c'est de là que vient mon père, lui. Et c'est pour ça que je parle encore le français, et ce, même si j'ai été élevé et éduqué aux États-Unis. Vous dites que vous voyagez, est-ce à penser que vous débarquerez du bateau sur lequel vous n'êtes d'ailleurs que depuis Varadero ?

– À Port-au-Prince.

– Si vite ? Dommage ! Bien dommage pour moi en tout cas.

Elle pencha la tête et la voix :

– Dommage, oui ! Des gens qui ont les mêmes racines trouvent toujours du bon à se connaître et à se parler de ce qui les rapproche… Mais il nous reste du temps avant le port.

– Deux heures à peine.

– Malheureusement, j'ai bien peur que cette mer trop grosse ne nous les maltraite un peu…

– La pilule que je vous ai donnée va vous aider, vous verrez dans un quart d'heure tout au plus.

– Encore merci !

Il frotta ses mains ouvertes l'une contre l'autre puis appuya ses coudes à la rampe, disant :

– Vous ne m'avez pas dit si vous voyagiez seule, mais je le devine…

Elle sourit :

– Seule avec moi-même : cela en fait deux.

– Pas une femme Gémeaux ?

– Bélier… Et vous ?

– Balance.

– Je l'aurais juré…

– Et comment ça ?

– Sociable, serviable, aimable…

– Et parfois détestable…

– Je ne le croirais pas. Les natifs de la Balance font les meilleurs vendeurs.

– Mais moi, je suis docteur.

– Un docteur est aussi un vendeur.

– Vrai.

– Mes meilleurs vendeurs sont des Balance.

– Heureux de l'entendre !

– Et… vous en avez soigné d'autres depuis notre départ de Varadero ?

– Non. Les passagers sur les ponts sont plutôt rares. La plupart sont dans leur cabine. D'autres à la salle à manger. Certains, des hommes surtout, au gymnase.

– Ça ne doit pas être facile de faire des exercices physiques avec un tel roulis…

– Ça prévient le mal de mer.

Les gens posent le plus souvent les questions qu'ils aimeraient qu'on leur pose, aussi Paula demanda :

– Et votre métier, vous aimez ?

– Oui… parce que je suis une Balance. Et vous aimez le vôtre ? Je sais votre réponse, vous me l'avez déjà donnée par vos yeux en glissant un mot de vos magasins.

Malgré son malaise physique, la femme en arrivait à oublier tout à fait les désagréments de son séjour à La Paz et à Cuba. Il l'y ramena sans le vouloir :

– Longtemps à Varadero ? Ou ailleurs chez Castro ?

– Au-dessus d'une semaine et surtout à l'hôpital.

– La chanceuse ! C'est mal dit ; ce que je veux signifier par là, c'est que j'aurais bien voulu voir ce qui se passe maintenant dans le système de santé cubain. Mais je n'ai pas obtenu l'autorisation. Un docteur américain, imaginez, que ça fait de la politique, ça. Peut-être que ce n'est pas à la hauteur de ce qu'ils en disent.

— Je crois que oui. Je n'ai pas à me plaindre : je fus admirablement soignée.

— Tant mieux ! Et que s'est-il passé ?

— Tourista et salmonellose combinées. Tout un mariage à subir ! Mais c'est peut-être la solitude qui m'a le plus pesé. J'avais des connaissances à Varadero, des touristes du Québec, mais elles n'ont pas pu venir me voir. Quant au service téléphonique, ce n'était pas trop évident. J'ai quand même pu avoir mon fils Marc au bout du fil.

— Ce n'est peut-être pas le mal de mer que vous avez maintenant mais des séquelles… des résidus de vos maux de Cuba.

Ils avaient visité la Place de la Cathédrale à La Havane le même jour sans se voir et un même restaurant de la capitale.

— Le hasard ne fait pas toujours bien les choses, dit-il. Ou bien le hasard voulait que nous nous connaissions mais quelque diable s'y opposait.

— C'est bien possible… Et qu'est-ce qu'un docteur du New Hampshire fait tout seul sur un bateau de croisière entre Cuba et Haïti ?

— Je possède un condo à Hallandale ; et une croisière me permet d'élargir mes frontières. Je passe un mois au condo et deux semaines sur la mer. C'est ça, mes vacances annuelles. Rien de trop prétentieux !

— L'Europe, le tourisme culturel ?

— Une fois par quatre ou cinq ans.

— Célibataire ?

— Divorcé. Et vous de même ?

— Hum hum !

— Des enfants ?

— Trois à moi et un fils adopté. Et vous ?

– Un garçon et une fille, tous deux dans la vingtaine. Un fils étudiant en médecine et Sandy qui travaille au service à la clientèle pour une industrie qui fabrique du contreplaqué.

Paula se laissait apprivoiser doucement en même temps que son corps s'adaptait aux flots dont les caprices s'amenuisaient à mesure que l'on se dirigeait hors du canal du Vent vers le golfe de Gonaïves. Cet homme lui plaisait, certes, mais il ne constituerait qu'une simple et infime virgule dans le grand voyage de sa vie et dans quelques jours tout au plus, elle ne garderait de lui qu'un souvenir plus vague encore que les vagues de la mer qui commençaient à se calmer.

Ils se parlèrent de leurs enfants respectifs. De leur caractère. De leur vie. Puis de leurs passe-temps en dehors du métier. À part sa croisière annuelle, Bill allait en excursion de pêche à l'espadon.

– Pour le défi. Se mesurer avec l'obstacle, comme le disait Antoine de Saint-Exupéry. Mais un jeu que je commence à trouver cruel et inégal car au fond, le poisson n'a aucune chance une fois qu'il a mordu à l'hameçon. Et je ne suis pas sûr que j'y retournerai encore… Je ne sais pas pourquoi je n'y ai pas pensé plus tôt. L'âge nous adoucit, voyez-vous, je viens de traverser le cap de la cinquantaine.

– Et moi aussi pour ne rien vous cacher. Mais vous faites plus jeune.

– Et vous donc !

Le bateau était maintenant beaucoup plus stable et l'homme proposa une marche sur le pont, ce qui convint à Paula dont le malaise physique avait presque entièrement disparu. Elle le sentait un ami. On joue vite franc jeu à cet âge. Lè temps manque de jouer au chat et à la souris. Ils marchèrent donc côte à côte, placides et intéressés.

– Vous arrivera-t-il de passer par la Floride au cours de votre périple ?

– Ça se pourrait bien. J'ai un bout d'Europe à faire. Puis un bout d'Asie. Un bout de Moyen-Orient. Un bout d'Afrique. Tahiti. L'Australie… Je n'ai pas inclus la Floride parce que ça fait partie de la routine en quelque sorte et que j'aurai l'occasion d'y passer plusieurs hivers sans doute après mon voyage.

– Si vous passez par là-bas, ne manquez pas de m'appeler. Je vous laisserai mes coordonnées tout à l'heure.

Il n'y eut aucun échange en profondeur. Pas de philosophie ennuyeuse et de questionnement sur le sens de la vie. Des banalités joyeuses. Des riens qui apportent le contentement tout aussi bien que des victoires ou de grands gains.

Il y avait donc de la joie dans l'air. De plus en plus. Et les gens commençaient à se montrer sur les ponts. Il remit son état de santé sur le tapis.

– Je pense que je vais tout à fait mieux maintenant. Grâce à votre pilule…

– Et à la mer qui se calme… Ne voudriez-vous pas venir chez moi, je veux dire dans ma cabine… en toute amitié ? Je vous donnerais mes coordonnées et une photo de famille, moi et mes enfants… Histoire que vous vous souveniez de moi quand vous passerez par la Floride… Je tiens beaucoup à votre visite.

– Pourquoi pas ? Je vous suis. Et en passant par la mienne, je vous donnerai ma carte au cas où l'idée vous viendrait de visiter le pays de vos ancêtres, notre chère vallée de la Chaudière.

La pièce était petite et luxueuse comme toutes les cabines de tels bateaux. Il l'invita à s'asseoir à la table ronde et lui servit un manhattan qu'il prépara vivement au mini-bar sis au bout du lit dans l'encoignure. Il s'en fit un aussi et prit place de l'autre côté en consultant sa montre, soupirant, la moue désolée :

– Plus qu'une heure avant Port-au-Prince !

Il y avait en elle de l'indécision. Bill caressait peut-être une idée de conquête. L'expression « en toute amitié » est une sorte de fourre-tout qui ne veut rien dire ; car on peut faire l'amour en toute amitié. Et bien plus…

Des pensées trottaient dans l'esprit de Paula. En acceptant son invitation, elle n'avait rien imaginé d'autre que ce que l'homme avait dit mais voilà que le bien-être retrouvé, ce lieu intime, cet homme beau et fort, la douce tiédeur climatisée, tout l'inclinait à profiter de la dernière heure avant cette petite mort que serait leur séparation prochaine. Mais était-il vraiment ce qu'il disait être ? Médecin, père, divorcé, rangé… Ou bien un baiseur de touristes comme cet acteur bolivien ?

– Et alors, ces photos ?

Il sursauta :

– Tiens, c'est vrai ! Ah ! mais j'en ai justement une sur moi. J'aurais pu vous la donner là-haut sur le pont. Mais on est mieux ici, vous ne pensez pas, pour ces derniers moments avant la fin ?

La gagnante reprit le dessus en Paula. Il lui apparut que ce que l'homme avait derrière la tête ne signifiait quelque chose que si elle se faisait proie. C'est alors qu'il se sentirait et deviendrait prédateur, séducteur, preneur… Tout passerait par l'attitude de chacun et à ce jeu-là, elle devait performer, soit prendre la tête. En ce cas, pourquoi ne pas se l'offrir, cet homme et le laisser avec l'impression que c'est lui qui a été pris et possédé ? Et puis le risque d'attraper une maladie mortelle avec un docteur était sans doute moins grand que celui de mourir dans un accident d'avion…

Elle posa son verre après avoir avalé une bonne gorgée et lança par-dessus la table, le regard défiant :

– Moi, je ne suis pas venue ici rien que pour une photo.

– Ce qui veut dire ?

– Que nous devrions aller au lit… en toute amitié.

Jamais il n'avait été apostrophé aussi directement en matière de sexualité et Paula se surprit elle-même de tant d'audace.

– Je… j'étais sincère… je…

Elle se leva et s'approcha de lui :

– Ma proposition te déplairait-elle tant que ça ?

– Vous…

– Tu…

Elle fit courir les doigts de sa main droite sur le visage masculin puis glisser dans sa chevelure épaisse qu'elle se plut à ébouriffer en disant à voix basse mais distincte et chuintante :

– Je pense, moi, qu'on a tout le temps qu'il nous faut pour se fabriquer un souvenir inoubliable…

– À la condition de commencer tout de suite ?

– Le temps de boire notre verre…

Elle prit son manhattan et avala ce qui restait puis remit le verre sur la table tandis que les glaçons tintaient. Elle lui présenta le sien qu'il termina aussi. Alors il voulut s'emparer d'elle en glissant son bras derrière ses genoux mais elle eut le temps de se dérober.

Et en trois pas, elle fut au lit où elle s'assit pour le regarder qui se tenait debout, se demandant s'il devait continuer à vouloir reprendre l'initiative ou bien s'il devait la laisser poursuivre sur une voie si bien engagée.

– De nos jours, les rôles sont renversés, dit-elle en le dévisageant avec un sourire malicieux sur les lèvres et dans les yeux.

– Une femme qui se dit oui à elle-même, à son plaisir, à son corps, a moins besoin que son futur partenaire s'investisse pour vouloir une…

– Une communion… Surtout quand il ne reste plus qu'une heure avant leur séparation.

Il n'hésita plus et prit place près d'elle. La première étreinte fut lente, retenue, pour que le désir grandisse. Il lui embrassa le cou avec tendresse, se rendit mordiller le lobe de l'oreille, traversa de l'autre côté du visage en ne laissant à la bouche qu'un souffle chaud. Elle ferma les yeux et pencha la tête en arrière comme pour offrir et quémander à la fois.

Avant d'unir leurs lèvres, l'homme détacha avec une certaine gaucherie les boutons de la blouse en denim que portait sa compagne ; elle répondit par le même geste sur lui dont la chemise bientôt ouverte laissa voir une toison épaisse, noire, animale.

– Nous en serions quand même venus là au bout de deux ou trois jours, n'est-ce pas, dit-elle. Pourquoi pas alors au bout de deux ou trois heures ?

– C'est à moi que tu parles ou bien à toi-même ?

– Au deux…

Il lui ôta sa blouse et fit couler son souffle sur sa poitrine encore cachée mais dont la naissance laissait deviner les fruits prometteurs. Elle glissa ses doigts sur le torse masculin dans la broussaille foncée que le vêtement à ton beige pâle mettait en évidence et en valeur. Et dans un dernier geste de prise de possession de cet homme, elle le poussa par les épaules et le pressa de se coucher sur le dos en même temps qu'elle lui retirait sa chemise qui tomba sans façon sur le plancher.

Tout se précipita à compter de ce moment et aucun ne chercha plus à dominer l'autre. C'étaient un homme et une femme dont la sensualité demandait, exigeait, imposait ses énergies et ses besoins.

– Oui, allongea-t-il alors qu'elle l'aidait à se défaire de son luxueux pantalon.

Agenouillée auprès de lui, elle retira sa jupe. Il la retint dans sa position pour la regarder, pour la vouloir… Elle voulut se diriger vers lui mais il la retint encore en mettant de la force dans ses mains qui serraient les bras féminins. Rien ne fut dit pourtant. Mais elle put lire le désir et le plaisir en ses yeux, sans aucune agressivité maintenant, sans peur non plus.

Subitement comme dans une forte impulsion, impétueusement, il inversa le sens de sa puissance et attira sa partenaire vers lui. Ils connurent leur premier baiser sur la bouche, geste recherché par chacun et accompli dans une fougue et une passion trop longtemps muselées déjà. Les vêtements volèrent au hasard. Les corps s'explorèrent. Pas un ne voulut apprécier la nudité de l'autre autrement que par le toucher car leurs yeux quand ils s'ouvraient ne faisaient rien d'autre que de se lire l'âme ou d'attendre que les paupières de l'autre s'espacent.

Tournoiements, tourbillons, frénésie, chaleur, désirs irrépressibles, il fut sur elle, en elle, puissant, énorme et doux. Vertige qui entraîne, soif qui appelle, ils marchaient tous deux au pas de course dans une sauvagerie des sens, enjambant tous les obstacles sans avoir d'efforts à faire, emportés par une rivière indomptable, torrentueuse, exigeante.

Ils savaient que l'apothéose les verrait au sommet tous les deux d'un même plaisir partagé et cela fut en dehors du temps qui court, loin de toute inquiétude à propos de l'autre, à l'exclusion de tout stress négatif. Elle cria, il grogna : ce fut l'explosion finale de leurs énergies mélangées et emportées vers l'infini…

— Il fait chaud, dit-il un temps après la fin, constatant qu'ils étaient tous les deux en sueur.

Et il se laissa glisser à côté d'elle pour profiter de la détente si profonde que laisse aux amants débridés l'après-sexe. Elle vit son pénis encore rigide et fut surprise de son peu d'importance par comparaison avec ce qu'elle avait ressenti quand il se trouvait en elle.

— Tu es arrivé au bon moment dans ma vie, murmura-t-elle sur le ton de la confidence. En moi, quelque chose s'opposait à la poursuite de ce voyage et maintenant, je sais que je dois continuer.

— Et moi qui m'apprêtais à t'inviter à me suivre tout de suite en Floride…

— Un homme comme toi ne doit pas manquer de faire chaque jour une ou deux découvertes.

— Tu serais surprise…

– Les petites jeunes doivent toutes te sauter au cou quand tu te présentes dans un bar le soir à Miami ou à Manchester. Elles aiment les gens de ton âge, de ta virilité et de ton rang social...

– Tu serais surprise de connaître ma vie intime. Je suis un homme très rangé.

– Qui fait l'amour à la première venue sur un bateau de croisière dans les eaux haïtiennes ?

– Cette première venue est bien spéciale...

– Tut tut, on ne me fait pas le tour de la tête aussi facilement...

– Je te dis cela après l'amour et non pas avant.

– Ça ne prouve pas la sincérité des mots.

– Donne-moi une seule bonne raison de me montrer insincère ? Si avec ce que je possède et ce que je suis, comme tu le disais, je ne peux établir de relations, quel plaisir aurais-je à tromper pour atteindre mon but ?

– Je disais ça comme ça parce que depuis le début, je crois que tu es un homme honnête. Sans cette perception, je n'aurais pas eu l'attitude d'une courtisane.

– Tu n'étais pas courtisane, tu étais femme d'affaires. J'étais un bon *deal* et tu as acheté la marchandise...

Toute autre que Paula eût réagi par la négative mais elle sourit à la perspicacité de Bill.

– On m'a toujours dit que les deux plus grandes qualités d'une personne qui veut réussir en affaires, c'est le flair et l'audace.

– Tu les possèdes à fond.

– Et dire que jamais je n'ai voulu écouter l'émission de télévision *La Croisière s'amuse* ! Je trouvais ça trop sentimental, trop fleur bleue arrosée à l'eau de rose...

– Ma mère disait souvent que si on crache en l'air, ça finit toujours par nous retomber sur le nez.

– Mon père aussi disait ça.

– Et ta mère?

– Morte je n'étais qu'une jeune adolescente. Et avant sa mort, elle fut longtemps hospitalisée dans un sanatorium. La tuberculose.

– C'était l'époque, oui.

Ils contèrent chacun un peu de leur enfance puis le sifflet du bateau rompit le charme.

– On a encore quelques minutes puisque mes bagages ne sont pas défaits, moi.

– En ce cas, attendons que le bateau accoste.

– Attendons… En plus, quelqu'un viendra prendre mes affaires et je n'aurai que ma petite personne à transporter sur le quai.

– Je ne trouve pas que tu aies une petite personne comme tu dis, mais une grande et excitante personne.

Déjà, l'homme avait perdu son mystère pour elle et c'est pourquoi il ne saurait jamais être plus qu'un ami même s'ils devaient se revoir cent fois, ce qui était peu probable car le chemin qu'il lui restait à parcourir essaimerait devant elle des personnages nouveaux et intéressants.

– On va se revoir?

– Ça va dépendre.

– Si au départ, on a envie de se revoir, ce sera plus facile de le faire.

– Je le voudrais, mais je ne sais pas si je le pourrai avant plusieurs mois. C'est comme je le disais…

Il l'entretint de son condo, de la plage, de son environnement de Hallandale et il le fit avec l'enthousiasme du vendeur. Elle promit de lui faire une visite avant un an.

Ils se rhabillèrent et bientôt se firent leurs adieux sur le pont-promenade. Déjà, les bagages de Paula se trouvaient dans la voiture du Club Med venue la prendre au port pour l'emmener directement à son hôtel.

– Pourquoi ne mets-tu pas un terme à ta croisière et ne viens-tu pas passer quelques jours avec moi ? Ou bien après la croisière, viens me rejoindre. Je serai trois semaines ici et ensuite je pars pour l'Europe.

Le visage de Bill s'éclaira :

– Je commençais à croire que tu ne me le proposerais jamais.

Ainsi leur séparation fut joyeuse et remplie de promesses.

***

Chapitre 17

— Veux-tu me dire qui c'est, le petit blond frisé qui est avec toi ? demanda une voix fine et claire derrière Marc.

Le blondin en question avait quitté la table pour se rendre aux toilettes et Nathalie en profitait pour surprendre son demi-frère sans trop le mettre à la gêne. Car elle le savait enclin à des amitiés particulières. On était dans un restaurant plutôt vaste mais guère achalandé à cette heure-là.

— Lui ? dit le jeune homme visiblement embarrassé. Ah ! ce n'est qu'un employé de… maman. Et entre nous deux, je me demande si je vais le garder ou bien le renvoyer… Il travaille très mal.

— Drôle d'endroit pour le sermonner.

— Ben… je voulais lui donner une chance. Essayer de lui montrer le chemin… de l'amener à chasser sa nervosité. Tu étais où ?

— Là-bas, dans la section non-fumeurs.

Il étira le cou et aperçut le mari de Nathalie qui le vit aussi au même moment. Ils se saluèrent d'un vague signe de la main. La jeune femme s'accrocha une fesse au bord de la banquette.

— Quoi de neuf ? Des nouvelles de maman ?

— Justement oui : elle a appelé hier encore. Imagine-toi qu'elle est rendue à Cuba. Et elle a fait un séjour à l'hôpital…

— Je sais, elle m'a fait appeler. Empoisonnement alimentaire, tourista… Tout est rentré dans l'ordre. Tout est beau…

Le jeune homme avait du mal à conserver son calme et ne pouvait s'empêcher de jeter un œil par-dessus l'épaule de sa sœur en direction des toilettes. Nathalie hochait la tête en souriant :

— Elle ne tient pas en place…

— Elle a fait la Bolivie, le Brésil, l'Argentine, le Venezuela, la Jamaïque et la voici qui sort de l'hôpital à Cuba. Et elle s'en va au Club Med en Haïti… C'est les dernières nouvelles que j'ai d'elle, en tout cas. Elle suit quand même pas mal l'itinéraire prévu…

— Je ne me souviens pas trop de son itinéraire : il était si chargé… Y en a pas deux comme elle.

— À qui le dis-tu ?

— Et quand est-ce qu'elle revient ?

— Le 18 juin. Pour sept jours. Ensuite, elle repart pour l'Europe.

La jeune femme avait la démangeaison de faire savoir à sa mère qu'elle était enceinte. Mais elle voulait le faire elle-même et si possible en personne. Elle attendrait que la femme soit à la maison. Pour le moment, elle pouvait confier la nouvelle à son frère en exigeant qu'il ne la révèle pas à Paula.

— Bon, soupira-t-elle, la soupe doit être servie. Je vais y aller avant qu'elle ne refroidisse…

Le petit blond revint. Elle lui céda sa place et resta un moment debout. Marc qui n'avait guère envie que sa sœur parle au garçon et ne sente qu'il n'était pas du tout un employé, ne fit pas les présentations.

— Depuis le départ de maman, vous ne m'avez donné aucune nouvelle : donc de bonnes nouvelles ?

— On en a une grande… mais elle couve.

Elle mit sa main sur son ventre et adressa à son cousin un regard de satisfaction. Le visage du jeune homme s'éclaira aussitôt :

— Je vais être mononcle…

— C'est ça ! Mais je te défends d'en parler à maman. Je veux lui annoncer la nouvelle moi-même… Tu le promets ?

– Ben oui, ben oui, ça se comprend. J'imagine que si on est enceinte, on veut le dire soi-même à sa mère. Fie-toi sur moi…

– Bon ben salut, vous autres!

– Salut! Je te donnerai des nouvelles quand j'en aurai mais je pense que maman va t'appeler bientôt…

L'entretien prit fin et la jeune femme quitta. Marc dit à voix retenue à son copain surpris:

– On avait ben besoin de les voir icitte, eux autres! Mange, parle le moins possible et surtout ris pas! De toute façon, c'est pas drôle!

*

Ce soir-là, Marc flânait dans le bureau de sa mère en sirotant un verre de ce qu'il appelait du «gingerable», boisson imaginée par lui et qui contenait du sirop d'érable et du gingembre sur de la vodka et des glaçons. Les Français avaient refusé de le lui préparer et de le lui servir sous prétexte qu'ils n'avaient jamais reçu de telles recommandations de la part de Paula. Le téléphone sonna: c'était sa mère depuis le Club Med d'Haïti.

À nouveau, il mentit quant à ses relations avec le couple de serviteurs qui partageait la maison avec lui:

– Tout va sur des roulettes à la maison, assura-t-il.

– Tant mieux! Et as-tu des nouvelles des enfants?

– J'ai vu Nathalie tout à l'heure… Elle a une grande nouvelle à t'annoncer, maman.

– Quoi donc?

– J'ai promis de ne pas en parler…

Marc avait tout dit sans rien dire et Paula se hâta de raccrocher afin de faire un appel à sa fille pour apprendre de sa bouche l'heureuse nouvelle. Nathalie qui eût préféré la lui apprendre autrement qu'au téléphone ne put elle non plus retenir sa langue:

– J'ai une grande nouvelle, maman, je suis enceinte.

– Non! s'exclama Paula qui feignait la surprise la plus totale. Je vais être grand-mère...

– Ça te fait pas trop vieillir, j'espère.

– Mais non! Plutôt, ça me fait rajeunir. Je vais pouvoir me remettre à catiner et ça va me ramener plus de vingt ans en arrière. Quel bonheur! Je te félicite et je félicite Stéphane. Dis-le lui pour moi! Sur mon voyage, je vais commencer à acheter des cadeaux...

– Maman, maman, pas trop, pas trop là! On se débrouille bien, Stéphane et moi, tu le sais.

– C'est pas pour te faire plaisir, c'est pour me faire plaisir à moi... Laisse-moi faire!

– Dans ce cas-là, fais comme tu voudras. De toute manière, tu fais toujours ce que t'as envie de faire. Et puis... as-tu rencontré l'homme de ta vie en Amérique du Sud?

– Ce n'est pas trop ce que je recherche en voyage.

– Je sais, c'est pour t'agacer.

Ce soir-là, Paula s'endormit au comble de la joie. Une petite-fille en vue; et tant pis si c'était un petit-fils! Un amant de qualité qui viendrait bientôt la rejoindre. Une maison dont Marc s'occupait avec bonheur. Ses affaires qui ne souffraient pas de son absence. Tout allait pour le mieux dans le meilleur des mondes.

Elle gardait les yeux grand ouverts malgré tout dans le clair-obscur de sa chambre. Et de vieux souvenirs lui revenaient dans la mémoire du cœur.

Elle se revoyait, angoisse dans l'âme, marchant sur la route avec Grégoire pour se rendre sur les lieux de cet accident mortel survenu près de chez elle quelque part vers 1972. Comme on avait eu peur pour les enfants qui étaient tous partis de la maison à cette heure-là et pouvaient faire partie des victimes, s'être fait heurter...

Gaspard Fortier, cette sagesse ambulante qui voyageait le plus souvent à bicyclette, se trouvait déjà sur les lieux et c'est lui qui rassura le couple. Il s'agissait d'une voiture conduite par un jeune homme qui en avait perdu le contrôle. Après un tonneau, le véhicule avait glissé dans la vase jusqu'à s'immobiliser, cassant du coup le cou de l'infortuné conducteur.

Tragédie qui avait pourtant soulagé Paula et son mari puisque personne de leur chair n'avait été impliqué, ni Christian, qui avec Marc jouait alors chez les voisins, ni Chantal, qui avait couru derrière son chien sur le chemin près de la courbe de l'accident, ni Nathalie, qui visitait une amie en ville et arriva quelques instants plus tard, reconduite par le père de sa copine.

Quelle délivrance de voir ainsi tout son monde autour d'elle! Tous sains et saufs! Comme les valeurs familiales lui étaient apparues importantes ce soir-là! Comme elles lui avaient paru indispensables, essentielles à la vie et au bonheur terrestre!

Comme le temps avait passé! Et qu'est-ce qui s'était réellement passé pour que tout s'envole si vite de la réalité pour entrer dans l'âge, dans l'insaisissable de l'âge?

Quand on est jeune, il nous manque le futur, et quand on a eu ce futur-là, il nous manque alors le passé... Comment atteindre un point de convergence entre les deux? Comment les faire se rencontrer sinon en mourant?

Elle ferma les yeux et hocha la tête sur l'oreiller à maintes reprises, cherchant à se délivrer de ces questions à la pure inutilité.

***

Chapitre 18

Il n'était pas nécessaire de traverser Port-au-Prince pour se rendre au Club Med, de sorte que Paula n'avait pas vu grand-chose de la pauvreté du pays et de la misère des petites gens. Ses deux premières journées en furent de plage et de repos aux abords de l'hôtel, derrière la protection de hautes clôtures et de gardes de sécurité. Un monde à part tout comme celui de la classe riche du pays qui se terre dans le plaisir et les demeures cossues à l'abri des pauvres, ces dangereux citoyens toujours prêts à vous assassiner un bourgeois pour une minable bouchée de pain… qu'on leur refuse naturellement.

Quelque chose d'étrange la poussait à regarder vivre ces gens-là en même temps que l'effrayait de l'envisager. Bien sûr, elle savait tout d'avance des images qu'une exploration de la ville et de la campagne lui fournirait, mais de les avoir au bout du nez, de voir de près, de sentir, d'entendre, de lire dans les regards, les gestes au naturel, tout ça changerait quelque chose dans sa tête, donnerait d'autres teintes à la pauvreté et à la richesse, à l'ambition et à la résignation, à l'enthousiasme et au désespoir, à la beauté de ce qui est sordide et aux laideurs et misères de la richesse. Non, elle ne voulait pas se juger elle-même, faire son autocritique à travers le paupérisme d'un peuple, mais elle voulait en tirer quelque chose de valable, d'important, comme de ce triste accident où un jeune homme s'était brisé le cou, et qui avait porté tant de leçons inoubliables pour tous les membres de sa famille, surtout elle-même qui y songeait encore la veille avant de s'endormir.

C'est dans une voiture du Club qu'elle partit à la recherche de nouvelles interrogations puisque les réponses aux maux sociaux et planétaires, elle croyait les avoir, et des meilleures qui toutes passaient par le capitalisme le moins contraint possible.

Le chauffeur était un Haïtien du nom de Dieudonné Guillaume, petit personnage rieur à la voix pointue. Il ne fafinait pas sur les accélérations et les freinages, ce qui rendait Paula mal à l'aise. Afin de combattre l'instabilité permanente, elle demanda à s'asseoir devant et s'attacha solidement avec la ceinture de sécurité tandis que ses pieds défonçaient littéralement le plancher.

Il savait que Paula était désireuse de converser avec les gens et le lui proposait à chaque coin de route.

– Je voudrais aller dans un coin plus pauvre que les plus pauvres sans toutefois risquer une attaque.

Dieudonné éclata de rire et sortit un pistolet qu'il tint le canon haut :

– Il en faudra plus d'un, madame, pour faire peur à Dieudonné, votre chauffeur et votre garde du corps. Quand je vais leur montrer ça, ils vont tous courir se cacher comme des lapins… Je vous le garantis, je vous le garantis…

– Ça me rassurerait si tu cachais le pistolet.

– Très bien, madame, très bien…

– Et emmène-moi où je t'ai demandé d'aller…

– Tout de suite, madame.

Et il appuya sur le champignon du véhicule jaune, une quatre portes américaine d'un modèle pas très récent, mais bien conservée. Et encore nerveuse. On quitta bientôt la route pavée pour entrer dans un plus que bidonville aux limites de la capitale. Entre deux alignements de masures, sur voie terreuse, sèche et poussiéreuse, il fallut ralentir à quelques kilomètres à l'heure seulement en raison de l'achalandage bigarré composé d'enfants, d'adultes, d'animaux et de bicyclettes. Sous un ponceau coulait un égout à ciel ouvert près duquel deux porcelets fouillaient dans des vidanges qu'un indiscipliné avait jetées là malgré l'interdiction de le faire inscrite en créole sur une affiche bien visible dans la rue.

Paula aperçut une vieille femme assise devant une cahute faite de matériaux hétéroclites allant de planches grises disjointes aux rapiéçages de tôle faits à partir de contenants d'huile à moteur en passant par des tuiles de terre cuite accrochées à des fils métalliques eux-mêmes suspendus on ne pouvait savoir où.

– Arrête devant cette… maison, là où est la vieille dame en brun…

– Bien sûr, madame Paula, bien sûr…

– Et viens avec moi pour interpréter ce que je vais lui dire.

– Bien sûr, madame Paula, bien sûr…

Comme cette servilité lui déplaisait! À la maison, se faire préparer ses repas par les Français et leur confier les tâches domestiques, soit, mais ces gens-là avaient choisi librement de servir et ils en étaient fiers tandis que Dieudonné s'exprimait, lui, et se conduisait comme une sorte d'esclave puéril.

Elle descendit et s'approcha de la femme qui, en la voyant dans son jeans et sa blouse de coton nouée à la taille, la prit pour une Américaine comme elle en avait souvent vues, de ces visiteuses riches venues se repaître aux images de la misère humaine, et pourtant, elle sourit, dégageant une dentition noirâtre parsemée de trous, semblable aux ruines ébréchées d'un mur dérisoire.

– Bonjour madame, est-ce que je peux vous parler?

Dieudonné traduisit aussitôt en créole. Elle répondit par sa voix:

– Oui, bien sûr, je vous en prie, madame…

Encore une mentalité d'esclave, pensa Paula tout en jugeant la personne à 65 ans ou plus d'après les rides et la forme vieillie du visage de même que par la rougeur éclatée de ses yeux. Mais elle dit en se composant un sourire bienveillant :

– Quel âge avez-vous ?

Une question qu'une femme ne pose pas de but en blanc à une autre femme dans les pays développés.

On oublia Dieudonné qui ne devint alors qu'une voix.

– Quarante-huit ans.

– Combien ?

– Quarante-huit ans.

Toutes sortes d'odeurs nauséabondes circulaient dans l'air chaud et humide en même temps que des éclats de voix qui se croisaient en se heurtant, s'accrochant, se brisant… La voix de la femme était éraillée, caverneuse comme sa bouche, pourrie comme ses dents.

– Avez-vous des enfants ?

– Six.

– Et des petits-enfants ?

– Douze.

– Et… un mari ?

– Envolé, dit-elle avec un sourire résigné et une main qui exprime le vol d'un oiseau.

– Vous vivez toute seule ?

– Avec ma fille et ses deux petites-filles ?

– Il n'y a pas d'homme dans la maison ?

– Sont tous envolés…

– Et où sont-elles, votre fille et vos petites-filles ?

– Les petites sont à l'école. Leur mère est partie pour le centre…

– C'est elle qui gagne la vie ?

La pauvre femme passa sa main dans ses cheveux raides et grisonnants mais ils revinrent aussitôt à leur place et au même désordre qu'auparavant. Elle souriait, redevenait sérieuse, penchait la tête, faisait une moue… Dieudonné dit pour elle :

– Probable qu'elle fait de la prostitution…

– Ah bon! Demande-lui si elle veut me faire voir sa maison.

Ce qu'il fit tandis que Paula sortait de sa poche de pantalon cinq billets de vingt dollars américains et les présentait à la femme qui se montra d'abord incrédule.

– Prenez, je vous les donne.

L'Haïtienne hocha la tête à quelques reprises, faisant chaque fois dériver son regard sur les billets, ricanant puis redevenant sérieuse.

– Veut-elle que je visite sa maison?

– Elle est d'accord mais elle ne veut pas être payée pour ça.

– L'argent, ce n'est pas pour ça, c'est pour ses deux petites-filles.

Alors la misérable appuya son regard rouge dans celui de sa bienfaitrice d'occasion et elle tendit la main pour accepter l'argent puis elle se leva et précéda ses visiteurs dans la cabane.

Le lieu était sombre, chargé mais pas aussi malpropre que Paula s'y attendait. Un poêle couleur ivoire à l'émail écaillé en plusieurs endroits lui rappela ceux que l'on pouvait voir souvent au Québec dans les années quarante et cinquante et qui avaient remplacé les énormités à grosse tête pour lesquelles on n'avait plus de place dans les cuisinettes de logements urbains, et qui, de toute façon, ne brûlaient pas le propane. Un mini-réfrigérateur et cela aussi fut une surprise pour Paula. Au centre: une table de métal vieux chrome et quatre chaises mal assorties. Et le long d'une cloison extérieure, trois lits voisins séparés l'un de l'autre par un rideau fleuri.

– Depuis combien de temps vit-elle ici?

– Sept ans.

– Et avant, où était-elle?

– À la campagne, dans les montagnes, loin d'ici.

– Et pourquoi est-elle venue ici?

– Elle a suivi son mari. Il venait pour travailler en ville.

Paula soupira, balaya la pièce étroite d'un regard contraint, pensa que la vie ne devait pas être pire là qu'au début du siècle au Québec, avant l'électricité, par des hivers rigoureux sur ce que son père appelait des petites terres de roches. Au moins, ici, on n'avait pas à se chauffer et on avait l'électricité pour alimenter les besoins du réfrigérateur, du poêle et même du téléviseur. Car il s'en trouvait un, perché sur une tablette, l'œil vide et noir comme celui d'un hibou mais qui se mettrait à briller sitôt la nuit tombée.

– Demande-lui si elle aimerait ça, vivre au Canada.

La femme jeta un regard d'enfant et répondit sans attendre :

– Oui, oui, oui… La neige, les montagnes…

– Et maintenant, dis-lui merci. On s'en va.

– Elle dit merci pour l'argent.

Paula tendit la main et la femme la serra. Puis elle sortit et avant de remonter dans l'auto fit demander :

– Quel est son nom ?

– Dorita Pierreval.

Quoique rien dans ce lieu ne lui rappelât vraiment quelque chose de son passé, Paula fut touchée par ce prénom si proche de celui de sa mère. Elle prit deux autres billets de vingt dollars dans une liasse qu'elle avait dans une petite poche avant de son jeans et le tendit à l'autre femme qui l'accepta en multipliant les gloussements, les ricanements et les courbettes.

Paula changea d'avis et ne regagna pas l'auto. Elle demanda au chauffeur de la suivre dans sa marche le long de la rue étroite. Il lui semblait que les mâles adultes brillaient tous par leur absence et que par conséquent, elle ne se mettait pas en péril. Elle sourit à d'autres femmes et à des enfants méfiants cachés derrière leurs jupes multicolores et finit par s'arrêter devant une jeune femme enceinte qui était occupée à fabriquer des tout petits chapeaux de paille pour poupées devant sa cabane aussi modeste que les autres.

Dieudonné descendit de voiture et vint servir d'interprète. Paula apprit que la jeune femme avait pour nom Michelange Gabriel et qu'elle était née la même année que Nathalie.

Enceinte de sept mois, elle semblait heureuse de vivre et riait abondamment, le regard rempli d'espérance et d'amour. Son mari travaillait en ville et reviendrait dans quelques heures. Elle fabriquait une dizaine de ces petits chapeaux chaque jour et on les vendait à un marché aux puces le dimanche. Paula en acheta une douzaine au prix d'un dollar américain l'unité; elle paya avec deux billets de vingt qu'elle mit dans la main de la jeune personne souriante.

– Merci, merci, madame, dit-elle de sa voix mélodieuse et de son regard brillant et bon enfant.

L'esprit à la dérive, Paula se disait qu'il y avait plus de reconnaissance à recevoir de ces gens-là que des Québécois gâtés par la vie, surtout la Nathalie qui ne voulait jamais rien accepter de sa mère. Et il lui revenait en mémoire cette crise de larmes et ce refus de la voiture qu'elle lui avait offerte à l'occasion de Noël voilà quelque temps.

Alors elle prit sa liasse qu'elle savait contenir encore cinq cents et quelques dollars et la confia à Dieudonné en lui ordonnant de distribuer les billets de vingt un à un aux cabanes suivantes. Et retourna dans l'auto pour voir ce qui arriverait.

Le chauffeur tendait à une femme puis à une autre un billet de banque et leur parlait tout en leur montrant la voiture. D'aucunes sautaient de joie, d'autres saluaient d'un geste de la main, mais certaines hésitaient, croyant qu'on voulait les mettre en dette pour ensuite mieux les abuser et le pauvre homme devait se fendre en quatre pour les convaincre, ce qui se produisait par effet d'entraînement lorsque la méfiante se rendait compte que plusieurs autres se réjouissaient d'un gain aussi facile. Une femme toutefois refusa net et quoi que dise Dieudonné, rien n'y fit. Paula fut intriguée; quand son chauffeur revint, elle s'enquit de ce qui s'était passé.

– Elle dit que c'est de l'argent volé, mais il faut la laisser faire, c'est une tête dure.

Les rebelles intéressent parce qu'ils questionnent par leurs gestes et attitudes. La femme d'affaires aurait bien voulu aller voir la personne récalcitrante pour lui faire part de la pureté de ses intentions, mais elle n'osa pas. Quelque chose qu'elle n'arrivait pas à définir le lui interdisait. Elle finit par se dire qu'elle avait eu affaire à une sorte de Nathalie, personne trop fière pour accepter un cadeau qu'elle pensait ne pas avoir mérité. Mais pourquoi dire qu'il s'agissait d'argent volé? Si elle avait su comme il en avait fallu du travail acharné, des veilles, des risques, des peurs, des audaces, des regrets et des colères pour le bâtir ce petit empire beauceron qui était le sien et qu'elle avait acquis en respectant les lois, toutes les lois du système, jamais cette pauvre femme n'aurait osé dire une chose pareille, jamais...

***

Chapitre 19

Un peu partout sur la longue plage, il y avait des attrou-
pements bigarrés. On ne reste pas longtemps seul au Club
Med, et le jour, on ne reste pas longtemps un couple isolé.
Fraternisation naturelle qui entraîne tout le monde dans une
convivialité ajoutant sa chaleur à celle du sable et de l'eau de
la mer.

Bill était là avec Paula, étendu auprès d'elle, volubile et
heureux. Revenu le matin même, il avait rapporté avec lui son
entière disponibilité, son esprit entier. Et sa chair très chaude,
enflée par le désir qu'avait généreusement alimenté le souvenir de cette heure de rêve passée avec Paula dans sa cabine
quelques jours plus tôt.

Au bout d'une heure de plage, on fit la connaissance d'un
couple de fort belle qualité : des Américains du Wisconsin,
Blanche et Johnny, gens pétillants et enjoués de la fin de la
quarantaine. Elle, blonde bien enveloppée, un brin provocante,
sorte de Mae West moderne sans toutefois les exagérations
loufoques de la vraie, et lui, du type Robert Redford avec les
fossettes aux joues et la chevelure fournie et dorée. Des professionnels. Elle avocate et lui à la tête d'une firme comptable.

Paula dut sortir son anglais que l'on trouva très charmant.
Après les présentations et quand chacun se fut identifié par
quelques mots à propos de lui-même, le propos devint plus
frivole. Il arriva à Blanche de susurrer :

– Dans la vie, on peut choisir la tristesse ou bien la joie, et
moi, je préfère la joie.

Paula put se rendre compte que son compagnon manifestait un intérêt certain pour ce bout de femme qui n'avait pas froid aux yeux et elle fut surprise de constater que ça ne la contrariait pas tant que ça d'autant que Johnny ne se privait pas de s'adresser à elle plutôt qu'à Bill. Il fut décidé de mettre les parasols un en face de l'autre et de rapprocher les chaises longues. Au moment de reprendre place, il y eut un mélange de sorte que Paula et Johnny se retrouvèrent voisins face à leurs partenaires Blanche et Bill.

– Ah! on peut rester comme ça, dit Johnny avec un clin d'œil à Bill. Plus facile de se parler!

– Pourquoi pas! À moins que les femmes ne s'y objectent.

Il n'y avait pas là de quoi fouetter un chat ni dire un mot, et si on parlait de la chose, c'est qu'on voulait tester les autres sur ce rapprochement croisé qui pourrait peut-être mener plus loin, ce que, en tout cas, voulaient déjà à cause de leurs habitudes, Johnny et sa femme.

Le costume de bain de Blanche laissait voir une taille forte et des seins volumineux; la femme s'allongea en roulant de partout puis en adressant à chacun un regard de complicité. À la différence de Mae West dont la peau était toujours d'un blanc éclatant, celle de Blanche offrait un tan cuivré et luisant.

Paula ne put s'empêcher de se rappeler cette tentative d'échange de partenaires faite par leurs amis, à elle et Grégoire, dans un chalet après une randonnée en motoneige il y avait tant d'années déjà. Elle qui n'avait jamais connu un autre homme que son mari s'était sentie très inconfortable ce soir-là. Mais sur cette plage chaude d'Haïti, toutes ces années plus tard, elle ne ressentait aucun malaise moral. Son compagnon n'était pas le même et il avait coulé bien de l'eau sous les ponts depuis cet épisode. Même que la situation du moment avait un certain piquant.

On placota deux heures mais rien qui ressemblât à une proposition ne fut mis sur le sable par qui que ce soit. Toutefois, les vibrations les meilleures et les plus prometteuses, nuancées d'un brin de perversité, volèrent en chassé-croisé constant. On avait du temps. On se sépara sur la perspective d'une rencontre le lendemain au même endroit.

– On comprend que, puisque vous vous retrouvez après plusieurs jours de séparation, vous ayez besoin d'une soirée en tête-à-tête, lança Blanche avec un air taquin alors que Paula et Bill s'éloignaient.

– À demain! se surprit à dire Paula.

Sitôt entrés dans leur chambre, Bill et sa compagne se retrouvèrent dans les bras l'un de l'autre. Excités par ce couple si chaleureux, stimulés par leur désir accumulé, entassé, déjà apprivoisés et en confiance, ils se poussèrent mutuellement vers le lit pour se caresser et se manifester leur contentement.

– Je vais aller prendre une douche et je reviens, dit-elle en lui montrant des résidus de sable sur ses doigts.

Il lui adressa un sourire complice:

– Je peux t'accompagner?

Elle répondit à son sourire par le sien tout aussi coquin:

– Pourquoi pas?

Quand ils se trouvèrent nus sous le doux jet d'eau chaude, ils s'étreignirent de nouveau avec force mais sans la moindre contrainte.

– Je ne te l'ai pas encore dit, mais j'avais très hâte que tu reviennes et je dois te dire que j'ai pensé que tu ne reviendrais pas, que j'avais été une de tes nombreuses conquêtes et que ta prochaine devait déjà être en vue...

– Quand je suis parti, j'ai pensé que tu ne doutais pas de ma sincérité.

– Moi aussi. Mais plus tard, quand je me suis retrouvée seule, j'ai perdu la foi totale... pour en garder quand même un morceau. Après tout, nous avons fait l'amour en toute amitié sans signer un contrat du cœur, non?

– Il y a une fidélité aussi dans l'amitié.

– Et... quelle est la nature de cette fidélité dans l'amitié face à un couple comme celui de Blanche et Johnny?

– Je suis un peu étonné de ta question.

Elle sourit, visage en biais:

– Ne nous racontons pas d'histoires tout de même. On voit bien que ces gens-là ont quelque chose derrière la tête. Tu as vu la façon de Blanche de te regarder?

– Non, mais j'ai vu celle de Johnny de te regarder.

La virilité de l'homme s'accusait de plus en plus. La main de la femme tâta.

– Tu vois: rien qu'à en parler et ça te stimule.

– J'ai pas le beau rôle: toi, on peut pas voir ce que ça te fait.

– Ça devrait me faire quelque chose?

– Peut-être! Après tout, ce Johnny ressemble à un acteur de cinéma... Un genre tout à fait différent de moi et de... selon ce que tu m'as dit... ton ex-mari...

– On se parle comme de vieux amants et on se connaît à peine.

– Tâchons de faire un peu mieux connaissance alors.

De sa main gauche, il demanda à la jambe droite de la femme de s'écarter et de poser son pied sur le bord de la cuvette afin qu'il puisse s'introduire en elle.

– Tout un exercice pour des gens de notre âge, fit-elle en riant.

– C'est moins compliqué quand on sait qu'on n'est pas des champions.

Les fils d'eau frappaient d'abord les épaules, la nuque et la tête de la femme et ils se transformaient en ruisselets qui traversaient son visage pour tomber depuis son menton en dégouttières généreuses qui s'écrasaient au fond de la cuve dans une sorte de cliquetis de monnaie entrechoquée.

– Ton visage me fait penser au printemps, pas du tout à l'automne.

Des mouillures couraient sur sa poitrine, son ventre et il s'échappait un ruisseau de son pubis. Paula n'arrivait pas à échapper au regard de Johnny que son imagination récréait à mesure que sa volonté cherchait à l'effacer de sa mémoire. Et ça la bouleversait de penser que tout allait bien trop vite dans sa vie maintenant dans ses relations avec ces messieurs. Ou bien était-elle en train de récolter un peu trop à partir d'une semence enfouie dans le terrain de sa libido voilà bien du temps?

Son corps attendait, demandait, exigeait. Le sexe de Bill touchait le sien, frottait, s'apprêtait à visiter son intimité la plus profonde et elle le voulait sans réserve, mais le lubrifiant naturel qui le ferait glisser avec aisance et bonheur avait pour principale raison d'exister ce fantasme que l'autre homme avait fait naître en elle. Qu'il soit comptable le rapprochait-il de ses désirs profonds ou bien était-ce tout simplement parce qu'il était beau. Et neuf pour elle. Et à cause de la dimension élargie de la sexualité qu'ils pourraient vivre à quatre? Qu'est-ce que Bill pensait vraiment de tout cela? Qui devrait donner la prochaine carte dans ce jeu mystérieux et fascinant?

– On va au lit ou bien on continue ici? demanda-t-il.

– Continue, continue...

Et elle le guida dans la chaleur veloutée de son vagin mouillé où elle le poussa lentement jusqu'à devoir ôter sa main pour qu'il la pénètre au maximum de ses capacités et que leurs toisons s'épousent.

Lui ferma les yeux et recula sa tête vers l'arrière pour réunir toutes ses pensées, tous ses désirs et les projeter dans son aiguillon de chair qu'il n'avait jamais senti si puissant et auquel son propre fantasme nourri par l'image de Blanche ajoutait encore plus de force.

Paula était submergée par des flots incessants forgés à même ses émotions et sensations et pourtant, elle avait soif de lui, soif de l'homme, soif tout court... Comment agir dans une telle position, comment prendre de lui ? Bouger le bassin serait risquer de l'expulser hors d'elle, et ne rien faire la garderait dans un état de passivité qui ne cadrait pas avec son désir de le posséder autant que lui la possédait. Elle glissa ses mains sur lui, sur sa taille, accrocha ses reins comme pour le retenir justement de glisser hors d'elle. L'homme saisit le sens de son geste et fit pareil, et alors, tels des danseurs professionnels, ils firent l'amour dans un tango irrésistible, fougueux, s'accordant à la perfection l'un à l'autre.

Bientôt, elle fut secouée par une vague immense, une trombe de lumière et de chaleur venue de l'infini, qui se répandit par toute sa substance profonde pour enluminer chaque cellule de sa chair et de son esprit. Explosion dans l'extase. Moment sublime. Bien-être total dans un espace sans fin…

Mais il y eut encore plus lorsqu'au bout du premier raz-de-marée, le corps masculin se projeta en elle ; et il lui sembla alors qu'elle voyageait à la vitesse de l'éclair dans un tunnel sans fin et d'un éclat aussi doux que merveilleux ; et il s'avérait que ce passage divin n'était rien d'autre que le sexe masculin lui-même dont les dimensions empruntaient maintenant au gigantesque.

Un chapelet de soupirs sonores jaillit depuis le cœur de sa poitrine agitée et soulevée sans cesse par sa respiration saccadée. Paula échappa ensuite de petits sanglots. Et Bill frémissait depuis la plante de ses pieds jusqu'à la naissance de ses cheveux. Son organe coula hors de la femme suivi d'un peu de liquide blanchâtre que l'eau dilua aussitôt…

Le calme s'installa peu à peu.

***

Chapitre 20

C'était comme si Paula n'avait jamais donné libre cours à ses passions, à cet emportement sensuel qui s'intensifiait d'heure en heure et auquel pas une seconde, elle ne se retenait de se livrer tout entière. Ce matin-là, à leur réveil, après quelques mots sur certains bruits entendus au cours de la nuit et qui avaient révélé de l'autre côté du mur de la chambre un couple aux ébats interminables, elle s'empara de la main de son compagnon et la glissa sous la couverture sur son corps resté nu jusqu'à son sexe déjà humide, et elle sélectionna un doigt qu'elle mit droit sur son clitoris, y imprimant ensuite un mouvement et un rythme que l'homme apprit aussitôt et qu'il poursuivit.

Ayant trouvé le sexe masculin, elle s'en empara pour le masturber doucement et le faire se gorger de sang et de vie. Ce furent d'autres moments prodigieux et inoubliables pour chacun d'eux et après l'amour, chacun se rendormit pour encore deux heures.

Le temps d'un bain et des préparatifs et il était presque midi. Tous deux avaient faim puisqu'on ne s'était rien fait servir à la chambre pour mieux se concentrer sur les soifs des sens et les apaiser.

Dans l'après-midi, à l'heure entendue la veille, on se retrouva sur la plage aux côtés de Blanche et Johnny qui se firent plus engageants et plus chaleureux que le jour précédent. Blanche portait un maillot une pièce avec soutien-gorge intérieur et elle roulait des hanches plus encore que la veille. De quoi déplaire à Paula, qui pourtant ne ressentait envers elle aucune animosité. C'est que la femme américaine prenait soin à tout moment de faire sentir à sa consœur qu'elle n'avait aucun goût, aucune propension pour la compétition et la rivalité. Ni concurrence entre femmes ni avec les hommes. Et ça, Paula aimait bien. Elle en avait médité après leur rencontre de la veille, trouvant que Blanche ne souffrait d'aucun complexe psychologique, de ceux qui hantent l'éternel féminin depuis des temps immémoriaux. Libérée pour de vrai que ce personnage indépendant et attentif à la fois.

Ce qu'elle pensait déjà lui fut confirmé dans les deux autres heures qu'ils passèrent ensemble cet après-midi-là. Sans jamais afficher la moindre servilité, Blanche passait souvent par une blague bien ficelée, un clin d'œil complice, un propos typiquement féminin pour établir une connivence avec sa camarade du beau sexe. Cela avait beau faire partie d'une stratégie du couple américain pour séduire ses nouveaux amis, il n'en demeurait pas moins que sans authenticité, la personnalité de l'avocate n'aurait pas traversé l'analyse le plus souvent sévère de la femme d'affaires à l'endroit des autres femmes côtoyées.

La chimie de chacun et de l'ensemble des personnes travailla. Les regards de Johnny dans ceux de Paula devinrent de plus en plus éloquents. Plus besoin d'allusions directes ou indirectes pour que leur désir progresse. Un désir en nuances dont la trajectoire elliptique passait par la relation tout aussi subtile s'installant entre Blanche et Bill. On en vint à parler de la soirée prochaine.

— Il y aura une soirée habillée au *night-club*; peut-être que vous aimeriez y venir avec nous deux? Pour fêter une amitié naissante…

— Ça dépend des femmes, dit Bill.

Blanche regarda Paula et lui laissa une seconde pour lui donner l'initiative.

– Pourquoi pas ? dit la femme d'affaires.

– Si Paula veut, je veux, dit Blanche en appuyant sur le mot
« veut ».

Dès ce moment, chacun anticipait ce qui arriverait. Il ne
faisait plus aucun doute que Bill attirait Blanche et que Johnny
plaisait à Paula. Il était tout aussi évident que Johnny avait le
goût de Paula tandis que Bill avait hâte de prendre la mesure
de Blanche.

Soirée habillée, certes, mais décontractée. C'est ce que l'on
dit à Bill qui se renseignait par téléphone au *night-club*. Ce
qui voulait dire que les gars n'avaient pas à porter le veston et
la cravate, mais qu'ils ne pouvaient pas non plus s'y rendre en
costume de bain, pas plus que leurs compagnes qui elles, pouvaient si désiré garder leur costume de bain pourvu qu'elles le
revêtent d'une robe quelconque, même de plage comme Paula
en possédait une depuis Cuba. En fait, une jupe de coton blanc
et un haut à frison.

– Rien ne saurait avoir l'air plus... comment dire...
Caraïbes, que ce que tu portes là.

La chambre également avait revêtu cet air des îles avec les
couvre-lits à motifs de fruits multicolores brodés à la main par
des femmes insulaires sur le tissu blanc, une peinture à l'avenant sur le mur au-dessus de chaque lit, les tentures frappées
de fleurs tropicales rouge vif s'ouvrant sur une large fenêtre,
elle-même offrant au regard une végétation luxuriante et d'un
vert très arrosé.

– Tant qu'à faire, dit Paula, on aurait dû aller souper
ensemble tous les quatre. Plus de monde, plus de fun ! comme
on dit chez nous au Québec.

– Il est toujours temps : tu veux que je les invite ?

– Oui... mais chaque couple paye pour lui-même. C'est
une question de principe.

– Je vais leur glisser le message.

On se retrouva à une bonne table peu avant dix-huit heures.

— On a failli vous le proposer aujourd'hui, dit Johnny.

— Mais on voulait pas vous mettre à la gêne, enchérit Blanche.

— Quoi de plus agréable que de partager avec des amis! dit Paula.

— Partageons d'abord un bon repas, dit Bill.

Cette fois, le message était clair pour tous. Il restait à éviter quelque mésentente ou malentendu pour que les deux couples finissent la soirée dans une seule chambre ou bien que le croisement se produise naturellement et que chaque nouveau couple s'isole pour «fraterniser» dans une intimité qui lui serait propre.

On verrait bien.

On mangea léger. Cuisine créole. Et surtout aucun risque d'attraper quelque virus à cause de l'eau. Au Club Med, pas de tourista causée par ce qu'on y mange ou boit: on l'y garantit.

Il n'était encore que vingt heures et la soirée au *night-club* ne commencerait guère avant vingt-deux heures. Bill suggéra d'aller faire un tour au bar voisin de la salle à manger. On y fut dans quelques minutes et les breuvages ainsi que les bons propos furent sirotés de la même manière fine et légèrement coquine. Il arriva que les deux femmes aillent aux toilettes ensemble et les deux gars en profitèrent pour se dire carrément leurs propres intentions. Johnny déclara avec un clignement des paupières:

— Je pense que Blanche aimerait finir la soirée en ta compagnie, ceci dit sans vouloir t'offenser. En tout cas, cela ne m'offenserait pas si ça devait se produire.

— Faites-vous ça souvent?

— Sans être des *swingers*, on ne rate pas l'occasion qui se présente quand c'est avec des gens dont nous sommes sûrs, comme ici au Club.

– Tout dépendra de Paula. Je ne voudrais pas la contrarier, c'est déjà plus qu'une amie et je tiens à cette amitié, du moins pour le moment. Mais les regards qu'elle pose sur toi sont révélateurs.

– Je suis sûr qu'elle sera ouverte à ça... histoire de mettre du piquant dans son voyage.

– Je crois savoir qu'il y en a eu en Bolivie, du piquant dans son voyage.

– Vous pratiquez le *safe sex*, j'imagine. Blanche et moi, nous sommes en parfaite santé. Et vu que tu es docteur et que ta petite Canadienne nous semble pas mal rangée, nous avons pensé que pour une fois, on pourrait y aller à fond de train... disons chair contre chair... Mais si vous aimez mieux pas, nous serons tout à fait d'accord.

– Chaque couple décidera pour lui-même... dans le feu de l'action.

Et Bill adressa un clin d'œil à son ami qui aussitôt proposa un toast à ce presque pacte qu'ils venaient de conclure. Les gars ignoraient qu'à la salle des toilettes, les deux femmes s'échangeaient de semblables propos, à la différence qu'elles faisaient le pont entre elles grâce à des mots couverts.

On placota sans arrêt, se questionnant les uns les autres, se racontant des anecdotes, parlant des gens de son entourage. Paula eut tout loisir de leur apprendre des choses de son enfance, de son village natal, de son milieu et on l'écoutait avec beaucoup d'intérêt. Blanche surtout, qui avait elle-même grandi dans un milieu rural du Wisconsin plutôt loin des grandes villes.

Et comme toujours, l'autorité naturelle de la femme d'affaires s'installa à son insu même. Blanche devint admirative. Elle voyait en l'autre mais en profondeur ce qu'elle-même aurait toujours voulu posséder et qu'elle affichait par ses airs désinvoltes. Johnny investit de plus en plus dans ses silences et ses questions tandis que Bill restait lui-même.

Le moment vint de s'en aller au *night-club* tel que prévu et chacun alors emporta moins d'inhibitions dans sa tête mais plus d'alcool dans son sang. Un couloir intérieur tout en verre les amena à destination. On pouvait apercevoir la nuit étoilée qui rassure ses observateurs depuis toujours en leur dispensant les promesses des dieux. Paula marchait devant avec Johnny tandis que leurs partenaires suivaient à distance. Mais que des propos limpides comme la voûte céleste. Des voix exagérément calmes pour masquer les émotions épicées virevoltant dans les poitrines...

— Et le vaudou : qu'en penses-tu, Johnny ?

— Du bien et du mal.

— Ce qui veut dire ?

— Que ça dépend des personnes qui l'utilisent.

— Tu as déjà assisté à une cérémonie ?

— Non, mais j'en ai l'intention. Et toi, Paula ?

— J'hésite un peu. Les serpents, le feu, les poignards, les bains de boue, les morts-vivants, les poupées piquées d'aiguilles, ça ne m'effraie pas en soi : ce ne sont là que des images traditionnelles qui servent à conditionner les gens. Mais les ondes, l'inconnu qui pourrait se cacher derrière tout ça...

— C'est ce qu'on devrait faire ce soir. Juste pour le plaisir de connaître du nouveau.

— Où aller ?

— Je suis sûr qu'un musicien ou un serveur pourra nous renseigner et même, en le payant, nous conduire en un lieu où il se passe quelque chose. Quand nous serons tous à notre table, on en parlera à Blanche et Bill. Je suis sûr que Blanche voudra tout de suite.

— Vous n'en avez jamais parlé entre vous ?

— Pas vraiment ! Comme tu sais, c'est la première fois, tout comme vous deux, que nous venons en Haïti et nous ne sommes là que depuis quatre jours. C'est plutôt le Club Med qui nous intéressait que la population et ses bizarreries...

Ils arrivèrent à la porte d'entrée du *night-club*, un lieu sombre comme tous ceux du même genre, mais avec un toit de verre qui laissait voir le ciel d'encre moucheté. Car la lune pleine n'avait pas encore surgi derrière la barrière montagneuse. Et ils attendirent leurs conjoints.

– Envoyez, les vieux, faites le chemin, dit Blanche qui savait pour la connaître assez maintenant, que Paula ne s'offusquerait pas d'une telle expression.

– Les jeunes, je me demande si vous serez capables de nous suivre... parce que nous autres, on a fait tout en projet tout en marchant... On veut aller assister à une cérémonie vaudou.

Blanche et Bill firent des yeux incrédules devant les paroles de Paula. Puis la femme américaine trépigna de joie.

– Super! Formidable!

– Chez nous, au Québec, de ce temps-là, on dit pour qualifier quelque chose d'excitant: génial!

– Génial! dirent les trois autres en chœur.

Une jeune hôtesse noire vint les accueillir. Elle parla en français et c'est à Paula que les autres confièrent la tâche de mener les affaires de la soirée, autant au *night-club* que vers leur rendez-vous anticipé avec le mystère et le frisson.

On leur attribua une place qui leur convenait en plein milieu de la salle près de la scène et du parquet de danse. Un premier cocktail leur fut offert par l'établissement. Les musiciens arrivaient et faisaient semblant d'ajuster leurs instruments pour mettre un brin d'électricité dans l'air. La pièce était de grandeur moyenne et pouvait loger deux cents personnes: on la remplissait tous les soirs. Elle l'était déjà au tiers et on pouvait apercevoir sur une vingtaine de tables le mot *réservée*.

Le spectacle commença. Musique endiablée et danseuses et danseurs tout aussi vigoureux que le rythme de l'ensemble. Ils étaient cinq musiciens vêtus de blanc avec un foulard rouge au cou et un petit chapeau de paille. Les danseurs étaient vêtus de la même manière et les danseuses portaient des robes longues très larges qu'elles évasaient souvent avec les mains lors de certaines routines pour alors remplir la scène de frisons blancs à grands pois rouges.

Puis le premier spectacle prit fin mais pas la musique et on joua un air lent qui permit aux gens de danser. Blanche et Johnny furent les premiers sur la piste et pendant ce temps, Paula fit sa recherche aux fins de connaître quelqu'un qui savait où le rite vaudou pouvait s'exprimer ce soir-là. La serveuse la mit en relation avec un barman qui se rendit parler au guitariste de l'orchestre en désignant la table de la femme d'affaires. Et il revint à Paula lui dire que pendant l'intermission, le musicien arrangerait les choses, mais qu'il fallait s'attendre à des frais, non pour eux-mêmes mais pour un chauffeur, une voiture et de la sécurité…

– Combien ?

– Cinquante dollars ? dit l'homme sous forme de question, s'attendant à de la négociation.

– Très bien.

Et la femme prit les billets dans sa bourse et les lui donna. Le barman lui dit qu'elle ferait mieux de ne rien apporter avec elle à ce rendez-vous pour éviter les tentations et pour répondre aux sollicitations insistantes.

– On ne donne pas ce qu'on n'a pas sur soi, dit-il avec un petit rire dont il enveloppa les billets.

Trois minutes plus tard, il revint et signifia l'heure où une Jeep les attendrait à la sortie du terrain du Club Med. Leur chauffeur répondrait au nom de Roger.

– C'est loin ?

– Dix, quinze minutes.

– C'est long ?

– La cérémonie dure toute la nuit mais vous pourrez partir quand vous voudrez… si personne ne vous…

– Ne vous… quoi ? dit Paula.

– Non… rien…

Et il s'en retourna vaquer à son occupation derrière le bar tandis que la musique de danse se poursuivait.

– Tout est arrangé, déclara Paula. Et en attendant de partir, dans quelques minutes, allons danser tous les quatre. Et on change de compagnie...

Cette fois, les couples furent formés de Blanche et Bill, et de Paula et Johnny. Le guitariste les observait avec un sourire en coin et parfois il échangeait un regard avec le barman. Mais la femme d'affaires ne s'intéressait qu'à son partenaire du moment. Cette danse lui apportait un bien-être qui frôlait l'ivresse et elle ne se retenait pas de le désirer, cet homme nouveau, d'imaginer ce qui se passerait s'ils devaient finir la soirée ensemble. Ce serait l'aboutissement de ce qu'une veillée entre amis à un chalet du lac Poulin dans la Beauce avait amorcé voilà plus de quinze ans.

– Les choses viennent à leur heure, dit-elle tout haut.

Johnny crut qu'elle faisait allusion à leur départ imminent vers l'inconnu et peut-être aussi à la concrétisation de ce désir puissant qu'il savait entre eux. Et il la serra plus fort. Et il frotta son sexe sur sa cuisse pour qu'elle prenne connaissance du message. Un message qu'elle agréa en n'opposant pas de résistance.

Ils ne se dirent pourtant rien. Ni ne virent que Blanche et Bill, sans les imiter, se comportaient de la même manière.

Chacun était survolté quand le groupe partit.

Après le couloir de verre, on prit une porte donnant sur le chemin d'accès à l'hôtel et on l'emprunta sous la lumière des réverbères, de la lune maintenant levée et des étoiles.

On se rendit à la barrière où un garde leur demanda de s'identifier. Il leur désigna le véhicule qui attendait. Pas une Jeep comme prévu mais une camionnette blanche d'un vieux modèle américain: marque International. Une fois à sa hauteur, Paula lui demanda son nom. C'était le Roger annoncé. Il les fit monter à l'arrière, dans la boîte où ils purent s'asseoir sur des bancs de bois, Paula avec Johnny et Blanche aux côtés de Bill. Et le véhicule se mit en marche.

Paula ressentait un certain regret. Sa raison lui indiquait qu'il n'arrivait jamais de meurtres d'étrangers dans cette région mais son cœur battait face à l'inconnu. Son audace lui rapporterait-il une fois encore ou bien courait-on tout droit vers le pétrin ? D'autant qu'elle n'avait pas suivi le conseil du barman et emportait sur elle plusieurs centaines de dollars.

Les arbres sombres enveloppaient le chemin de terre de leurs bras mous dont ils frôlaient le camion parfois en raison de l'étroitesse de la voie et de la faible hauteur du couvert végétal. Ça cahotait. Ça vibrait. Ça cognait. Dur de tenir son équilibre dans de pareilles conditions et des rayons solaires traversant le feuillage éclairaient parfois les couples dont les partenaires se retenaient l'un l'autre de trop bouger.

Au bout de dix minutes, tel que prévu, on déboucha sur une clairière au milieu de laquelle se trouvait un abri de bois, sorte de rafistolage autour d'un gros arbre, sans plancher, éclairé par des torches, devant et sur les côtés duquel se tenaient plusieurs dizaines de personnes qui se dandinaient au son de mini-tambours que frappaient des paumes excessives. Les reflets lunaires et des flammes leur fabriquaient des yeux globuleux éclatés de veines rouges sur fond jaune.

On descendit. On s'approcha en prudence. Personne ne remarqua ces nouveaux venus pourtant remarquables par la blancheur de leur visage dans le flou de la nuit. Soudain des cris perçants se firent entendre. Deux hommes qui en encadraient un troisième aux yeux vitreux, le soutenant par le dessous des bras, avançaient vers une croix de bois plantée sous l'abri dans le sol. Nerveux, regard à l'affût, ils l'y attachèrent avec des cordes puis se hâtèrent de s'éloigner. Une femme entra en dansant. À demi nue, elle transportait un serpent à bout de bras. Le son du tam-tam s'accéléra. Des personnes de l'assistance se mirent à lancer de petits cris.

– J'espère qu'elle ne va pas le faire mordre par le serpent, murmura Blanche.

– Ce n'est sûrement pas un serpent venimeux, affirma Bill d'une voix qui, cependant, laissait de la place pour le doute.

Paula avait le frisson. Tout ça lui paraissait si irréel et fantastique. Ce qu'elle ignorait, c'est qu'il se trouvait là trente personnes et que toutes recevraient plus de trois dollars pour leur participation au spectacle. Argent versé par le barman du Club. Quand des touristes manifestaient de l'intérêt pour le culte vaudou, on leur organisait quelque chose d'intéressant. D'autres blancs bernés se trouvaient plus loin. Et il en viendrait encore d'autres au cours de la soirée. Les organisateurs et le chauffeur de la camionnette pouvaient compter sur une prime. Les touristes repartaient avec des souvenirs inoubliables et les participants se payaient des petites choses avec leur paye. De l'inédit pour les uns et quelques gâteries pour les autres.

La danseuse brandit la tête du reptile devant celle du crucifié qui ne faisait que la hocher à droite et à gauche à la Stevie Wonder. Deux autres femmes s'approchèrent en se trémoussant et se mirent à tourner autour de la victime. Une partie des assistants battaient des mains tandis que d'autres se brassaient les épaules d'un mouvement régulier comme s'ils avaient été en transe.

Venu de nulle part surgit tout à coup un homme masqué et coiffé d'un casque espagnol orné de plumes d'oiseau du paradis. Il agitait une lame luisante dans tous les sens.

– Une machette, dit Johnny à Paula qui se trouvait devant lui avec Blanche.

Le personnage tourna, menaça les femmes qui prirent la fuite et il resta près de la victime avec la danseuse au serpent. Après bien des cris et des feintes agressives, le personnage s'arrêta soudain. Il lança des mots créoles à la danseuse qui, tenant le reptile par la tête et la queue, le présenta pour que le cylindre de son corps soit frappé et entamé par le métal de la machette.

Quand six incisions furent pratiquées, la danseuse colla le serpent ensanglanté sur le corps du crucifié.

— Je déteste tout ça, dit Blanche aux autres.

— Difficile de s'en aller : la camionnette ne va pas revenir avant une heure pour nous prendre.

— C'est les serpents : j'ai toujours peur qu'il m'en grimpe un dans les jambes.

Quelques secondes plus tard, Johnny, pour jouer un tour à sa compagne, se pencha et attrapa un mollet de sa compagne qui lança un grand cri lequel ne fut remarqué par personne puisqu'il se perdit dans le tumulte du rite en pleine évolution.

Le serpent tout ensanglanté fut rejeté plus loin. Le poignard fut promené sur la poitrine du crucifié mais on ne sut pas si le sang qui suivait la pointe de la lame était celui de la victime ou de la pauvre bête tailladée plus tôt.

Plus tard, des femmes tombèrent en pâmoison çà et là. Bien que payées pour donner un spectacle, la plupart d'entre elles finissaient par jouer le jeu pour de vrai. Le tam-tam ne s'arrêtait jamais. Quand un batteur avait les mains fatiguées, un autre tout aussi habile prenait la relève en attendant que les poignets de son collègue retrouvent toute leur capacité. Et l'insistance de ce bruit étourdissait les assistants, engourdissant certaines cellules de leur cerveau.

Des personnes nues entrèrent dans une cuvette naturelle remplie de boue et, sous la surveillance de trois hommes-torches, commença un bain qui vit aussi plusieurs enfants comme participants actifs. Tous pataugeaient, s'enduisant mutuellement de vase gluante et quand un corps était tout à fait recouvert, on l'aidait à se hisser hors de l'ornière géante et quelqu'un d'autre le remplaçait aussitôt.

— Un bain thérapeutique ! opina Bill.

— J'ai toujours peur que le serpent revienne, dit Blanche.

— Blessé comme il l'était, ça me surprendrait, commenta Johnny.

La cérémonie prit un autre tournant après le bain de boue. Un cercueil grossier sans couvercle contenant un corps d'homme habillé, veston noir, chemise blanche, cravate rouge mais aussi un masque blanc, fut porté sur la scène aux pieds du crucifié par six porteurs aux airs de morts-vivants.

Paula ne put s'empêcher de penser à sa mésaventure de la Bolivie et au masque soi-disant inca qui lui avait coûté passablement cher en argent et surtout très cher en dignité.

Une grosse officiante en robe multicolore, bardée de verroteries et de bijoux de pacotille, enturbannée, s'approcha et commença à se lamenter en créole. Mélopée destinée à envoûter et qui eut de l'effet sur le faux cadavre dont les mains gantées de blanc apparurent hors de la boîte et empoignèrent le rebord.

Il y eut alors une rapide discussion murmurée, presque silencieuse, chez les deux couples de visiteurs nord-américains.

– C'est de la foutaise! marmonna Bill.

– On sait jamais, fit Blanche dont la voix mince tremblait quelque peu.

– Mais non, c'est comme la lutte WWF: c'est organisé d'avance avec le gars des vues, jeta Johnny. Qu'en penses-tu, toi, Paula?

– Je suis sceptique mais je préfère agir comme si j'y croyais absolument. Comme ça, je risque moins de me tromper.

– On comprend pourquoi tu es une femme d'affaires, dit Bill.

Au fond d'elle-même, Paula sentait quelque chose de particulier. Une intuition lui soufflait qu'elle obtiendrait réponse à un problème intérieur, problème pas majeur cependant et qu'elle n'aurait même pas pu verbaliser nettement mais qui concernait cet arnaqueur de La Paz. Non, elle n'avait jamais voulu se venger véritablement de lui mais elle aurait bien aimé le neutraliser à tout le moins, l'empêcher de faire du mal à d'autres femmes rendues vulnérables par la distance de chez elles, le mal de l'altitude et la romance.

Soudain, le son du bamboula s'arrêta sec. L'officiante eut un mouvement de recul. La cadavre se redressa brusquement et tourna vivement la tête vers les assistants. Ce n'était pas un masque qu'il portait sur le visage mais une sorte de peinture fluorescente. Et ses lèvres rouges lui donnaient l'air du Joker, l'ennemi juré de Batman et parfaite incarnation du mal et de Lucifer. Il se composa un sourire satanique et le retint fixement sur sa face de clown.

— N'ayez crainte, il ne peut pas sortir de son cercueil, chantonna l'officiante en français et sur des R mouillés. Et nous allons l'envoûter pour qu'il s'y recouche et y dorme comme avant. Et tous ceux qui le veulent peuvent en même temps que moi agir sur une personne… pour l'empêcher de nuire… pour l'amener à des sentiments désirés… Vous n'avez qu'à répéter les paroles de l'envoûtement en fermant les yeux et en croisant les bras comme ceci sur la poitrine…

Elle garda ses mains ouvertes qu'elle posa sur les épaules opposées à la façon d'une momie égyptienne et le rituel commença. Le « cadavre » reprit son sérieux et tenta plusieurs fois de se lever mais il retombait assis à mesure, puis il devint rigide tandis que le bamboula reprenait son roulement.

Six mots furent répétés six fois par ceux des assistants qui n'étaient pas en état de transe.

— Macumba.
— Macumba.
— Padondou.
— Padondou.
— Baliba.
— Baliba.
— O cana.
— O cana.
— Doudounou.
— Doudounou.
— Titide.

– Titide.

À part «Titide» qui désignait un prêtre-politicien bien connu dans l'île, les mots ne signifiaient rien ni en créole ni en aucune langue ou dialecte. Ils étaient le fruit de l'imagination de l'officiante et, comme toute chose inconnue, servaient à la mystification des nonos qui écoutaient et regardaient.

Le cadavre émit alors un grand cri à la Tarzan et il retomba sur le dos dans sa tombe. Ses mains glissèrent sur lui. Il ferma les yeux. Son sort était réglé. Pour un soir ou deux. Les porteurs silencieux vinrent reprendre la boîte qu'ils emportèrent dans la nuit sous les imprécations inintelligibles de l'officiante.

Il fallut secouer Paula pour qu'elle reprenne ses esprits. Elle rouvrit les yeux. On l'entourait.

– Que s'est-il passé ?

Elle se rendit compte qu'elle avait toujours les mains fermement croisées sur sa poitrine et son esprit cartésien reprit alors le dessus. Et son visage esquissa un vague sourire.

– Je ne sais pas trop…

– Tu as vu quelque chose dans ta tête ?

– Oui, je voyais un masque… toujours un masque noir.

La femme pouvait voir que ses trois compagnons étaient mystifiés par son expérience hypnotique. Elle était à leurs yeux la dernière des quatre à pouvoir se faire happer par l'étrangeté du vaudou. Et si quelque chose s'était produit, c'est qu'il y avait quelque chose de bien réel derrière ces rites.

Vivement, Paula fut moins sûre. Peut-être après tout avait-elle simplement réussi à traverser le miroir, comme le disent les écrivains, qui s'absentent de la réalité pour entrer dans l'univers de leurs personnages imaginaires ou dans quelque pays du passé ou de l'avenir ou de l'ailleurs. Toujours fascinée par ces êtres capables de noircir des pages et des pages en faisant évoluer des personnages irréels dans des histoires fantaisistes, Paula avait souventes fois visité les salons du livre de Québec pour s'y entretenir avec des auteurs, et un jour, elle avait même tenté d'écrire son livre à elle comme en ont l'envie un jour ou l'autre un vivant sur trois. Essai éphémère et avorté qui avait duré bien moins longtemps que les pissenlits.

En ce moment, devant les mines inquiètes qui la dévisageaient, elle ressentit une autre forme de pouvoir, celle de l'occulte sur les âmes, même les plus froides. Elle en goûta un certain plaisir. Sur le but de leurs orteils, ses amis attendaient qu'elle les étonne. La symbiose était prometteuse : un besoin ouvert et un produit de l'imagination pour le combler.

Elle inventa sur les dérives de son esprit de la phase hypnotique précédente :

— Je portais le masque noir... J'étais dans un cimetière et... je marchais sur une ligne qui séparait le champ des morts en deux parties... D'un côté, des zombies pourrissants qui me voulaient avec eux et me faisaient des signes... et de l'autre... des anges de lumière qui m'invitaient aussi à les rejoindre... Des hommes, des femmes... tous beaux comme des... comme des dieux...

— As-tu reconnu des visages ?

— Personne n'avait de visage... Ni d'un côté ni de l'autre... Et ça rendait les uns affreux et les autres encore plus merveilleux...

Elle ne put aller plus loin pour le moment dans son récit ; le chauffeur revenait les prendre et son véhicule en marche les attendait au même endroit où ils avaient descendu plus d'une heure auparavant.

— S'il te plaît, ne nous dis pas le reste maintenant, demanda Johnny. Allons prendre quelque chose chez nous et tu nous raconteras tout...

— C'est une bonne idée, approuva Blanche. On a une belle bouteille de champagne au frais.

— Allons-y, dit Bill qui se mit en marche le premier.

***

Chapitre 21

Johnny s'occupa du service tandis que les trois autres jasaient à la table située près de la cloison vitrée donnant sur un balcon qui surplombait la piscine. On pouvait apercevoir au loin les lumières des petits bateaux voguant sur une mer d'encre sur laquelle coulait une rivière de reflets lunaires.

Un ameublement rouge orangé comptait les deux lits et la commode de même que les quatre chaises autour de la table et des tentures orange et noir repliées par le milieu de la porte-patio. Et les couvre-lits présentaient les mêmes teintes. Dehors, chaque balcon était isolé du voisin par un mur de pierres naturelles.

– J'aime bien mieux votre chambre que la nôtre. Hein, Paula ? dit Bill.

– Moi aussi. Elle est plus grande et la vue est bien meilleure. En tout cas de nuit…

– C'est ce qu'on nous a donné. On n'a pas choisi.

Après avoir posé les flûtes à champagne sur la table, Johnny arrivait avec la bouteille couchée dans la glace du bac à trépied.

– On peut dire que la soirée est romantique, vous ne pensez pas ? Un tête-à-tête agréable pour un repas de gastronomes. Un superbe spectacle au *night-club* en compagnie de gens de classe. Une heure de frissons devant une cérémonie vaudou. Et maintenant, champagne, détente et…

Johnny plongea son regard dans celui de Paula en même temps qu'il défaisait le fil métallique de la bouteille et il termina sa phrase :

– … volupté.

La femme acquiesça à demi avec un signe de tête en biais et des paupières légèrement battues. Et le bouchon sauta et de la mousse jaillit du goulot et retomba sur la glace au-dessus de laquelle l'homme tenait la bouteille de Dom Pérignon.

En même temps qu'il vidait du liquide dans chaque verre, il parlait :

– Il y en a trois autres bouteilles qui nous attendent et qu'il faudra vider. Et maintenant, chère amie Paula, si tu nous racontais ce que tu as vu au cours de la transe qui t'a emportée dans un autre monde ?

– Il y avait ce cimetière, comme je vous le disais, et moi, je marchais sur la ligne séparant les bons des méchants, ou si vous voulez, les pourris des lumineux… Et voilà qu'un zombie s'est mis en travers de mon chemin… Et lui aussi portait un masque noir… Et… il a réussi à s'approcher et il a commencé à ronger mon bras… Je ne ressentais aucun mal mais j'avais une peur affreuse. Et là, les amis de lumière se sont approchés et ils ont chassé le monstre… C'est l'éternel combat du bien et du mal, on le dirait bien.

– Fascinant ! jeta Johnny. Et puis on dit que la meilleure personne pour interpréter un rêve, c'est celle qui l'a fait. Peut-être en est-il de même pour quelqu'un qui entre en transe ? Comment expliques-tu ce que tu as vu ? Est-ce que ça correspond avec des événements de ta propre vie ?

– Il faudrait que j'y pense, répondit-elle évasivement.

Elle savait que cet être immonde répondait à la description inconsciente qu'elle s'était faite de Fernando Garcia, que des forces l'avaient écarté des chemins de son esprit et que son souvenir même ne saurait plus lui causer de tort. Et peut-être que, grâce au vaudou, si un vrai pouvoir occulte se cachait derrière ce culte et ses rites, le tombeur de La Paz raterait-il ses prochaines entreprises de séduction, d'abus et d'extorsion !

– Et c'est tout ?

– Ouais, fit-elle en haussant les épaules.

On s'adonna ensuite à de la petite conversation tandis que le champagne engrisait de plus en plus les têtes. L'hôte syntonisa un poste de musique douce et il invita sa femme à danser dans un espace au pied des lits et au bout de la commode.

– Vous venez, lança-t-il à l'autre couple.

– On y va, dirent ensemble Bill et Paula.

Et les deux couples dansèrent langoureusement, ne bougeant que fort peu. Paula ferma les yeux et son partenaire mit son souffle chaud dans son cou où il essaimait des baisers vifs et répétés.

– Paula...

C'était Blanche.

– Hum, hum...

– Et si je te prêtais Johnny, me le rendrais-tu plus tard?

– Certainement!

– Et en retour, me prêterais-tu Bill pour danser et tout?

– Certainement!

– C'est un prêté pour un rendu.

– C'est ce qu'on dit aussi chez nous.

L'échange fut fait et les nouveaux couples continuèrent de danser de la même façon que précédemment sauf que chacun sentait une sensation nouvelle et prodigieuse tournoyer dans sa poitrine. Des lisières de miroir sur le mur renvoyèrent à Paula l'image de Bill et Blanche qui se dévoraient de baisers et elle percevait sur sa cuisse toute la virilité de son nouveau partenaire. Rien au monde ne saurait plus s'opposer à la montée de son désir. Un formidable tourbillon de chaleur montait, descendait, envahissait des régions d'elle-même jamais visitées encore par les appels des sens.

– Je trouve que tu es la femme la plus désirable que j'aie jamais serrée dans mes bras.

Quel adorable mensonge! se dit-elle en l'acceptant par un serrement de sa main sur celle de l'homme.

– Je crois qu'ils se disent des mots doux, chantonna Blanche dans le cou de son partenaire.

– J'en ai aussi pour toi : allons nous étendre sur le lit qui nous attend depuis trop longtemps, lui murmura Bill au creux de l'oreille.

Leurs pas lents les amenèrent jusque près du couvre-lit rouge.

– Ils me donnent le goût de…

– À moi aussi ! répondit Paula à son partenaire.

– Autant se mettre à l'aise tout de suite.

– Hum hum…

– Je voudrais me charger de te déshabiller…

– Pourquoi pas ?

– Et tu feras la même chose pour moi ?

– Pourquoi pas ?

Se parler à mi-voix pour se redire les mêmes choses, souffler les mots, aspirer les silences : la retenue du langage est la plus grande éloquence de l'amour.

Aisément, les mains expertes de Johnny défirent les attaches de la blouse et de la jupe de sa partenaire qui resta en maillot de bain, un deux-pièces blanc. Et avant qu'elle ne le libère à son tour de ses vêtements, il frôla cette peau de velours de ses doigts fébriles que sa bouche ensuite suivit, les lèvres touchant à peine, le souffle léger agissant presque tout seul jusqu'aux épaules puis à la poitrine.

Mais la femme avait envie d'un baiser vigoureux et pas ailleurs qu'en pleine bouche. De ces baisers dont naguère, au temps de la mainmise de l'église catholique sur la morale, on ne pouvait que rêver avant le mariage mais dont on se dévorait ensuite.

Il valait mieux aiguillonner le désir mâle, lui signifier le sien sans le dire autrement que par ses mains. Elle entreprit de défaire sa ceinture tandis qu'il déboutonnait sa chemise, tous deux se faisant déjà l'amour par le regard. Et les bruits de l'autre couple agissaient sur eux comme un puissant stimulant. Le mélange des souffles et des soupirs, des étirements de muscles et de ressorts de matelas, de se savoir, soi et l'homme devenu soi par le lien charnel, dans une situation réprouvée donc un peu dépravée, perverse donc un peu pervertie, tout cela pousse l'excitation jusque dans des limites inconnues, inexplorées, et que, sans ce voyage et ses péripéties jusque-là, sans ces après-midi dorés sur la plage avec un couple de nouveaux amis, sans cette soirée magique à se baigner dans l'interdit d'un culte, sans ce champagne jaillissant et pur qui vous envahit la volonté, une femme rangée écoute ses vieilles peurs, ses atavismes profonds, ses absolus culturels et dédaigne jusqu'à l'horreur l'érotisme convivial. Les gens prospères abhorrent le partage et ne s'y adonnent qu'une fois saouls de ce qu'ils possèdent à condition que leur cerveau soit délié par de nouveaux besoins surgissant des profondeurs de leur âme et de leur chair comme des bêtes affamées bien moins dangereuses que leur apparence ne le dit. Ils délirent comme les poètes qui ne savent plus quoi dire de sensé et se prêtent à des analyses proustiennes aspergées de mots rares et brumeux.

– J'ai envie de toi, j'ai envie, envie…

La femme demande et sa main d'affaires habituée de prendre s'empare de toute la puissance de l'homme qui s'étonne. Et qui se donne. Et qui se tend à faire se déchirer le tissu noir de son sous-vêtement.

Leurs lèvres se trouvent, se heurtent, se tordent de plaisir; elle n'a jamais été embrassée de cette façon, jamais aussi ardemment ou bien avec cet éclatement sans frein de tous ses sens. Il sent bon, il goûte bon, il touche exquisément. Et on n'en est encore qu'au commencement, qu'à la source, à la naissance du ruisseau à devenir torrent puis rivière et fleuve géant s'enfonçant dans une mer immense…

Quand ils se couchent, elle est saisie d'un vertige; cela vient des tourbillons qui l'emportent: celui de l'alcool, celui de la liberté, celui de la nouveauté, celui de l'inconnu, quatre puissants chevaux guidés et entraînés dans le cosmos de la sensualité par un cinquième, le vent de la volupté...

Paula est tout entière à son plaisir ; son besoin est immense mais il est immensément comblé. Son désir est devenu fou mais il est follement nourri. Tandis que l'homme promène ses lèvres sur sa poitrine maintenant à moitié dénudée, son ventre frémissant, sa toison dont une partie est visible, elle ouvre les yeux comme pour respirer aussi par le regard tant son souffle est affamé, et elle aperçoit Bill agenouillé entre les cuisses de sa partenaire, terriblement dur, prêt à plonger dans ce bassin de femme qui s'agite dans la frénésie de la convoitise.

Elle referme les yeux pour entendre Blanche qui émet une plainte sourde, de celles qu'une femme ne peut retenir quand un poignard de chair attendu et voulu ouvre sa voie dans son cocon humide à la recherche des brillances les plus vives, à la recherche de l'extase spirituelle qui accompagne parfois l'extase charnelle. Mais rarement... Si rarement...

Ce son agit prodigieusement sur sa chaleur alors même que son propre partenaire, formidable chef d'orchestre à la mesure d'une symphonie amoureuse, entreprend de la caresser juste au bon endroit, juste au bon moment, en balayant de sa langue cet organe clitoridien si petit mais dans lequel tous ses sens maintenant se sont groupés...

Elle gît, inerte de tout le corps sauf du bassin qui pousse en avant et revient en arrière au rythme du rythme de Johnny, l'homme devenu virtuose, artiste à l'œuvre qui, enlevé par les immenses plaisirs de la créativité, façonne avec sa bouche et ses mains un chef-d'œuvre d'ivresse qui demande l'ivresse, d'excitation qui exige l'excitation.

C'est cela, il lui faut plus, il lui faut la force masculine en elle. Maintenant... Tout de suite...

Non pas... Elle va rendre à l'homme la monnaie de sa pièce, allumer sa substance profonde qui explosera comme ces liquides solides jaillissant des tuyères des fusées sur la rampe de lancement, crachés en tourbillons de flammes blanches, bleues, orange… Alors elle bouge vers lui, qui est à croupetons sur le lit, et elle s'insère sous lui pour le prendre dans sa bouche.

Ses mains prennent les devants pour faire durcir à son maximum cette chose vivante dont elle a la possession et la maîtrise. Et quand au bout de quelques caresses, elle l'embouche enfin, s'établit un courant qui fait circuler dans les deux corps un flot continuel de réactions convulsives. Parfois, elle lui écrase la tête entre ses jambes : il ne s'en plaint pas, ne le sent même pas. Et il lui arrive d'étouffer sa partenaire quand il s'enfonce trop profondément dans sa bouche : elle ne s'en rend pas compte… C'est le règne de la jouissance et le mal s'autodétruit. Dieu partage ces deux chairs, les habite, les électrise ; Lui seul peut le faire…

Sur le lit voisin, c'est un véritable hourvari. Le corps de l'homme frappe les cuisses de la femme dans un bruit de fouet qui claque sur la chair d'un esclave ; la femme investie hurle des obscénités et ses seins ballottés remuent sans cesse ; le mâle exacerbé grogne comme un lion qui chevauche une lionne… Blanche à chaque coup crie. Ses orgasmes se répètent comme les avés d'un chapelet qui appellent la délivrance finale.

Devant l'imminence d'un double éclatement, partie dans la bouche de Johnny, partie dans celle de Paula, les deux corps se meuvent d'instinct, d'un commun accord, d'une même spontanéité et l'homme se retrouve sur elle, en elle. Il navigue…

Bill explose dans une puissante vocifération.

Blanche qui regarde son mari pénétrer Paula atteint des sommets inconnus… et sa bouche s'ouvre et se ferme comme celle d'un être vivant en train d'expirer.

Au même moment, Johnny se répand tout entier dans la chaleur mouillée qui le réclame.

Et Paula échappe une immense plainte impossible :
– Mon Dieu ! Mon Dieu ! Mon Dieu ! Mon Dieu !

Et son corps brûlant tremble comme si un froid polaire l'environnait ; mais elle n'a pas froid et c'est le ravissement qui répand ses vagues incessantes sur sa peau qui ondule.

Le silence étend son pouvoir magique. Il permet aux âmes d'évaluer leur satisfaction. Aux cœurs de mesurer leurs émotions. Aux corps de jauger leurs sensations.

Puis les hommes glissent aux côtés de leur partenaire pour reprendre du souffle. Johnny dira après quelques minutes :

– C'est encore meilleur avec notre femme ensuite.

Il n'en fallait pas plus pour rebâtir les virilités.

Blanche tendit la main vers le lit de Paula et les deux femmes se touchèrent les doigts l'une de l'autre comme pour échanger un consentement que rien, pourtant, ne rendait nécessaire ni même souhaitable ; il n'était que l'expression d'une complicité parfaitement heureuse.

– Fermez les yeux, les filles, et dans dix secondes vous sentirez une nouvelle étreinte, dit Johnny.

Elles jouèrent le jeu et les hommes changèrent de lit. Et bientôt, Paula sentit une autre chair naviguer dans la sienne, d'autres lèvres glisser sur les siennes, une chaleur différente l'envahir…

Qu'elle était loin, la jeune mère de famille de 1972 se rendant à la banque en tremblant pour oser y demander un prêt d'affaires… qui lui serait d'ailleurs refusé ! Qu'elle était loin, la jeune adolescente prude que certains cavaliers avaient baptisée le glaçon ! Et comme il y avait un long temps depuis la lente disparition en elle de la petite jeune qui se laissait parfois toucher la main par un copain du village !

Que de siècles dans un demi-siècle !

***

Chapitre 22

— La vertu ne nous rend visite que sur les ailes de la souf-france. À moins que nous ne consentions à ouvrir nos yeux pour voir la misère humaine qui nous entoure sur cette planète et non seulement la voir, mais pour tenter de la soulager…

Paula écoutait distraitement le prêtre noir qui profitait de la messe pour prêcher les touristes du Club et les inciter à aider son peuple. Elle qui ne fréquentait pas l'église régulièrement dans la Beauce avait voulu réfléchir ce dimanche-là aux diverses étapes de sa vie passée comme cela lui arrivait souvent depuis le début de ce voyage autour du monde.

Le prêtre se faisait discret toutefois et jamais ne demandait quoi que ce soit directement. Et ses allusions étaient enrobées d'un langage philosophique beau et très gentil.

Il y avait une vingtaine de personnes dans la chapelle. Aux côtés de la femme d'affaires, et tout aussi endormi qu'elle, Bill bâillait parfois, le sourire accroché aux lèvres au souvenir de la chaude soirée de la veille avec les gens du Wisconsin. Il ne comprenait pas un traître mot du sermon livré en français avec un fort accent créole par un petit personnage à moitié chauve et portant une moustache et des lunettes qui lui donnaient un petit air débile.

Plus qu'à son vieux passé, c'est aussi à la soirée avec Blanche et Johnny que songeait Paula en regardant fixement le père Josèphe. Elle ne regrettait rien, pas même avec la fin des effets du champagne et du vaudou. Cela faisait partie des expériences qu'elle avait à vivre au même titre qu'à 14 ans, elle avait connu son premier baiser. Et même si tout s'était mal passé, elle n'aurait eu aucun mal à vivre avec ça. Bien plus aisément qu'avec le souvenir de cet arnaqueur de la Bolivie. Mais tout s'était bien passé et Johnny avait laissé en elle une faim nouvelle, une faim agréable qui serait rassasiée ce jour même puisque les deux couples avaient pris rendez-vous et qu'ils se rencontreraient sur la plage et qu'alors, on verrait ce qui faisait envie à chacun.

Ni Dieu ni le prêtre ne dérangèrent son bien-être que seule la fatigue réduisait. Mais après la messe, on ferait la sieste le reste de la matinée, après quoi on irait déjeuner avec l'autre couple puis on les accompagnerait à la plage.

Quand la célébration fut terminée, le prêtre se dépêcha de rejoindre les fidèles auxquels il voulait, avait-il dit dans son sermon, serrer la main et parler de personne à personne pour une meilleure fraternisation. Au tour de Paula, il fut étonné de l'entendre s'exprimer en français :

— Ah ! une dame de ce cher Québec que j'ai visité tant de fois et que j'ai beaucoup aimé et qui compte tellement de nos ressortissants.

Bill intervint aussitôt. Il donna la main au prêtre puis dit à Paula tout en s'adressant aussi à l'autre homme pour le cas où il comprenne l'anglais :

— Je vous laisse parler et m'en retourne à la chambre.

— *Very well!* dit le prêtre. *Have a nice day!*

— *Be sure of it!* dit Bill avec un clin d'œil à Paula.

— Il est très fatigué, dit la femme pour l'excuser.

— Je comprends, je comprends...

Bill quitta les lieux et le prêtre poursuivit :

— Surtout que vous avez assisté à une cérémonie vaudou dans la soirée d'hier : ce n'est pas de tout repos.

— Et comment le savez-vous ? s'étonna Paula.

— Vous savez, le Club Med est un bien petit village.

— Et vous en faites partie ?

– J'en fais partie… en partie. Je viens dire la messe une fois par semaine en cette chapelle. Et si on a besoin de mes services en d'autres temps, je suis toujours disponible. Et comment aimez-vous notre pays ?

– Hélas ! je n'en ai pas vu grand-chose à ce jour. Le vaudou, vous devez le réprouver en tant que prêtre de l'Église catholique ?

– Non, fit-il en haussant les épaules. Le Vatican n'a jamais excommunié personne en raison de ce culte qui ne contrevient pas à la foi catholique.

– Ce n'est pas un culte… occulte ?

– Non, non.

– Le diable n'y est-il pas associé ?

– Vous savez, madame, le diable, tout comme Dieu, est partout. Et il se joue un bien vilain tour quand il se manifeste, car il rapproche les gens de Dieu : il les fait réfléchir sur les notions de bien et de mal.

– Les morts-vivants…

Léger sourire aux lèvres, une voix marchant sur le bout des orteils, le prêtre dit :

– Oh ! vous savez, des zombies, on en trouve des millions en Amérique du Nord. Les gens travaillent pour gagner de sous, encore des sous, et la vie leur échappe…

– La vie ?

– Qu'est-ce que la vraie vie sinon aider son prochain, l'aimer comme soi-même, pas rien que de lui faire des petites charités pour soulager sa conscience mais agir envers lui comme un bon Samaritain ? C'est Jésus qui l'a dit et si peu de gens le mettent en pratique. Et le plus souvent ceux-là mêmes qui se promènent avec la Bible sous le bras. Et on se réclame de Jésus et on revendique des faveurs du ciel sans jamais donner de soi-même à personne. Vous savez, il y a tant à faire ici, en ce pays si pauvre. Mais nous recevons beaucoup du Canada, ça, il faut le souligner, et particulièrement du Québec.

Ce laïus questionnait Paula mais elle ne l'entendit guère. Fatiguée de la veille. Désireuse de retrouver Bill. Hâte de revoir le couple américain. Tant de promesses chocolatées lui tiraient la manche qu'elle n'en avait que faire de ce discours emmerdant inapte à faire bouger la moindre de ses passions.

— On dit aussi que vivre, c'est être passionné… La passion de son pays, la passion de Dieu… on dirait que cela vous caractérise bien, n'est-ce pas ?

— En effet, voilà deux excellentes passions et qui toutes les deux passent par son prochain… et son prochain, c'est celle ou celui à côté de qui on est et qui, à l'évidence, se trouve dans un besoin vital…

La manière la plus élégante de partir pour Paula consistait à dire exactement comme lui et à s'en débarrasser par un chèque. Car à n'en pas douter, c'est ce que le prêtre voulait d'elle avant tout. Fouillant dans sa bourse, elle lui dit :

— Je voudrais bien vous parler plus longtemps, mais j'attends un appel du Canada incessamment.

— Que faites-vous là ? demanda le prêtre qui perdit son sourire à la vue du chéquier.

— Un petit don pour vos pauvres.

— Ah, mais… je ne peux pas accepter… et en même temps, je ne peux pas refuser puisque c'est pour les petites gens… Je n'aurais pas dû vous prêcher comme je viens de le faire. Soyez certaine que c'était sans intention aucune… Je me sens un mendiant.

Elle appuya le chéquier sur le prie-Dieu du banc derrière l'homme :

— Mendier pour les autres, ce n'est pas mendier. Je vous le fais de… mille dollars. C'est à l'ordre de qui ?

— Baptiste Josèphe.

— Tenez.

— Je suis sûr que votre journée sera merveilleuse.

— Je n'en doute pas, dit-elle avec un certain sourire.

Elle tourna les talons. Il soupira :

– Je reconnais bien là la générosité canad… québécoise.

Elle s'arrêta, se retourna :

– Je ne fais pas ce don au nom d'un pays. Il n'y a rien de politique ou de chauvin dans ce geste, vous savez.

– Vous avez raison, je me suis mal exprimé… rien de politique ne saurait entrer dans la définition du mot générosité… bien sûr.

– Bonne journée !

– À vous de même, madame Paula…

Le nom de la femme apparaissait en belles lettres de caractère Tiffany sur le coin du chèque, mais plus que le reste du contenu, la signature disait la richesse. Le père Baptiste que ses ouailles avaient surnommé Ti-Tiste était fort impressionné…

Paula referma la porte de la chambre derrière elle et s'y adossa un moment. Bill devait se trouver aux toilettes puisqu'il n'était pas visible dans la pièce.

– Bill ?

Elle n'obtint pas de réponse. Et haussa les épaules. Il devait être allé au bar en attendant. Ou bien à la piscine et reviendrait dans quelques minutes. Elle n'aperçut aucun papier, pas de message. Tant mieux, elle pourrait parler plus librement au téléphone. Car il lui fallait annoncer à Marc la date exacte de son retour chez elle, simple halte de quelques jours sur le chemin de l'Europe, qui lui permettrait de jeter un œil sur tout, maison et affaires.

Elle marcha jusqu'entre les deux lits et posa sa bourse sur la table de chevet où se trouvait l'appareil de téléphone. Et décrocha le combiné qu'elle raccrocha pourtant car une pensée l'accrochait. « Et si le vaudou agissait après tout ! »

Elle se trouvait une conduite bizarre depuis la veille, imprévue, singulière… Cette volonté d'assister à une cérémonie. Cet échange de partenaires. Cette jouissance excessive. Ce manque de retenue en tout. Passions débridées. Ce besoin d'aller à la messe. Et ce chèque… Tout cela relevait-il du positif ou du négatif, du bien ou du mal, de Dieu ou du diable?

Elle secoua la tête pour chasser cette réflexion et à nouveau décrocha le combiné.

Une heure plus tard, Bill revint.

– Je te croyais accrochée avec le prêtre pour un bout de temps. Je suis allé voir les Stride en attendant.

– Les Stride?

– Oui… Blanche et Johnny…

– Je me rends compte que je ne savais même pas leur nom de famille. Ça me rappelle une chanson des Doors de l'époque de Woodstock, un peu avant, un peu après, je ne sais pas. Ça s'appelait *Hello! I love you. Won't you tell me your name?* Je trouvais ça terrible, ces jeunes qui faisaient l'amour sans du tout se connaître… Peut-être que je n'ai pas vécu ma vie de jeunesse, comme le dirait mon père.

Il y eut discussion philosophique à la table ronde puis Paula annonça qu'elle partirait dans trois jours pour le Canada. Il fronça les sourcils:

– Je croyais que tu resterais plus longtemps.

– Faut bien que je finisse par partir.

– Je… ne suis pas d'accord.

– Mais voyons…

– Tu ne partiras pas avant que…

– Mais Bill…

L'homme se leva et contourna la chaise de Paula. Il glissa ses mains sur ses épaules, sa poitrine et se rendit prendre ses poignets:

– Tu partiras dans dix jours tel que prévu, hein!

Contrariée par ce qui avait tout l'air d'un ordre, la femme voulut mettre les points sur les I:

– J'ai laissé entendre que peut-être je resterais dix jours encore, mais c'est impossible. On m'attend chez moi. Et je dois poursuivre ma route.

L'homme se mit à serrer les poignets de Paula et murmura entre ses dents :

– Eh bien non, chère amie, tu ne partiras pas dans trois jours. On a de nouveaux amis. Une relation plaisante. Tu nous as conduits à une cérémonie vaudou, au lit des Stride et maintenant tu parles de t'en aller. Non, chère Paula, tu ne partiras pas...

Elle tenta de se libérer mais la pression des pouces dans sa chair s'accentua en même temps que la douleur. Mais c'est surtout ce regard noir sous d'épais sourcils tout aussi noirs qu'elle pouvait apercevoir dans son champ de vision périphérique qui l'inquiétait. Elle voulut garder son calme :

– Je ne te reconnais pas, Bill. Un médecin ne fait pas souffrir les femmes.

– Pour guérir un patient, il faut souvent le faire souffrir. C'est un mal pour un bien.

– Mais je ne suis pas une patiente, je n'ai pas à être guérie de quoi que ce soit. Laisse-moi qu'on discute sans violence... Tu me fais mal... Personne ne m'a jamais serré les bras de cette manière.

– Et ça te manquait, chérie.

Elle cria :

– Je ne suis pas une patiente et je ne suis pas patiente non plus : laisse-moi la paix ou je hurle !

Il lâcha les poignets et, vif comme un serpent à l'attaque, il la saisit à la gorge :

– Pour que tu puisses hurler, faudra que l'air passe...

Paula repensa au vaudou. Bill pouvait-il s'être fait envoûter ? Ce n'était pas l'homme qu'elle connaissait. Que lui arrivait-il ? Ou bien s'était-elle terriblement trompée sur son compte ? Elle devait à tout prix l'influencer, reprendre l'initiative...

Comment ne pas prendre panique devant l'inconnu? Car jamais personne ne l'avait violentée, une engueulade entre mari et femme comme il y en a dans toute vie de couple n'étant à ses yeux qu'une chicane de ménage. Mais quand la menace est grave comme maintenant et qu'elle s'exerce sur la volonté de l'autre pour la faire plier ou casser... Il lui fallait gagner du temps, faire semblant de se soumettre, composer avec cette nouvelle donne... La femme d'affaires resurgissait.

— Si tu tiens à moi tant que ça... bon.

Néanmoins, il se mit à serrer et Paula dut faire un effort surhumain pour se retenir de réagir.

— Je te dis que je vais rester le temps que tu voudras...

— Je ne crois pas ça. Tu cherches à gagner du temps. Si je te lâche, je n'aurai plus aucun pouvoir...

— Pourquoi ne pas avoir essayé de me persuader par une autre voie? Par exemple l'amour...

— Tu es de celles qui mènent tout au doigt et à l'œil, de ces féministes qui prennent ce qu'elles veulent quand elles le veulent, qui donnent ce qu'elles veulent quand elles le veulent.

— Peut-être, Bill, peut-être, mais pas en égorgeant les autres...

— Tu m'en diras tant. On ne devient pas riche comme tu l'es sans écorcher, sans égorger, ni sans **étêter** les autres. Et un jour, ça nous arrive et on se surprend et on se rebiffe et on se scandalise... Pas à moi, pas à moi! Eh bien, aujourd'hui, Paula, c'est à ton tour de passer au *cash*, à ton tour...

La femme eut réellement peur pour sa vie cette fois. Cet homme était-il vraiment Bill Boutin, vraiment docteur? Pouvait-il savoir des choses sur elle avant même de la connaître? On avait pu fouiller discrètement ses bagages sur le bateau qui l'avait amenée en Haïti... Tout virevoltait dans sa tête: peur, révolte, horreur, volonté de s'en tirer... Elle n'avait pour atouts que son argent, sa force morale, sa logique... En ce moment, le féminin en elle ne saurait que nuire à sa cause. Il fallait qu'elle parle en homme, en homme...

– Écoute, Bill, hier, j'ai joui comme jamais de toute ma vie. On doit rencontrer nos amis américains aujourd'hui. Je ne veux pas manquer ça parce que j'aurais des marques sur le cou. Finis-en avec tes folies et tes impatiences! On n'est pas au hockey ou sur un ring de boxe, on est des amis qui se payent du plaisir dans les mêmes aventures...

À mesure qu'elle parlait, elle sentait la pression diminuer et pour qu'il la laisse complètement, elle ne s'arrêta pas. Et le mieux pour faire suite était de lui tendre une perche, de lui donner une excuse solide, de le persuader de manière implicite et surtout pas directe que s'il relâchait son emprise sur elle, elle oublierait aussitôt et que leur séjour se poursuivrait:

– Cette satanée cérémonie vaudou, il s'est passé quelque chose en chacun de nous. Je suis sûre que tu n'es pas un homme violent. Ils nous ont bouleversés là-bas sans qu'on ne s'en rende compte. Peut-être envoûtés. Il y avait des forces lucifériennes chez ces gens-là, des ondes infernales... Le sexe que nous avons vécu ensuite, c'était la réponse de Dieu à Satan, j'en suis sûre. Parce que ça ne détruisait personne tandis qu'une chicane entre nous, ça détruit notre relation. Et Satan cherche la destruction, on le sait...

Il relâcha complètement son étreinte mais gémit:

– Je suis médecin. Je suis cartésien. Je ne crois pas en ces superstitions-là.

– Il reste tant de choses cachées à la connaissance humaine. Qui sait ce qui se cache derrière toutes ces incantations d'apparences banales? On a pu nous faire boire quelque chose ici même, au bar... Nous droguer. Tu connais les effets de certaines drogues sur l'être humain.

Bill se mit à caresser le cou, la nuque, le front, le visage de Paula qui, elle, ramassait toutes ses forces intérieures pour contrôler sa réponse. Ça, elle l'avait déjà réussi au cœur même des situations les plus tendues de sa carrière dans les affaires. Un bluff. Une image à soutenir tandis que l'interlocuteur menace de ne pas signer le contrat...

L'homme mentait jusqu'à un certain point et elle le savait d'instinct.

– Je n'ai jamais agi de la sorte envers ma femme, tu sais. On dirait que j'ai perdu les pédales... Dans ma tête, j'avais une image insoutenable, une image réelle qu'hier pourtant, je ne répugnais pas à voir : toi, recevant les hommages d'un autre homme, toi, jouissant par un autre corps que le mien devant mes yeux... C'est terriblement égocentrique de ma part, terriblement possessif... non, ce n'est pas moi, ce n'est pas moi... Tu pourras t'en aller dans trois jours, si tu veux, ou bien dans dix ou dès aujourd'hui, je ne ferai rien d'autre pour te retenir... J'ai mal agi... Sans contrôle de moi-même... Que s'est-il donc passé ? Une force m'y poussait... Mais une autre me retenait tout de même et je ne t'aurais jamais fait vraiment mal... Dieu est le plus fort... Je crois en Dieu... mais je ne crois pas en son intervention dans les choses de ce monde...

Elle se devait de mentir encore davantage que lui et transformer en un événement idyllique – du moins dans les apparences – un incident affreux pour elle :

– Oublions tout ça... sauf qu'il se passe quelque chose en dehors de notre contrôle. Allons nous étendre... J'appellerai au Canada plus tard pour avertir que je ne vais pas rentrer comme je le leur ai annoncé tout à l'heure.

Et en se levant doucement, pour se faire plus éloquente, elle lui frôla le sexe de sa main, sachant que rares sont les mâles à ne pas avoir le cerveau obnubilé par un tel appel.

– Viens... allons nous étendre.

Cette semi-liberté qu'elle entrevoyait maintenant lui donnait une envie irrésistible de courir vers la porte et de se mettre à hurler. Mais il pourrait la rattraper et l'étrangler avant que le secours n'arrive… Non, elle ne devait pas céder à des idées inspirées directement par la peur.

Il la suivit. Paula ôta sa blouse en se disant que sa poitrine aurait un effet apaisant sur lui, par son inconscient qui pourrait aller chercher directement dans sa prime enfance des souvenirs de tétée ou de repos de sa tête sur une chaleur moelleuse, de consolation ou même d'apaisement d'une rage puérile…

Elle se coucha et lui demanda de poser sa tête sur elle. Il obéissait comme un enfant.

– Tu as vu Blanche et Johnny. Ils nous attendent comme convenu cet après-midi à la plage ? Mais ce soir, on va faire l'amour, toi et moi, et rien que toi et moi…

– J'aimerais mieux comme ça.

Elle se dit qu'il avait été saisi d'une crise de jalousie aveugle et à retardement comme cela arrive souvent chez certains hommes violents et fortement inhibés. Le goût du sexe et du champagne lui avaient fait perdre ses inhibitions pour quelques heures puis son vieux démon s'était réveillé… Il fallait qu'elle le calme tout à fait, qu'elle l'hypnotise en quelque sorte et quand elle aurait sa chance, elle déguerpirait et fuirait sa présence à jamais en essayant d'oublier ces mains assassines sur son cou et dont le seul souvenir la remettait au bord de la panique.

Son projet réussit.

Une heure plus tard, ils retrouvaient les Stride à la table du midi. Paula était maintenant en pleine possession de ses moyens. Elle n'en souffla mot et rien n'y parut de l'attentat dont elle avait été la victime même si elle avait un bleu à la gorge, qu'elle attribua à ses ébats de la veille avec Johnny. Entre le repas principal et le dessert, suivie par le regard inquiet de Bill, elle se rendit à la réception du Club et prit les arrangements nécessaires pour le quitter le jour même. Elle ne retournerait même pas prendre ses bagages et on confia à une femme de chambre et à un assistant le soin d'aller les préparer et de les emporter.

De retour à la table, pour rendormir les soupçons de cet homme devenu en elle un ennemi dangereux, elle parla de l'après-midi de plage qu'on avait prévue. Puis elle commanda d'autres digestifs et d'autres encore afin d'étirer le temps et permettre à ses bagages d'être mis dans une voiture qui l'attendrait. On lui ferait signe. La chambre était payée pour trois jours encore. Bill ne serait donc pas dehors.

Il ne lui manquait plus que le prétexte pour faire faux bond. De plus, il fallait qu'elle prévienne Blanche de la dangerosité de ce personnage. Les femmes se rendirent aux toilettes et Paula se raconta.

— Et dire que j'ai fait l'amour avec un homme pareil !

— À qui le dis-tu ?

— La police ?

— Elle ne fait rien en Amérique du Nord, imagine-toi en Haïti !

— Que vas-tu faire maintenant ?

Paula révéla qu'elle s'apprêtait à s'en aller, tout d'abord dans un hôtel de Port-au-Prince puis, le jour suivant, à Montréal, et dit qu'il lui manquait un prétexte pour filer à l'anglaise.

— Je vais t'arranger ça, laisse-moi faire !

— Comment ? Si sa jalousie éclate aussi facilement, c'est toi qui pourrais avoir des problèmes.

— Je te jure : pas avec Johnny ! Il n'a pas peur des mouches ni moi non plus… Non, ça va bien se passer, tu vas voir. Compte sur moi !

Elles s'échangèrent leurs coordonnées. Blanche cherchait divers prétextes et ce ne fut que de retour à la table qu'elle en trouva un solide :

— Les gars, attendez-nous ici, on va à la boutique des femmes. De retour dans vingt minutes… Buvez un daiquiri à notre santé en attendant.

Et elle prit la main de Paula et l'entraîna à sa suite sous les yeux abattus de Bill qui en était maintenant à la phase regret après l'acte violent de la chambre.

Il ne devait plus jamais revoir cette femme.

Pour des raisons qu'il ne parvenait pas à s'expliquer à lui-même, le bon docteur perdait parfois le contrôle quand la contrariété se faisait trop subite et devenait insupportable. Effets, peut-être, de son immense stress professionnel...

***

Chapitre 23

Paula était contente de rentrer chez elle. Comme tous ceux qui reviennent d'un long voyage. Retrouver un univers familier. Voir sa maison tout d'abord. Un simple détail qui vient vous cajoler le regard, comme un chat heureux et ronronnant se frôle à votre jambe en vous apercevant. Les vitres qui brillent et semblent vous sourire comme autant d'yeux bienveillants. Les arbres qui ont l'air de frémir pour exprimer leur plaisir de vous revoir. Et la porte large qui vous rappelle que vous êtes quelqu'un. Quelqu'un de puissant. Quelqu'un de vivant…

Et pourtant, certaines choses ne vous ressemblent plus. Plus tout à fait. Son chez-soi tout comme celui qui le regagne après une absence prolongée a changé. Imperceptiblement, mais il a changé. Et l'âme le perçoit malgré elle. Les choses ont commencé de vous oublier déjà et se sont tournées vers d'autres ondes pour combler leur vide laissé par votre invisibilité.

La femme revenait deux jours avant le moment prévu. Personne ne l'attendait. Elle avait pris l'autobus à Montréal et un taxi de la ville venait de la ramener devant sa porte. Le chauffeur mit ses valises sur le parvis comme elle le lui avait demandé et s'en alla.

Elle sonda la porte : c'était verrouillé comme toujours. D'habitude, on venait ouvrir sans qu'elle n'ait à sonner, Maryse et Albert ayant développé un sens de l'ouïe et du timing remarquable leur permettant de « sentir » son arrivée et les pressant de venir ouvrir.

Elle pensa sonner puis changea d'avis et fouilla plutôt dans sa bourse à la recherche de sa clé. Les portes du garage étant fermées, elle ne savait pas si le couple français se trouvait là. Quant à Marc, il devait sûrement travailler à son studio à cette heure-là de la demi-journée. En tout cas, sa petite voiture rouge ne se trouvait pas à la maison puisqu'il la laissait toujours dehors.

Bientôt, elle fut à l'intérieur avec ses bagages. Toujours pas âme qui vive. Il y avait une odeur pourtant. Pas coutumière. Chimique et peu agréable. Par réflexe, elle se regarda et défit des plis imaginaires de son inséparable ensemble en denim afin de paraître à son mieux. Dans la salle à manger sur la droite, tout avait l'air d'étinceler. On avait déplacé un vaisselier et un appareil de télévision. Sans grande importance ! pensa-t-elle. La porte donnant sur l'escalier menant à la piscine était à peine entrebâillée. Elle passa son chemin tout droit en appelant les serviteurs qui ne répondaient pas et elle se rendit à son bureau où elle trouva un désordre qui lui déplut. Plein de livres sur son bureau même. Et d'autres par terre devant les étagères de la bibliothèque. Sans compter une odeur de vieux tabac fort désagréable.

Elle retourna à la porte et la referma en la verrouillant de l'intérieur comme souvent quand elle désirait se servir de son système de surveillance électronique. Mais au moment d'ouvrir le tiroir où se trouvait le bouton de contrôle permettant de faire apparaître la console de commande, une idée bizarre lui traversa l'esprit. L'existence même de ce système lui parut d'un ridicule total. Ça lui sembla provenir d'une paranoïa pure que de contrôler ainsi les allées et venues de tous dans cette demeure. De l'esclavage psychologique sous le couvert de la protection de sa personne sous le prétexte de la richesse qui attire les cambrioleurs…

D'un autre côté, il y avait ce désordre qu'on ne se serait pas permis sachant qu'elle se trouvait dans le décor. Mais le problème vu d'un autre angle la forçait à se dire que les Français ignoraient l'existence de la console d'espionnage. Du moins, le pensait-elle. Marc avait pu la révéler en son absence. Elle chassa ses idées contrariantes par une autre plus rassurante : le recul la rendait trop critique envers elle-même.

Cependant, elle referma le tiroir qu'elle venait à peine d'ouvrir et pensa aller à la piscine où devaient sûrement se trouver les Français. Car ils y faisaient quelques longueurs tous les jours avec sa permission et sa bénédiction. À moins qu'ils ne se trouvent en ville à faire des courses.

Elle emprunta l'escalier et put se rendre compte en descendant que l'odeur mauvaise s'accentuait. Et quand l'image d'une partie de la piscine lui apparut en bas, elle vit qu'il ne s'y trouvait pas d'eau et même que le ciment avait été décapé. Des voix lui parvinrent et ça la rassura. Quand elle ouvrit, tout un chantier lui apparut. On avait entièrement décapé le ciment et de la poussière était répandue tout partout. Maryse était à genoux en train de frotter la tuile entourant la cuvette tandis que son compagnon se trouvait dans l'atelier voisin auquel donnait accès un petit couloir.

– Madame Paula ! s'exclama la femme française en se relevant. On vous attendait seulement après-demain.

– Contretemps, fit l'autre en balayant les environs de ses yeux étonnés.

– Albert, madame est arrivée ! lança Maryse en direction du couloir.

L'homme s'amena aussitôt, sourcils froncés. Il dit d'une traite sans laisser parler Paula avant d'avoir terminé :

– Bienvenue chez vous, madame ! Comme vous le voyez, on ne vous attendait pas aujourd'hui. J'ai pris la décision en accord avec monsieur Marc... de repeindre la piscine et si vous n'étiez arrivée qu'après-demain tel que prévu, vous n'auriez pas vu la différence.

La vérité, c'était que l'avant-veille, Marc et des amis étaient venus et avaient fait la fête autour de la piscine. Ils avaient bu, fumé de la mari et s'étaient amusés à se barbouiller à l'aide de peinture en aérosol, bousillant par la même occasion l'ancien revêtement vert. On pouvait nettoyer la tuile mais pas la peinture qui elle, ne résistait pas au décapant. Pour éviter des problèmes, autant à eux-mêmes qu'au fils adoptif de leur patronne, le couple avait décidé de faire une toilette en profondeur des lieux, se fiant aux trois journées de réserve pour y parvenir à l'insu de Paula.

— Et pourquoi, s'il n'y a pas de différence? D'ailleurs, la dernière peinture ne datait pas de loin et n'était pas si abîmée, il me semble…

— Quoi de mieux au retour de sa propriétaire qu'une maison en parfait état? dit Albert dans une emphase souriante.

Paula pensa au ménage à faire dans son bureau.

Elle ignorait que Marc avait créé ce désordre avec ses amis et qu'il avait même ordonné au couple de ne pas y mettre les pieds avant la veille du retour de sa mère. D'un commun accord, Maryse et son compagnon avaient pris la décision ferme de ne pas se battre contre le jeune homme et de taire ses frasques. Du moins pour l'heure. Car si Paula était mise en demeure de choisir entre eux et son fils adoptif, nul doute qu'elle se verrait forcée de le protéger, lui, et pas eux.

— Bien contente de vous revoir! Vous prenez toujours des décisions raisonnables et réfléchies et je ne discute celle-ci que par réflexe de femme d'affaires. Oubliez ça!

— Je me dépêche d'aller préparer le repas, dit Maryse.

— Non, non, n'en faites rien, je vais appeler Marc et s'il peut se libérer, on va aller au restaurant.

— Comme vous voudrez!

Le jeune homme se montra d'une attention toute particulière envers sa mère. Il comprit vite que les Français s'étaient tus à son propos. Mais il ne les admira point pour leur attitude magnanime et se promit de leur en faire baver encore davantage quand Paula repartirait.

Ce jour-là, Paula rejoignit tous ses enfants par téléphone. Nathalie et son frère lui rendirent visite au cours de la soirée. Chantal viendrait dans les jours suivants.

Elle vérifia l'ordre de toutes ses affaires et se renferma souvent dans son bureau afin de revoir par le souvenir cette première étape de son périple autour de la boule. Ce n'était guère reluisant pour une femme avisée comme elle était censée l'être, mais fort enrichissant tout de même. Oui, on avait profité d'elle en Bolivie, à Cuba, en Haïti mais elle profiterait à son tour de ces échecs comme elle avait toujours su le faire au monde des affaires, convaincue comme bien d'autres que l'un des ingrédients fondamentaux du succès consiste en l'utilisation maximale des revers de fortune.

Un soir, Grégoire lui téléphona. Chaque fois qu'elle pensait à lui, elle se remémorait cette soirée d'horreur où elle l'avait surpris au lit avec une autre. Mais plutôt que d'exploser, elle avait retenu ses nerfs puis enfoui dans le coin le plus sombre de son âme cette image insupportable. Il est vrai qu'elle avait fait passer bien des choses avant lui ces quelques années avant sa trahison : des semaines à faire des affaires, de la politique, à courir à Québec, Montréal, Paris, New York, à transiger, à tâcher de ne pas nuire à l'épanouissement des quatre enfants. Et lui ne l'avait pas supporté. Même scénario vécu par tant de femmes négligées par leur monstre de travail et d'ambition de mari. Certes, elle lui avait pardonné, mais pas tout à fait et souvent la vieille cicatrice lui donnait du souci et de la peine.

Ce soir-là, la voix ne l'irrita point comme toutes ces années entre sa tricherie et leur divorce. Elle se sentait à égalité après ces drôles d'aventures au loin ces derniers temps.

– T'as fait un bon voyage ?
– Assez dur.

– Ah ?

– Cuba surtout…

– La maladie, il paraît ?

– C'est ça. Et puis des amies qui m'ont un peu déçue.

– Comment ça ?

Elle raconta son séjour à Cuba par le détail mais ne dit pas grand-chose du reste malgré ses questions. Elle n'avait pas envie de lui raconter comment on l'avait trompée et puis sa vie sexuelle ne regardait qu'elle et surtout pas son ex.

– Et toi, Sylvie ?

– La vie continue… Elle travaille ce soir. J'en profite pour prendre de tes nouvelles. Remarque qu'elle sait que je t'appelle, hein !

Elle rit :

– Je n'en doute pas. D'ailleurs, de nos jours, les conjoints libérés n'ont plus de comptes à se rendre.

Soudain, il lui posa de but en blanc une question qu'il ne lui avait jamais posée :

– Tu m'en veux toujours pour la vieille histoire avec Suzanne, hein ?

– Bah ! j'ai appris que la vie, c'est souvent une question de circonstances. Généralement, on le fait pas exprès pour se tromper.

– Tu m'enverras une carte de temps en temps.

– J'essaierai.

Quelques banalités de plus, des bonnes nouvelles au sujet des enfants mais pas un mot quant à Marc, et on raccrocha.

Reculée sur sa chaise, Paula faisait glisser un coupe-papier entre ses doigts tout en réfléchissant. Elle s'imaginait dans la soixantaine, à sa retraite et jardinant derrière sa maison… Sauf que cette maison n'était pas celle où elle se trouvait mais l'ancienne où elle avait vécu de grandes années de son jeune ménage et où vivait Grégoire avec l'autre femme de sa vie…

Elle dut secouer la tête pour revenir à la réalité et à toutes ses limites.

Souriante, elle prit le téléphone et composa le numéro de son amie Michelle à Montréal, pensant :

« Une chaumière et un cœur... Imagine ça, ma vieille, imagine ça ! »

Rien ne transparut de la sourde querelle opposant Marc et le couple français de tout le temps que Paula fut à la maison et la veille de son départ, elle s'entretint avec son fils adoptif afin de le sonder quant à ses orientations sexuelles suite au souvenir des propos que lui avait tenus Albert sur le chemin de Montréal quelques mois plus tôt. Elle ne voulait pas le condamner mais le mieux comprendre et surtout l'empêcher de devoir mentir à cause de sa peur du préjugé.

Il vit venir les questions et sut dissiper ses doutes.

Et il parla d'une jeune fille qui lui servait de modèle et qui prolongeait ses visites à son studio...

Paula partirait pour l'Europe l'âme en paix.

***

Chapitre 24

Paris dégagée. Paris irisée. Mais Paris libérée… de sa couverture nuageuse… grâce à sa propre lumière. Paris : lumières. Paris-lumière…

Paula rêvassait dans une sorte de somnolence, le regard pâteux comme celui d'un zombie, la tête dans le hublot du jumbo-jet.

C'était comme si elle avait devant elle à la fois son âme et sa maison.

Paris qu'on ne saurait imaginer autrement que du sexe féminin par-delà l'indécision des grammairiens à ce sujet. Car Paris-mode. Car Paris-parfum. Un tout Paris glorieux. Et Paris-beauté. Et aussi un petit côté masculin comme dans toute femme désirable : Paris-champagne ; Paris-Hugo ; Paris-Pivot…

Une bourgeoise à Paris sait-elle seulement que le reste du monde existe ? Et puis le reste du monde a-t-il besoin d'exister quand on possède la richesse et Paris ?

Comment oublier ce voyage dans cette ville tout juste après son coup d'audace qui l'avait catapultée au sommet qu'il lui était possible d'atteindre en cette époque, quasiment au début de sa carrière dans les affaires ? Pas de caméscope en ce temps-là mais tous les détails du voyage étaient restés gravés dans sa mémoire. Clairs et nets. Et beaux. Et excitants. Présenter les produits de l'érable aux clients d'Europe. Concurrencer l'Italien Gabriel Riana et le battre à plate couture pour ensuite absorber sa compagnie et faire de l'homme son directeur des ventes : quel triomphe pour une petite femme d'affaires née dans un minuscule village au cœur du monde rural au sortir de la grande crise économique des années 30 !

Toutefois, ces plaisirs de l'ego avaient perdu beaucoup d'intérêt avec le temps, les victoires s'accumulant. Elle cherchait autre chose maintenant. Quand on n'a plus besoin de boxer, on perd le goût d'enfiler les gants.

Dans la première partie de son voyage, elle avait pris des photos mais n'avait pas utilisé de caméra vidéo. Mais durant son séjour chez elle, aidée par son fils adoptif, elle s'était procuré un nécessaire du dernier cri pour filmer la suite. Et le jeune homme avait réalisé pour elle un montage à l'aide des photos prises en Amérique du Sud et aux Antilles afin de démarrer sur pellicule selon la chronologie des pays visités le continuum de son long voyage.

C'est en France qu'il lui fallut s'habituer à traîner cet attirail. Par chance, elle disposait souvent d'un chauffeur, ou bien, à l'occasion, se joignait à un groupe d'Américains ou de Canadiens pour quelques heures et trouvait une âme charitable pour tenir la caméra un moment afin qu'elle puisse se trouver sur le film.

Malgré les connaissances faites en cours de route, quasiment des amis parfois, elle se sentit seule tout le temps qu'elle fit l'Europe. Seule devant Notre-Dame de Paris. Seule au Louvre où elle s'y compara à la Victoire de Samothrace : de grandes ailes et pas beaucoup de bras pour le moment... Seule devant *La Joconde*, dans la tour Eiffel, au Père-Lachaise, à Versailles. Seule dans les châteaux de la Loire, à Monte-Carlo. Seule au milieu d'un groupe de joyeux Québécois à un bistrot de Paris à son retour dans la capitale.

Seule en Suède.

Seule en Finlande.

Au Danemark.

Durant ces semaines, pas grand-chose ne resterait imprimé dans sa mémoire et heureusement qu'elle traînait avec elle ce caméscope 8 mm de Sanyo, pas trop lourd et qui ne demandait pas trop d'éclairage pour capter les images voulues et les bien capturer.

*

Au mois d'août, Christian reçut un paquet de sa mère. Julie, jeune femme qui partageait maintenant sa vie et son logement, l'ouvrit pour lui tandis qu'il se trouvait encore au travail aux étables de son père malgré l'heure tardive. Il y avait quatre vidéocassettes et une lettre qu'elle n'osa ouvrir.

– Elle me demande de faire copier les films sur cassettes VHS et de donner un exemplaire à chaque enfant, dit Christian quand à son retour il eut pris connaissance de la lettre et des instructions qu'elle contenait.

– Bizarre qu'elle ne s'adresse pas à Marc, son homme de confiance, dit Julie qui ne faisait que répéter ce qui se disait parfois.

– Et c'est plus son domaine que le mien. En tout cas, un chèque couvre trois fois ce que ça va coûter. La mère est généreuse comme toujours...

– Ou bien elle est orgueilleuse et ne veut rien devoir à personne.

– Julie, c'est de ma mère que tu parles.

– C'était pas méchant de ma part...

Images des pays visités : personnes, amis, connaissances, groupes, paysages, monuments, sites historiques ; en tout près de huit heures.

Personne n'en visionna plus que des parties. On a beau aimer ses parents, on ne veut pas tout savoir d'eux. Et puis chacun avait trop à faire, trop à voir... Ses propres richesses, ses propres petites misères, ses amis, ses connaissances et même ses paysages de la vallée; et ses amours, et ses déplacements, et son travail, et sa sexualité, toute sa vie quoi!

Personne sauf Grégoire qui mit de côté plusieurs soirées de hockey et s'enferma dans ce bureau où il lui arrivait de retrouver l'âme de sa Paula de naguère, celle qu'il avait aimée. Poussé par la curiosité et une certaine nostalgie, il voulait voir aller la Paula de maintenant à travers le monde. Et même questionner ses agissements à travers ses essoufflantes pérégrinations à la Shirley MacLaine.

Sous prétexte de ne pas priver Sylvie et Lucie de leurs émissions de télé favorites, il avait fait installer téléviseur et magnétoscope dans ce bureau qu'avait occupé si longtemps son ex-femme avant de se faire enlever par d'autres valeurs et une certaine mégalomanie.

Personne, pas même Paula, ne songea que si la tâche de copier les cassettes avait été confiée à Christian, c'était que les chances étaient bien meilleures que l'une d'elles atteigne Grégoire...

Le 20 septembre, Paula revint chez elle, mais pour seulement quatre jours. Si la première partie de son voyage lui avait laissé dans la bouche un goût de cendres, voici que l'Europe n'y laissait qu'une saveur fade, neutre, drabe.

Peut-être que de partir pour un paradis du bout du monde lui apporterait-il davantage? Tahiti, les vahinés, les fleurs, les montagnes, les Brando, les paysages peints par Gauguin, le soleil et la *dolce vita*... peut-être et sans doute; mais Tahiti qui vous met dans de nouveaux sillages, Tahiti de la renaissance, voilà ce que son inconscient désirait...

***

Chapitre 25

Pacifique Sud, Polynésie française, un monde qui donne naissance aux plus beaux rêves exotiques. On était le 26 septembre, ce jour où l'avion dans lequel voyageait Paula survola les eaux vertes et les plages aux courbes gracieuses de l'île de Tahiti.

À sa descente d'avion, elle fut accueillie comme les autres touristes par un flamboyant comité de réception formé de vahinés se déhanchant sous leurs jupes de paille, leurs colliers à fleurs et leurs soutiens-gorge à bonnets de cuir noir. Quelques minutes plus tard, elle-même décorée d'un collier traditionnel quittait l'aéroport dans une voiture-taxi qui la conduisit à l'hôtel Ibis au cœur de Papeete.

Le chauffeur, un insulaire dans la vingtaine, répondit à quelques-unes de ses questions sur la ville. Pourtant le plus grand centre administratif et commercial de la Polynésie française et capitale de surcroît, Papeete ne compte pas cent mille habitants. Paula pensa à Sherbrooke et à Trois-Rivières.

Ce premier contact avec les lieux ne produisit pas sur elle un très gros effet de dépaysement. Même langue. Rues européanisées ou américanisées selon le point de vue... Banque de Polynésie. Bijouterie. Pâtisserie. Boutique de caméras. Cafétéria. Des noms comme dans toutes les villes : Seiko, Rolex, Honda, Toyota...

Paula prévoyait rester au moins six semaines en Polynésie, peut-être huit et rien d'autre d'avait été planifié d'avance. Là-bas, elle ne risquait pas de manquer de place pour se loger puisque, pour le cas où tous les hôtels seraient pleins un jour ou l'autre, on lui trouverait un gîte chez des habitants des environs : c'était la ferme assurance que l'agence de voyages lui avait donnée.

Une cinquantaine de jours pour visiter une dizaine d'îles, elle aurait tout son temps. D'un film publicitaire, elle avait retenu ce conseil : prenez le temps qu'il faut et la Polynésie vous le rendra au centuple en plaisir, en bien-être, en détente. Elle savait aussi d'avance que la population locale est exceptionnellement amicale et accueillante, ce qui la mettrait donc à l'abri de la solitude comme elle l'avait connue en Europe ou des prédateurs comme elle en avait rencontré en Bolivie et en Haïti. Personne ne la choisirait. Si d'aventure quelqu'un d'intéressant devait croiser son chemin, elle l'interpellerait à son heure et à son gré. Fini pour elle à tout jamais, la femme-proie dans l'odorat des chasseurs mâles !

Elle prit tout d'abord vingt-quatre heures pour absorber le décalage horaire et installer sa pensée et ses affaires dans ces lieux nouveaux, ce climat différent, cet air doux et vivifiant, ces bruits plutôt feutrés par rapport à ceux des villes nord-américaines. Puis elle voulut voir la mer. C'était mercredi. Il y avait cinq à dix minutes de marche entre l'hôtel et la plage de sable noir. On lui conseilla de se louer une bicyclette ou un scooter le temps qu'elle passerait à Papeete et même d'en louer à chaque île qu'elle visiterait, vu les distances réduites et l'aisance avec laquelle tous circulaient sur ce genre de véhicules. Sans compter son clin d'œil à un environnement relativement bien protégé par comparaison avec la plupart des régions habitées du globe. Et c'est donc sur un vélo à panier rempli de ses affaires, petit parasol, couverture et sandales, qu'elle se rendit à la plage, se rappelant tout au long de son chemin la bicyclette de cette pauvre Marie Sirois dont la veuve du temps de son enfance s'était servie pour mendier et même pour transporter à l'occasion ses trois filles et elle-même de sa maison jusqu'au village pour assister à la messe du dimanche.

Du soleil, Paula en avait en quantité sous la peau, aussi se tailla-t-elle une place à l'ombre d'un cocotier penché, de ceux qui formaient un rang au fond de la grève. Elle avait emporté un livre. Un roman de Barbara Taylor Bradford intitulé *Tout à gagner*. Tout d'abord, elle appuya sa bicyclette à l'arbre puis leva la tête pour savoir s'il ne s'y trouvait pas quelque noix de coco risquant de lui tomber sur la tête.

– Elles sont attachées solidement, dit une voix masculine derrière elle.

La femme se tourna et vit dans le soleil un homme barbu d'environ 40 ans. La voix légèrement nasillarde, il répéta :

– Il faut quasiment un ouragan pour les faire tomber, soyez tranquille.

– Ah, bon !

– Je suis un habitué des îles et je n'ai jamais vu personne se faire briser le coco par une noix de coco.

Il portait un pantalon effrangé aux chevilles sur des sandales de cuir et un chandail à larges rayures noires.

– De toute façon, j'ai la tête pas mal dure.

– Non, ça, je ne le croirais pas. En tout cas, on ne le dirait pas...

– Et si on se présentait ? Je suis Paula Nadeau, Canadienne...

– Et moi Jean-Paul Lavalier, un maudit Français de 45 ans. Skipper et globe-trotter.

Ils se serrèrent la main.

– Moi, je suis globe-trotter mais pas skipper.

– J'ai mon bateau par là... Tous les jours, je marche comme ça sur la plage et j'ai tout de suite vu que rien ne vous était bien familier par ici.

– Si vous m'avez vue arriver à bicyclette, vous avez dû vous demander comment j'avais pu faire pour me rendre sans me faire tuer. Je n'étais pas montée là-dessus depuis vingt-cinq ans au moins.

– Les automobilistes sont habitués aux cyclistes et très respectueux des lois.

– Je vous ai entendu vous présenter comme un « maudit Français » : est-ce à dire que vous connaissez bien le Québec ?

– Tout à fait. Assez en tout cas pour savoir qu'on nous appelle ainsi par chez vous. J'y ai passé une année entière en 1986.

Paula bougea pour le mieux voir et lui en profita pour la toiser. Bien conservée pour une femme de cet âge, se dit-il. Un pantalon blanc qui lui moulait les formes et une chemise rose nouée à la taille rajeunissaient la femme d'affaires et lui donnaient l'allure d'une actrice en vacances.

– Je ne suis pas agressive envers les Français, bien au contraire : deux d'entre eux travaillent pour moi et ils sont d'une compétence et d'un respect à toute épreuve.

– Heureux de vous l'entendre dire ! Eh bien, nous voilà déjà sur une même longueur d'onde… Laissez-moi vous renseigner sur les îles à visiter et la meilleure manière de le faire. Ou peut-être attendez-vous quelqu'un ?

– Non… Et soyez le bienvenue : vos connaissances me seront sans doute de première utilité dans les semaines à venir.

– Est-ce à dire que vous passerez plusieurs semaines à Tahiti ?

– Et dans les environs : sans doute huit. Je veux rentrer chez moi pour la période des fêtes.

Elle prit sa couverture qu'elle déploya sur le sable à l'ombre du feuillage. Il fut le premier assis : un peu en retrait et en plein soleil. La femme prit place à son tour.

– Bravo ! Vous êtes quelqu'un qui sait voyager. On ne saurait voir suffisamment bien la Polynésie française à moins d'un mois. Il y a toutes ces îles à visiter. Tahiti tout d'abord. Puis Moorea pas loin, à juste vingt kilomètres. Ensuite Huaine.

Et Bora Bora. Et Rangiroa. Et Manihi. Chacune possède son charme bien particulier. Vous savez, c'est un des rares endroits au monde où les gens réussissent à bâtir et renouveler constamment un délicat équilibre entre les coutumes locales traditionnelles et les avantages de la vie moderne. C'est un peu comme si vous viviez dans le Québec de 1950 mais avec le confort de 1990.

Assise, jambes repliées, verres fumés sur le bout du nez, Paula remerciait le sort de lui donner cette compagnie juste au début de son séjour en Polynésie. L'homme lui apporterait beaucoup de connaissances utiles, elle n'en doutait pas. « Celui-là, il sait voyager ! » aurait dit grand-père Joseph.

— Et que savez-vous du Québec de 1950 ?

— On m'en a beaucoup parlé quand j'étais là-bas. Pas une grande différence avec la province française.

Le temps passa dans l'agrément. Paula ne vit pas les bateaux sur la mer, les baigneurs, les pêcheurs et les autres amateurs de soleil étendus çà et là sur la plage. Chacun raconta une partie de son tour du monde sans toutefois aller dans les détails embarrassants. Chacun sut que l'autre n'avait personne de particulier dans sa vie pour le moment et l'information glissa naturellement dans la conversation. Et comme il l'avait promis, il lui donna une foule de renseignements sur les îles et leurs richesses. Elle s'intéressa tout spécialement aux industries locales qu'elle aurait tout loisir de visiter selon lui. Au bout d'une heure, il consulta sa montre et s'excusa :

— Je vous empêche de lire votre livre et puis je dois partir. Une petite réparation à faire au bateau…

— Je croyais que le temps n'avait pas d'importance pour vous ?

— Il n'en a pas. Je peux rester ici jusqu'à demain. Mais vous n'aurez rien lu et je suis sûr que madame Bradford est à la longue plus intéressante que moi.

— Peut-être pas ! fit Paula, taquine.

– Mais je dois avouer que le soleil commence à me taper sur la tête. Je suis le plus souvent au soleil mais jamais sur une longue période de temps.

– Changeons de place alors !

– Et votre peau ?

– Comme vous voyez, elle garde des résidus de l'Amérique du Sud et des Antilles. Et tiens, je vous fais une place sur ma couverture, elle est grande en masse.

– OK d'abord, comme vous dites au Québec !

Ils prirent place en parallèle et en face à face, jambes repliées et mains croisées autour des genoux. Le vent du large poussait des pointes parfois et alors il soulevait la barbe de l'homme et des mèches de cheveux de Paula.

– Il est rare qu'une femme voyage seule, dit-il plus tard. Il faut sûrement un caractère… disons hors du commun, n'est-ce pas ?

– Depuis l'enfance que la vie m'a mise au gouvernail de quelque chose, j'ai l'habitude. Et puis j'en connais dans le monde des affaires qui me trouvent un caractère de cochon… On est ce qu'on est.

Il la fit parler de son ascension professionnelle. Elle le fit sans façon en toute quiétude, en toute assurance, en toute liberté. Mais alors qu'elle parlait de Gabriel Riana, un bruit se fit entendre en même temps qu'un coup de vent plus vif que les précédents traversait la plage. Et voici qu'une noix de coco soudain détachée de l'arbre frappa l'épaule de Jean-Paul et rebondit sur le sable un peu plus loin.

– Aïe ! dit-il en grimaçant de douleur et en se touchant là où ça faisait mal.

– J'espère qu'il n'y a pas une fracture de clavicule.

– Non, c'est seulement une douleur musculaire. Un bleu pour quelques jours, c'est tout. C'est la première fois que je vois ça. Je pensais que ça ne se pouvait pas et voyez ce qui arrive.

– Si vous étiez parti tout à l'heure, je pense que c'est moi qui l'aurais reçue sur la tête. Sais-tu qu'après une pareille aventure, on pourrait se tutoyer. Mais avant, il faudrait se déplacer pour ne pas risquer de se faire assommer.

– Je connais un bon petit restaurant pas loin de la place du marché, on y va? C'est une invitation.

– Et pourquoi pas?

– Et par la suite, si tu en as le goût, nous irons voir mon bateau.

– Je veux bien.

Elle se releva et ramassa ses affaires. Il prit les guidons de la bicyclette tandis qu'elle rangeait ses choses dans le panier et on se mit en marche lente vers la destination prévue.

– On se sent bien par ici. Tout est calme et vivant à la fois...

– Les gens prennent le temps de vivre. Comme disent les intellectuels, ils donnent le temps au temps...

Après deux minutes de propos légers, elle l'interrompit soudain:

– Attends, je reviens tout de suite.

Elle rebroussa chemin et il put la voir retourner près du cocotier où elle ramassa la noix tombée qu'elle ramena avec elle et mit dans le panier sur la couverture:

– C'est pour le souvenir.

– Un accident est si vite arrivé.

– Et un miracle aussi!

Ils rirent de bon cœur et atteignirent la route qu'ils traversèrent sans peine malgré l'absence de feu rouge, des automobilistes s'arrêtant pour les laisser passer. Et ils entrèrent dans le quartier commercial où se trouvaient le marché et l'hôtel Ibis.

Elle en sut davantage sur lui. Son voyage durait depuis dix ans et il voulait le continuer encore au moins dix autres années. Il avait été marié naguère. Père de deux enfants dans la ving-taine, il retournait chaque année en France pour les fêtes de fin d'année. Et il y séjournait chez sa fille à Paris la moitié du temps et chez son fils en province le reste des vacances.

– Sans vouloir être indiscrète, comment fais-tu pour survivre ?

– Oh ! comme d'autres aventuriers par le passé, je vends le récit de mes voyages à des revues. Je fais beaucoup de photos et de film que je vends aussi. Et puis je suis un incroyable pique-assiette. Partout, les gens m'invitent à partager leur repas. Ça leur apporte la présence du globe-trotter que je suis et moi, ça m'aide à vivre. Et pas rien qu'à me remplir l'estomac, aussi à me sustenter… psychologiquement. Au Québec, par exemple, ça m'a coûté très peu pour me nourrir. Je ne dirai pas que vos gens sont plus généreux qu'ailleurs, mais quand il est question d'inviter à leur table, ça, on peut compter sur eux. Les Québécois aiment recevoir les gens. Ils sont comme ils disent eux-mêmes très « recevants ».

Sur la rue, pas mal de gens se déplaçaient en bicyclette ou en scooter à travers une circulation automobile plus que raisonnable pour cette heure de fin d'après-midi. Et sur le trottoir, on pouvait croiser des piétons souriants, insulaires ou autres, et qui n'avaient pas le front creusé par des rides horizontales ou obliques. La détente qui se pouvait lire sur leurs visages, leur façon de parler en agrémentant leurs propos de petits rires vifs et un peu enfantins produisaient de l'effet sur le stress qui n'avait pas encore quitté les nouveaux venus comme Paula. Mais son nouvel ami l'aidait déjà grandement à franchir la porte donnant sur le paradis du bien-être physique et mental qui avait séduit tant de gens par le passé, dont quelques célébrités : Marlon Brando, le peintre Gauguin, Jos Dassin.

Jean-Paul poursuivit :

– Et je peux même faire un certain transport maritime avec mon bateau. Je possède les permis nécessaires. Oh ! je ne suis pas équipé pour transporter du pétrole, mais des marchandises d'une certaine valeur et d'un poids réduit, ça, oui.

– Et des passagers ?

– Ça, non! Question d'assurances. Trop cher.

– Et… est-ce qu'il t'arrive de servir de guide?

– J'allais le dire justement.

Paula fut sur le point de lui proposer le job à faire pour elle le temps qu'elle serait en Polynésie, d'autant que le personnage s'y connaissait drôlement quant à toutes ces îles à voir, mais ses mauvaises expériences de la Bolivie et d'Haïti revinrent en surface pour remuer sa prudence et elle se retint de trop parler pour le moment. Il valait mieux chercher à le connaître bien, à le sentir avec son intuition profonde plus qu'avec ses craintes de la solitude et l'appel des sens.

Il se fit une pause qui permit à l'homme de comprendre qu'elle ne lui ferait aucune proposition en ce sens et il se dépêcha de parler de sa non-disponibilité.

– Mais ça, c'est vraiment quand je suis dans le besoin et que je n'ai rien à faire sur le bateau, aucune réparation, aucun entretien qui exige pas mal de temps. Un bateau, il faut s'en occuper comme on s'occupe d'un enfant, tu sais. Le dorloter. Lui parler. Le garder dans un état de propreté impeccable.

– Et l'aimer…

– Ça: oui! C'est le principal. Et si on l'aime, il vous le rend au centuple.

– Retour de l'amour!

– Avec les objets et certains animaux peut-être mais pas toujours avec les personnes humaines, hein! Si tu aimes un dauphin, il va te le rendre, mais si tu aimes un requin, il pourrait t'aimer à te croquer en retour.

Le petit restaurant se trouvait à mi-distance entre la plage et l'hôtel Ibis, sur une rue transversale donnant sur la place du marché. On l'emprunta.

– Là-bas, à un coin de rue, il y a la place du marché. Tout ce qui se produit localement y est vendu par les producteurs eux-mêmes. Fruits, légumes, artisanat… Le samedi et le dimanche, c'est bondé. Faudra y aller. Tout y est tellement typique, faut pas manquer ça! Il y a des grosses madames polynésiennes avec des fleurs sur les oreilles et la cigarette au bec…

— Je vais me sentir comme au lac Titicaca peut-être?

— Ça se pourrait bien, oui…

Il appuya la bicyclette contre un banc devant le restaurant chez Pépé. Il y avait une terrasse où plusieurs tables étaient occupées soit par des touristes ou des insulaires. Souvent les deux mélangés. Jean-Paul dit:

— On peut laisser le vélo ici. On l'aura à l'œil, et puis le vol est un délit plutôt rare à Tahiti. Ce n'est pas dans les mœurs, et surtout, personne n'a intérêt à voler.

Malgré l'absence de vent dans la ville, la température n'embarrassait pas les gens et Paula s'y sentait parfaitement à l'aise. Aucune humidité et pourtant beaucoup d'air doux venu du Pacifique. Elle ne voulut pas se retenir de l'exprimer en s'asseyant:

— Qu'on est bien par ici! On respire. On se sent entouré de douceur… l'air est comme du velours.

— Et pas de moustiques! Et peu de pollution! Et pas de stress! Le Pacifique Sud, c'est vraiment le paradis sur terre et nous ne sommes pas les premiers à le vérifier.

Une serveuse en jupe de paille, chapeau piqué d'herbes et de fleurs et collier au cou vint aussitôt porter un cabaret sur lequel se trouvaient deux noix de coco remplies d'un punch bien balancé offert par la maison à tous les touristes qui venaient y prendre place.

— Le voilà, l'accueil tahitien! Et ce n'est pas pour le profit ou la publicité, croyez-moi! Ils font ça naturellement. Personne n'est riche à millions ici. Les gens ont le sens du partage. Leurs besoins sont bien délimités.

— Quoi vouloir de plus, de mieux quand on a le soleil et le sommeil?

— Que c'est sage, une parole comme celle-là!

Il prit la noix entre ses mains. Elle fit de même. Une paille rose recourbée surgissait à travers les morceaux de banane, d'orange et d'ananas qui trempaient dans le mélange alcoolisé ; Paula la mit entre ses lèvres puis la retira, voyant qu'il ne faisait pas la même chose.

– On devrait porter un toast...

– Bonne idée ! À quoi ? À qui ?

– Je te laisse le choix.

– À condition que tu choisisses aussi.

– Chacun y pense dans une minute de silence...

– OK !

Pour la première fois depuis leur rencontre quelques heures plus tôt, leurs regards s'interrogèrent, s'appuyèrent l'un dans l'autre. Chacun prenait conscience que sa recherche et celle de l'autre dépassaient un sujet sur lequel célébrer...

– J'en ai un, dit-elle avec un accent de triomphe dans la voix.

– Et alors ?

– À ton bateau dont je ne sais pas encore le nom.

– La *Natalia*.

– Du nom de ta fille : je l'aurais juré.

– Et un peu le nom de la tienne.

– Bon, et à qui on lève notre noix de coco ? Quel est ton choix à toi ?

– Je suggère : à tous les globe-trotters du monde ! Nos amis, nos frères, nos sœurs.

Elle pencha un peu la tête :

– Ah ! c'est une bonne idée !

Et on fit se toucher les deux contenants. Et chacun aspira à même la paille.

– Hum... délicieux !

– Tout ce que l'on mange, tout ce que l'on boit dans les îles goûte la santé, goûte la vie... Super !

Il y avait mis tant de conviction et de si intenses lueurs émanèrent du regard de Jean-Paul que Paula ne put s'empêcher d'ajouter :

— Et pourquoi pas à notre rencontre ?

— Bien entendu à notre rencontre !

La conversation se poursuivit tout le temps qu'ils furent là à boire légèrement, à manger librement, à respirer profusément. On échangea sur tout. Paula ne fut pas tout à fait apprivoisée malgré les circonstances et la générosité de Jean-Paul dans leurs échanges. D'autres avant lui s'étaient servi de pareille attitude pour cacher leur véritable identité. On disait que dans les îles, il fallait prendre tout son temps, elle prendrait le sien. Il lui restait une cinquantaine de jours... Et si le capitaine Lavalier, comme elle l'appelait maintenant parfois pour le taquiner, devait s'en aller, disparaître de sa vie, il s'agirait de leur destin et rien d'autre.

Il paya pour les deux malgré les protestations de la femme.

— Ça coûte une bagatelle ! Tout ce que nous avons mangé est produit ici. Quand on s'en tient à ça, on s'en tire toujours à fort bon compte.

— À vos ordres, capitaine !

Et il la reconduisit à l'hôtel alors même que la ville entrait dans la brunante. Là-bas, au pied de l'escalier, près de l'atelier de service où elle remiserait le vélo pour la nuit, il lui rappela qu'ils devaient se rendre au bateau.

— Pourquoi pas demain ? dit-elle en lui serrant la main.

— Pourquoi pas demain ?

— Et merci pour le repas et tout le reste.

— Et merci pour ta présence et ton intérêt pour toutes ces choses peu intéressantes que je t'ai racontées.

— Quelles choses peu intéressantes ?

Il rit :

— On en reparle demain.

— À demain !

– Très belle journée !
– Et très belle soirée !

***

Chapitre 26

Paula reçut un appel à sa chambre tôt le jour suivant. C'était son nouvel ami qu'elle trouva plutôt évasif. Il ne pourrait pas la voir ni le jeudi ni le vendredi. Obligation, dit-il, de se rendre plus tôt que prévu à l'île voisine de Moorea pour y effectuer une livraison de barils de pétrole qui serviraient là-bas à l'alimentation du groupe électrogène d'une distillerie. Une journée à l'aller, une journée au retour.

– Je te rappelle à mon retour.

– Ça va bien et bon voyage !

Elle en fut contrariée. Peut-être aurait-il pu lui proposer de l'accompagner puisqu'ils devaient de toute façon passer quelques heures de cette journée-là sur le bateau ? Ou bien après une nuit de réflexion utilisait-il une façon élégante – ou en réalité peu élégante – de mettre un terme à leur relation tout juste naissante ?

Après avoir raccroché, elle se dit que le mieux pour elle serait de ne compter que sur elle-même comme elle avait pour règle de faire tout au long de ce voyage. On lui avait justement dit qu'il fallait deux journées bien remplies pour faire le tour de l'île de Tahiti, qui fait cent quinze kilomètres. Le meilleur moyen de transport : le *truck*, ce véhicule fabriqué d'un châssis de camion sur lequel était montée une carrosserie de fabrication locale, sans fenêtres. Plusieurs faisaient le tour chaque jour. Elle avait sûrement le temps de se préparer pour ne pas rater le départ du dernier.

Une demi-heure plus tard, elle y monta la dernière sur le stationnement de l'hôtel et se joignit à une trentaine de personnes. Bon nombre de visages lui étaient déjà connus grâce à leur présence de plusieurs heures lors de son voyage d'avion depuis Los Angeles. On se fit des demi-sourires pour montrer qu'on se reconnaissait et elle prit place à l'arrière, seule. Et seule à être seule une fois de plus, car tous les autres étaient pairés soit à un partenaire de l'autre sexe soit à un ou une amie.

Le car improvisé appelé « truck » s'arrêta une demi-heure plus tard au kilomètre 51 où se trouve le musée Gauguin qu'elle visita avec un intérêt mitigé à cause d'un certain sentiment d'abandon qui la suivait depuis le matin, depuis l'appel de cet homme sur lequel, déjà, elle comptait pour partager certaines choses comme ils l'avaient si bien fait la veille et de manière si détendue et agréable. Elle échangea des banalités de circonstance avec des touristes puis on monta à nouveau dans le véhicule aux fenêtres sans vitres et parfois donc, sur les promontoires, très aéré.

Non loin de là, elle visita le Musée de Tahiti et ses Îles bâti sur un lieu où un culte, fondé sur des sacrifices humains, se pratiquait autrefois. Un site fort impressionnant, irréel à cause d'un grand lit de grosses pierres noires et de monuments d'époque. Et fascinant pour ceux qui croient que les morts rôdent toujours sur les lieux où leur être terrestre fut brisé par la volonté de violence d'autres humains bourrés de préjugés superstitieux.

Son attention fut attirée toute, comme des rayons solaires sur des panneaux capteurs d'énergie, par tous ces appareils de l'Institut des énergies renouvelables grâce auxquels la Polynésie est devenue leader mondial en matière d'énergie solaire. Ce qui lui permet d'éviter les faramineux coûts de l'importation de combustibles à base de pétrole et surtout de contenir l'augmentation de la pollution.

Une pensée pour Jean-Paul la questionna pourtant. Comment lui, si environnementaliste, pouvait-il, en un tel paradis de l'énergie non polluante, effectuer des livraisons de barils de pétrole pour l'alimentation de groupes électrogènes ? Il se comportait comme une Brigitte Bardot qui dévorerait un hamburger en brandissant un dépliant sur la protection des animaux, sa main droite ignorant ce que fait sa main gauche. Elle se promit de le mettre devant ce dilemme quand ils se verraient au cours du week-end. S'il lui donnait signe de vie…

De retour dans le car, elle trouva à sa place habituelle, sur la longue banquette de l'arrière, un couple de dames âgées, des Américaines qu'elle avait connues sur l'avion et avec qui elle avait échangé quelques mots.

— Je pense qu'on a pris votre place ? s'excusa l'une d'elles, personnage aux allures de Katharine Hepburn.

— Mais il y a de la place pour trois ! s'exclama sa compagne aux airs de Ginger Rogers.

Beaucoup de Californiennes d'un certain âge cherchent à se donner, sur le tard, des airs de star de Hollywood, ce qui ne les embellit pas forcément. Mais Paula les savait gentilles et ouvertes. Elle s'assit entre les deux dans l'espace qu'elles lui offraient. On se présenta officiellement, ce qui n'avait pas été fait sur l'avion et aussitôt, les deux septuagénaires bombardèrent de questions leur jeune collègue du Québec.

Elle dut se raconter par le long et par le travers. Famille, milieu de vie, profession…

— Mesdames, je vous ai tout raconté de moi et vous ne m'avez rien dit de vous. Le jeu est inégal.

— Retraitées, bien sûr. Divorcées : les hommes se font rares de nos jours.

L'une, la blonde, s'appelait Mary Peters, et avait fait carrière dans la mode, tandis que l'autre, Jane Calder, avait été journaliste. Leurs métiers respectifs les avaient fait se connaître et se suivre, puis les événements de la vie avaient cimenté leur amitié. Et elles aussi faisaient le tour du monde. Mais pas à la manière de Paula. Elles se contentaient d'un voyage-séjour de trois mois chaque année et le reste du temps…

— Le reste du temps, on cultive des fleurs dans le jardin de la chaumière.

— Et l'an prochain, l'une vendra sa chaumière pour s'installer avec l'autre. Qui fera quoi ? Ce n'est pas encore déterminé…

Paula put voir les photos des masures dont elles parlaient : des maisons d'un quart de million au moins, aussi vastes que celle de la Canadienne et paraissant aussi luxueuse.

— Des belles chaumières, en effet, dit-elle en remettant à Ginger sa photo.

Pendant ce temps, les autres touristes pouvaient se nourrir l'âme à des paysages d'une beauté exceptionnelle, à couper le souffle. Gorges profondes. Chutes légères et vertigineuses. Pics montagneux à aiguille. Un monde différent qui échappait à Paula qui se laissait plutôt séduire par un certain clinquant irréel de la Californie.

— Vous devriez voyager à deux comme nous, lui dira plus tard une des deux femmes.

— Pas facile à trouver, une vraie amie !

— Quand on cherche, on trouve !

— Il paraît…

On arrivait au port Keke III.

— C'est à partir d'ici que vous pouvez, si vous le désirez, vous rendre à Moorea, annonça le chauffeur tahitien. Mais si vous préférez poursuivre le tour de Tahiti elle-même, c'est comme vous voulez.

— Nous, on va à Moorea aujourd'hui puisqu'on a fait le tour de Tahiti hier. Venez avec nous, Paula, vous serez moins seule.

La femme hésita. C'est à Moorea que se rendait Jean-Paul avec son bateau. Une rencontre avec lui et elle aurait l'air de l'avoir suivi.

– Je ne sais pas… je devais faire le grand tour de l'île et voir Moorea demain.

– Mais faites donc le contraire, dit Jane.

Paula haussa les épaules :

– Et pourquoi pas après tout !

– Pourquoi ne ferait-on pas le tour de l'île à bicyclette ? suggéra Jane.

– Moi, dit Paula, je ne sais pas si je le pourrais.

– Mais vous avez vingt ans de moins que nous.

– Nous, on est des vieilles barbes de 72 ans et quand on est fatiguées de pédaler, on marche à côté du vélo. Il y a des bungalows à louer. S'il faut prendre trois jours pour compléter le tour de l'île, on les prendra.

– Il paraît qu'en Polynésie, il faut apprendre à tout faire lentement, même à se hâter lentement…

– Ça, c'est très bien comme idée, dit Mary de sa voix grosse et vinaigrée, mais avenante.

– Sauf que… il faudrait que je sois à Papeete pour le week-end… Et c'est déjà jeudi aujourd'hui.

– Vous attendez quelqu'un ?

– Bah ! un ami que je me suis fait hier.

Les deux Américaines s'échangèrent un regard d'étonnement heureux.

– Descendons et renseignons-nous sur le temps qu'il faut pour compléter le tour de Moorea. Le chauffeur du car nous le dira, tiens…

– Soixante kilomètres, répondit le chauffeur. Vous serez de retour à Papeete demain soir, vendredi. Mais pour beaucoup plus de certitude, louez-vous des scooters à la place de bicyclettes. Il y a des montées et des descentes assez raides…

– Ça me sourit ! dit Paula.

– À moi aussi ! approuva Mary.

– D'accord ! fit la troisième.

— Et attention aux accidents : il n'y a pas de feux rouges à Moorea.

— Rien que des feux verts ? blagua Paula.

— Pas de feux de circulation du tout.

— Formidable ! déclara Jane en secouant la tête. Allons prendre le ferry, mesdames. Il faut une heure de mer pour atteindre Moorea selon ce que j'en sais.

Paula chercha la *Natalia* parmi les bateaux alignés mais ne l'aperçut point. Sans doute Jean-Paul avait-il quitté le port depuis un bon moment déjà.

Une dernière voiture entrait de reculons dans les entrailles du bateau tandis que les touristes montaient sur le pont grâce à une passerelle. À nouveau, Paula scruta les environs : mais nulle trace d'un bateau portant le nom de *Natalia*. Il est vrai que si elle pouvait en apercevoir bon nombre de cette hauteur, les noms n'étaient pas tous visibles. Aucun personnage à barbe non plus sur les ponts ou le quai. Puis elle trouva sa propre attitude contrariante. Comme si cet homme tout nouveau dans sa vie avait déjà de l'importance…

— Vous cherchez quelqu'un ? demanda Mary.

— Juste un coup d'œil exploratoire ! dit Paula.

Mais ses deux compagnes semblaient fouiller dans son âme plus loin qu'elle-même et ça l'agaçait un brin. Elles le sentirent et se montrèrent plus discrètes ensuite.

La traversée fut agréable et à l'arrivée, on put louer les scooters désirés. La présence de Paula auprès d'elles rendait service aux deux autres femmes à cause de la langue. Elle leur apprit grâce aux renseignements obtenus à la boutique de location que la route côtière ne comportait aucune montée importante, contrairement à l'opinion qu'elles s'étaient faite à partir des paroles du chauffeur.

— C'est seulement si on se rend sur les belvédères par les routes secondaires qu'on doit monter et descendre.

– Qu'importe maintenant que nous voilà toutes les trois motorisées! dit Jane.

– Et en plus avec un téléphone cellulaire, dit Paula en le brandissant. En cas de panne, on vient nous secourir.

Mary eut quelques problèmes à s'habituer à son véhicule et le renversa même une fois sans s'égratigner, mais elle y parvint, et bientôt, on fut prêt à quitter le stationnement pour prendre la route. Jane lança à Paula qu'on l'élisait à l'unanimité chef de file. Et le trio s'élança en avant sous le regard attendri et joyeux des insulaires propriétaires de la boutique et des scooters.

Ce fut une journée fort sympathique. Tout d'abord, peu après le départ, Paula prit une voie secondaire à l'annonce d'un belvédère permettant d'admirer la baie de Cook. Elles convinrent qu'il s'agissait du plus beau paysage vu jusqu'à maintenant et des gens leur dirent qu'il s'agissait du plus beau point de vue de toute la Polynésie. Puis on visita une usine de jus de fruits. Et au cœur de l'après-midi, à un carrefour, on fit une rencontre intéressante: celle d'un peintre moustachu qui, à l'instar de Gauguin et de bien d'autres artistes, avait adopté voilà plus de quarante ans le mode de vie polynésien, vivant et peignant au jour le jour, sans jamais courir après sa queue comme en Amérique, toujours souriant et passant quelques heures par semaine le long de la route pour offrir ses toiles au public et en tirer le peu qu'il lui fallait pour subvenir à ses besoins frugaux.

À Paula, il donna à penser à Gaspard Fortier quand il s'exprima sur la beauté de la vie et des jours. Il séduisit les deux Américaines qui promirent de revenir le voir plus tard au cours de leurs vacances.

À un autre carrefour, des insulaires offraient du tissu multicolore et les trois femmes se procurèrent un paréo.

– Suffit de garder un soutien-gorge en dessous, souffla Jane à son amie. Autrement, ça ne va pas tenir…

Et plus loin encore, on put admirer à l'œuvre un artisan en train de fabriquer des bijoux à partir de perles noires. Les prix étaient si raisonnables pour des femmes de leur richesse qu'elles s'en procurèrent chacune plusieurs afin de les distribuer en cadeau à leur retour à la maison. Paula en prit douze.

On flâna tant que seulement la moitié du chemin avait été parcourue en fin d'après-midi et comme on se trouvait aux abords d'un hôtel de la même chaîne que celui où elles logeaient à Papeete soit l'hôtel Ibis, elles prirent la décision d'y coucher et de poursuivre leur périple le lendemain matin.

Et le vendredi, par un temps aussi radieux que la veille, le tour de l'île fut complété, les scooters remis et on retourna à Tahiti par vedette rapide, car le dernier ferry avait été manqué.

Fatiguée, contente, remplie d'espoir, Paula n'eut besoin d'aucun somnifère pour s'endormir ce soir-là.

Les trois femmes ayant décidé de se rendre ensemble au marché de Papeete à quelques minutes de marche de l'hôtel, Paula se leva tôt et rencontra ses amies dans le lobby. Elle laissa un message à la réception à l'intention de Jean-Paul Lavalier et on entreprit une autre journée simple et facile.

— J'ai failli mettre mon paréo, dit Paula en riant tandis que l'on marchait sur la rue tranquille.

— Nous autres aussi mais…

— C'est de l'inhibition, déclara Mary. Y'a pas d'âge pour enfiler ça. Les femmes insulaires en portent même à 80 ans. Retournons à l'hôtel et mettons chacune notre paréo et des sandales.

Elles se mirent d'accord et une demi-heure plus tard se retrouvaient au même endroit, chacune avouant aux deux autres qu'elle avait dû garder son soutien-gorge pour donner à sa poitrine une certaine fierté artificielle.

Et au marché, chacune s'acheta un chapeau piqué de fleurs. Elles firent les tables, s'entretinrent avec les gens, regardèrent plus qu'elles ne firent de transactions afin de n'avoir pas trop de choses à traîner. Et à midi, elles s'arrêtèrent pour manger. Paula proposa le restaurant-bar chez Pépé où elle avait soupé la veille et on y fut en moins de deux.

Les Américaines connaissaient l'existence du capitaine barbu puisque Paula leur en avait parlé à quelques reprises la veille et le jour même dans le lobby de l'hôtel Ibis ; elles ne furent donc pas surprises de le voir arriver.

Ce fut une fin de repas des plus agréables en sa compagnie d'autant qu'il parlait couramment l'anglais et qu'on ne s'enfargeait donc pas dans les efforts de traduction. Ils avaient failli se croiser à Moorea. Quand on apprit qu'il lui arrivait d'agir comme guide pour touristes, Mary lança :

– Si vous êtes disponible, nous, on vous engage.

– Je ne le suis pas, hélas !

Paula s'en trouva contrariée, plus encore que ses deux amies, mais elle n'en laissa rien paraître. Il la regarda profondément et reprit :

– Comme vous le savez sans doute, mesdames, je fus engagé hier par notre amie à tous, madame Paula, pour lui servir de guide au cours des semaines à venir.

Prise par surprise, Paula ne sut que dire par une réaction tout à fait spontanée, sorte de réflexe par lequel il lui fallait monter sa garde :

– Mais si vous voulez payer chacune votre part, on pourra faire du tourisme à trois.

– Génial ! dit Mary.

– Super ! enchérit l'autre.

– En ce cas, je suis à votre disposition à compter de ce soir même. Vous avez le goût de faire la grande tournée des bars ?

– C'est un peu trop pour nos forces ; mais un bar, ce serait bien, dit Mary.

– Je vous suggère le bar américain. Neuf heures…

– Pas plus tard que minuit pour moi, dit Paula. Je veux aller à la messe demain.

– Chacun part à son heure : les rues sont sûres. Et puis les taxis sont fiables.

Il s'en retourna un peu déçu. Il avait cru devoir tendre une perche à Paula et elle l'avait aussitôt refilée à ses nouvelles amies. Et maintenant, il se sentait un peu seul devant ces trois femmes qu'il devrait guider mais ne pourrait pas conduire. Car à leur parler quelques minutes, on pouvait voir qu'elles n'étaient pas nées de la dernière pluie. Ce que, d'ailleurs, elles firent voir à Paula après le départ du capitaine.

– Moi, je ne crois pas que tu l'avais engagé, dit Jane.

– Ni moi non plus !

– Peut-être a-t-il mal interprété quelque chose que je lui aurais dit ?

– Ou a-t-il voulu se débarrasser de nous deux ?

– Mais ne t'inquiète pas : à trois, on va l'entortiller comme il faut et le moment venu, Jane et moi, on va s'effacer…

– Je n'ai pas envie de me payer ce gars-là…

– Tu es sincère en disant cela, mais tu te trompes, chère Paula, oh ! comme tu te trompes !

Et c'est en paréo qu'elles se rendirent au bar américain, conduites là par Jean-Paul dans une Jeep sans capote qu'elles avaient louée au cours de l'après-midi pour un jour ou deux.

Leurs amusements furent anodins : danse, quelques verres et conversation gaillarde, mais en Amérique, on les aurait prises pour de vieilles ganaches en mal du passé et de leur adolescence. Pas à Papeete.

Au moment d'une danse lente, Mary poussa Paula à danser avec le capitaine. C'était la première fois qu'ils pouvaient se parler librement depuis le mercredi. Il lui dit qu'il croyait qu'elle voulait se défaire de la compagnie trop envahissante des Américaines et que pour cette raison, il avait déclaré être son guide.

– Et c'était très bien de ta part, je t'en remercie...

Mais Paula, sous ses dehors solides, se sentait confuse à l'intérieur.

***

Chapitre 27

Paula était aux anges.

Cette sortie de la messe la ramenait quarante ans en arrière sur le perron de l'église de son village. La beauté des chants religieux, du parterre fleuri et de l'ambiance lui était apparue saisissante.

Sur le parvis de la cathédrale, les quatre amis jasaient. Jean-Paul parlait d'un sujet cher: ce merveilleux équilibre entre les valeurs traditionnelles et modernes réalisé par les Tahitiens. Ils étaient nombreux autour d'eux en petites grappes, à fraterniser tout en jetant un œil sur les autres pour admirer les chapeaux ou bien les jalouser. Mary la blonde buvait ses paroles et laissait souvent glisser sur lui des regards suaves. Mais Jane le rejoignait davantage avec sa beauté morale et les nuances de ses goûts et opinions. Ni l'une ni l'autre pourtant ne se faisaient d'illusions à cause de la différence d'âge, et surtout, de l'intérêt certain que le capitaine avait pour la femme canadienne à peine plus âgée que lui et plus près aussi par son côté globe-trotter.

Sur la mer, on pouvait apercevoir plus de bateaux qu'à l'accoutumée:

– Il en vient de partout au printemps. Des Galapagos, de Californie, de la Nouvelle-Zélande, du Chili... Tahiti, c'est la plaque tournante de tout le Pacifique Sud.

Paula entendait le skipper d'une oreille et son passé de l'autre. Il s'en rendit compte:

– Ah ! je pense que notre amie canadienne rêve à des pays lointains même si elle se trouve dans un pays de rêve.

– Je pensais aux sorties de messe de mon enfance. Des groupes de deux ou trois femmes qui se formaient pour se parler de n'importe quoi et surtout en profitaient pour détailler les toilettes des autres. Les hommes, le cou prisonnier d'un col empesé et d'une cravate étouffante, et souvent dans un habit de noce trop serré parce qu'ils avaient pris du poids…

– Ah ! le Québec de ces années-là, je sais, j'ai vu des photographies nombreuses en 1986. Un univers de religion, d'entraide, de plaisir simple, de besoins modestes… Mais eux autres, ils ont baptisé cela la grande noirceur, je ne sais pas pourquoi d'ailleurs.

– À cause de la mainmise du clergé catholique.

– Mais ce fut là un phénomène mondial. Aussi bien en France et en Italie qu'en Pologne ou en Espagne. Et c'est encore vrai dans maints pays du monde. Les Québécois d'un certain âge ont tendance à penser que ça ne se passait que chez eux. Et que penser de la morale victorienne un peu partout dans le monde au siècle dernier ?

Peu à peu, les Américaines se sentirent exclues de l'échange et petit à petit, elles établirent leur propre conversation. Bonnes joueuses et de toute façon se sentant hors de la course, elles s'entendirent plus tard lors d'un propos discret tenu entre elles dans leur chambre d'hôtel pour s'éclipser diplomatiquement du décor dans les jours prochains.

Mais ce jour-là, c'est à quatre que l'on se rendit à Raiatera sur Air Tahiti. Le capitaine eut beau se préoccuper de toutes le plus également qu'il put, chacune savait bien que son choix était déjà fait et qu'il se montrait plus à l'aise avec Paula.

Au retour, la femme d'affaires visita ses amies californiennes dans leur chambre et elle leur demanda de ne pas la laisser trop seule avec le skipper.

– Ce n'est pas pour partager les frais, vous pensez bien, c'est pour garder une barrière... Oh! mais vous n'êtes pas obligées de me rendre ce service.

Elles la poussèrent gentiment aux confidences et Paula révéla ce qui lui était arrivé en Bolivie, à Cuba et en Haïti. Son expression pour le dire fut celle de la femme d'affaires, assise bien droite à la table ronde et qui a l'air de traiter les choses du cœur comme des chiffres qui laissent indifférent.

– Nous en avons discuté, Mary et moi, et nous ne pensons pas que le capitaine soit homme à exploiter les gens...

– Il a déjà triché deux fois, mes amies. La première en s'affichant environnementaliste et le jour d'après en assurant le transport de barils de pétrole. La seconde en déclarant que je l'avais engagé, ce qui n'était pas encore le cas. Et puis, on en discute comme si lui et moi, on entretenait une relation d'ordre sentimental. Il n'en est rien. Et ça n'arrivera pas!

– Mais ça doit arriver, Paula! fit Jane. Tu n'as encore que 50 ans et tu es seule. Tu n'as rien à prouver comme femme tout court et comme femme d'affaires. Il te reste à prendre de la vie ce que la vie peut encore t'offrir et sans arrière-pensée.

Mary enchaîna, le ton convaincu:

– Et on ne peut prendre sans avoir un prix à payer. Et si on ne prend pas, ça ne coûte rien, mais on n'a rien non plus. Vous êtes faits pour vous entendre, Jean-Paul et toi: entendez-vous et que le diable emporte tout le reste!

Jane fit un clin d'œil:

– Et puis si tu ne le prends pas, le beau capitaine à barbe, nous, les deux vieilles Américaines bichonnées, on l'entraîne dans un lieu désert en montagne et on le dévore tout rond... tout rond. Hein, Mary?

– Tout rond!

Dans sa pensée, Paula trouva une solution entre cette voracité suggérée et sa crainte de se faire tromper: l'attaque! Le combat, le duel si profitable en affaires quand on veut que l'autre sorte tout son arsenal… Il fallait qu'elle signe un contrat avec le capitaine Lavalier. Lui passer une corde légale autour du cou… Mais comment faire ? On trouve toujours une façon quand on a l'argent et que l'autre en manque. Mais en manquait-il assez ? Assez en tout cas pour piétiner son propre idéal…

*

Il était prévu que le jour suivant, on se rendait à Bora Bora pour y séjourner toute la semaine. Au dernier moment, les Américaines se désistèrent et Paula dut partir seule en avion avec son guide et ami. Elle obtint le renseignement désiré. Il avait besoin d'argent pour rénover son bateau. Pas facile d'en obtenir à la banque, un bateau étant un objet difficile à rattraper et à saisir.

— Combien ? demanda-t-elle tandis qu'on s'apprêtait à atterrir.

— Quatre mille dollars ?

— C'est ce que tu vas toucher pour tes huit semaines de travail avec nous.

— Et voilà pourquoi je l'ai accepté.

— Mais sans contrat.

— Je vous fais confiance.

— Je pense que les Américaines ne vont pas suivre, elles.

— Et si elles me laissent tomber, toi aussi ?

— Pas moi et si tu en doutes, je te propose un contrat.

— Je serai peut-être un mauvais guide et vous le regretteriez.

— Je serais peut-être une terrible patronne et c'est toi qui le regretterais. Mieux, je te verse l'argent tout de suite et je t'aide deux jours par semaine à faire tes réparations. Ça me fera faire de l'exercice et ça va me donner un but… À moins que quelqu'un d'autre ne…

– Je suis seul, tu le sais. Je n'ai pas menti là-dessus. Pas plus que sur autre chose... Bah! une fois devant les femmes américaines, mais c'était pour la bonne cause, non?

Elle sourit:

– Disons...

L'avion amorça sa descente puis le pilote remit plein gaz et le nez de l'appareil se releva. Paula ne montra aucune crispation et ajouta:

– Et si tu devais lever les voiles, ce sera encore plus difficile pour moi que pour la banque de te rattraper...

– Voilà pourquoi le contrat n'est pas une très bonne idée pour toi, chère amie.

– Je prends le risque si tu le partages.

– Comment?

– La *Natalia* en garantie.

Il éclata de rire:

– Elle vaut plus de cent mille dollars.

– C'est pourquoi tu ne risqueras pas de partir sans t'acquitter de ton engagement.

Il haussa les épaules:

– Je veux bien, j'ai confiance.

– Retournons à Tahiti dès ce soir et demain, j'arrange tout ça à la banque et pour ce qui est du contrat.

Il accepta en hochant la tête.

– Je serais fou de refuser.

*

Ce jour-là, en scooter, ils visitèrent le cratère d'un volcan éteint depuis un siècle. On leur apprit qu'il arrivait à la montagne de fumer. Et de là, on put s'exprimer sur les incomparables beautés du lagon bleu en bas.

– Je te suggère une croisière en vedette rapide afin d'aller assister au repas des requins.

– J'accepte.

Elle se montra gentille. Mais s'en promettait. Qu'il se tienne solidement à la barque quand il aurait signé son contrat car elle lui en ferait voir de toutes les couleurs.

– Ils bouffent tout. Viande, autres poissons, hameçons, bouts de bois… Les requins bouffent absolument tout ce qui leur passe au nez…

Les ailerons des squales tournoyaient à peu de distance du petit bateau. L'autre capitaine, responsable de la randonnée, voyait à jeter à l'eau des poissons avariés qui avaient l'air de faire les délices de ces gourmets pas trop raffinés.

– Quelqu'un veut-il se baigner ? lança-t-il aux dix personnes qui se trouvaient à bord.

Il obtint des signes négatifs horrifiés.

– Pas trop intéressée, dit Paula.

– Au retour, si tu veux, on va aller explorer le lagon sur un bateau à fond de verre. Comme ça, pas besoin de plonger et on voit tout ce qui se passe au fond de l'eau. Des plongeurs pêchent des huîtres et autres mollusques pour nous. D'habitude, ça intéresse les touristes. Et moi aussi à chaque fois.

– Je suis ouverte à tout, fit-elle distraitement.

*

Le jour suivant, tel que convenu, elle le reçut à sa chambre et le mit devant le contrat qu'elle avait rédigé elle-même.

– Ce n'est que ce que nous avons dit hier. On va à la banque et on signe. Le banquier nous servira de témoin et de notaire en quelque sorte.

– C'est beau, la puissance financière.

Elle fit un sourire énigmatique :

– Plus que tu ne le penses.

*

Ils furent au bateau au cœur de l'après-midi. Jean-Paul jubilait. Il toucherait son salaire pour seulement cinq jours de travail comme guide et en plus, il pourrait compter sur les mains de Paula pour l'aider, quoique le contrat n'indiquait pas quelle s'engageait à travailler avec lui. Au fond de lui-même, le capitaine se frottait les mains d'aise.

Il déchanta rapidement. Le reste de ce jour, la femme se montra correcte. Le félicita pour son bâtiment. Entendit le moteur tourner. Constata les réparations à effectuer. Questionna beaucoup et obtint les réponses voulues. Mais le jour d'après, elle lui fit vivre tout ce qu'une femme détestable peut faire endurer à un homme quand elle s'y met. Ne pas écouter la réponse quand elle a posé une question. S'opposer de manière désinvolte. Laisser tomber des objets. Faire la tête. Critiquer.

Il se dit que ça lui passerait. Elle préférerait sans doute se remettre vite à l'exploration des îles. Et voulait le faire avec ses amies américaines. Il fut surpris de la trouver seule à la sortie de l'hôtel le matin suivant. On retournait à Bora Bora. En fait, au Club Méditerranéen sis sur un îlot au large de l'île. Une journée plutôt flânée en perspective.

Ils firent de la piscine, connurent des gens. Jean-Paul rencontra des têtes connues; elle l'empêcha de leur parler trop. Et en fin d'après-midi, ce fut le tamara hebdomadaire. Un four creusé à même la terre; des aliments recouverts de feuilles de bananier; cuisson à l'étouffée. Un repas nourrissant et délicieux pris dehors.

En elle-même, Paula s'en voulait de traiter ainsi son ami, mais elle croyait qu'il s'agissait d'un excellent investissement. Elle aurait trois semaines pour lui faire oublier la première.

Le ciel pourtant en avait décidé autrement.

À la brunante alors que des musiciens commençaient à jouer sur la plage, l'attention de Jean-Paul fut attirée par quelque chose qui bougeait derrière une clôture. Il s'y rendit et trouva un jeune chat blessé qu'il prit dans ses mains et ramena avec lui. La patte probablement cassée avait saigné. C'était une petite bête grise pas très jolie d'environ deux mois. Certes pas un animal de race.

– Faut trouver un vétérinaire pour le soigner, dit-il à Paula.

Et il s'informa. Pas de vétérinaire sur l'île ni même à Bora Bora. Il faudrait attendre de retourner à Papeete ou bien tuer l'animal immédiatement pour l'empêcher de souffrir.

Un insulaire offrit ses services pour le noyer; le capitaine refusa. Paula comprit qu'il se sentait responsable du chaton. Il obtint sa permission et son encouragement pour le ramener à Papeete afin de l'y faire soigner. Le sauveteur trouva du lait de coco, de la nourriture sèche pour chat et même une cage dans laquelle il fera plus tard un lit douillet avec un de ses chandails.

De retour à Bora Bora, à la demande du capitaine, on trouva une chambre à louer chez Sam, un habitant qui louait à bon compte des huttes isolées. On n'aurait pas pu faire entrer la bête malade à l'hôtel Manara, établissement de grand luxe où des chambres avaient été retenues pour eux.

Le jour suivant, on retourna à Papeete. La petite bête fut soignée. Sa patte serait réparée. Il en coûterait cher à Paula, qui exigea de payer la facture. Jean-Paul reprendrait l'animal quand il serait guéri et le garderait avec lui sur le bateau.

Tous les discours les mieux intentionnés du monde n'auraient pas pu avoir plus d'effet sur la femme que ces gestes gratuits posés par un homme envers un être aussi vulnérable qui serait sûrement mort s'il était tombé entre d'autres mains que celles-là.

***

Chapitre 28

On travailla sur le bateau pendant quelques jours. Et chaque soir, on se rendait chez le vétérinaire pour prendre des nouvelles du petit animal. Il n'y paraissait presque plus qu'il avait subi un accident grave. Paula put le prendre et le caresser sans risquer de lui nuire. Il lui semblait découvrir quelque chose. Jamais de toute sa vie, elle n'avait eu une pareille conscience de la vie tout court.

— La vie, c'est une petite étoile en chacun de nous. Et il y a aussi une petite étoile dans chaque être vivant même s'il n'est pas de la race humaine. Un rayon d'énergie et de beauté. Et après la mort, toutes les étoiles vont s'allumer dans le même ciel. Il n'y aura pas de différence entre les humains et les chats ou les autres animaux dans le prochain univers.

Elle trouva ces paroles très belles. Mais il y suintait une grande contradiction. Car comment penser que les animaux puissent être aussi importants que les humains et en même temps les abattre et les faire cuire pour s'en délecter ? C'est le jour suivant sur le bateau alors qu'ils étaient à en peinturer le pont qu'elle souleva cette question. Il trouva réponse.

— Ce n'est pas la mort qui fait problème, c'est la souffrance. Et c'est la peur. Les Indiens s'excusaient auprès de la bête qu'ils devaient tuer pour assurer leur survie. Ils comprenaient, eux, l'importance de la vie animale. On ne peut s'empêcher de détruire des êtres vivants. Tiens, à chaque coup de pinceau, nous détruisons des milliers, des millions d'organismes vivants. C'est le lot de l'existence. Il n'y a pas d'êtres inférieurs et d'êtres supérieurs. Et moi, je dis qu'il faut être inférieur à l'autre pour s'en croire supérieur, et qu'il faut être moins bon pour s'en penser meilleur. Cela vaut entre individus d'une même espèce mais aussi entre individus d'espèces différentes.

En femme de droite, Paula n'était pas beaucoup d'accord avec ces propos. « Qui mange un hamburger ne doit pas gueuler contre les abattoirs ! » disait-elle depuis longtemps. Mais elle préféra se taire. S'opposer risquerait de rendre le débat sérieux. Ne pas le faire, c'était enterrer les imperfections de leur relation d'une belle couche de peinture qui la rendrait agréable à regarder et à vivre.

Son silence néanmoins fit sentir à Jean-Paul qu'elle ne partageait pas tout à fait son avis.

— Et toi, qu'en penses-tu ? La force de l'un justifie-t-elle qu'il abuse l'autre, l'exploite et le détruise ?

— Raisonner sur ces choses-là, on ne s'en sort jamais.

— Tu as bien raison.

Elle plongea son pinceau dans le seau et l'essuya sur le rebord :

— En affaires, moi, j'ai joué le jeu. Le bluff est présent partout et il faut savoir en jouer.

Elle releva une mèche de cheveux et, sans le vouloir, se tacha le front de peinture gris-bleu avec sa paume elle-même déjà souillée.

Il rit de la voir :

— Tu vois, chère patronne : on ne fait pas une omelette sans casser des œufs.

— Et il y a du jaune d'œuf dans ta barbe, dit-elle en riant à son tour.

Par jaune d'œuf, elle voulait dire de la peinture. Il s'en rendit compte et en rit.

Leurs regards restèrent accrochés. Le rire devint sourire et le sourire s'amenuisa. Et même leur position à quatre pattes ne prêtait plus aux blagues. Non plus que leurs casquettes avec la visière sur la nuque.

– Je suis… à ton entier service, chère Paula…

– Proposer des choses qui ne sont pas prévues dans le contrat serait une sorte… d'abus.

– Est-ce abuser de l'autre quand l'autre donne son plein consentement?

– C'est ce que je me suis dit toute ma vie.

Les têtes se rapprochaient imperceptiblement à chaque parole échangée. Alors même que les lèvres de chacun respiraient le souffle de l'autre, elle dit:

– Plus on prend son temps à Tahiti, plus les choses se précipitent.

– Et je crois que c'est heureux ainsi.

– En fait, chaque heure arrive à son heure.

– Et chaque heure arrive à l'heure…

Ils s'embrassèrent longuement avec le soleil pour seul témoin. Des gens passaient sur le quai sans se préoccuper des affaires intimes des autres. Malgré cela, l'amour aime l'intimité.

– Allons dans la cabine du capitaine, suggéra-t-elle. Si le capitaine le veut bien…

– C'est un ordre, matelot!

– Les pinceaux vont sécher sous le soleil.

– J'en ai d'autres.

– Dilapidateur!

– Au contraire, je ne veux pas dilapider ce moment si précieux.

Ils se mirent sur leurs pieds et, main dans la main, se dirigèrent vers l'escalier menant à la cabine.

Un lit n'est jamais trop étroit pour deux amoureux qui vont s'unir pour la première fois. C'est la faim qui devait les en sortir plusieurs heures plus tard.

Pour le repas du soir, on se rendit chez Pépé. Mary et Jane s'y trouvaient. On prit la table voisine après des salutations bruyantes. Quand Jean-Paul s'absenta, l'une d'elles dit à Paula sur le ton de la confidence :

– Comment ça se passe avec lui ?

– Le paradis.

– Si on ne se revoit plus ici, faudra nous rendre visite à Los Angeles en passant…

– Je n'y manquerai pas. Vous êtes de vraies amies.

*

Paula voulut que l'on retourne à Bora Bora. Il fallait qu'elle revive le tamara dans un autre état d'âme que la fois précédente. C'était dans une réelle amitié qu'elle avait fait l'amour avec le capitaine à bord de la *Natalia* mais c'est avec la conviction qu'elle venait de tomber en amour qu'elle le fera dans leur chambre luxueuse de l'hôtel Marara.

Le dimanche, ils se rendirent au Club Med et se joignirent au groupe pour le repas du soir. Ce fut la fête. La vraie pour eux. Partage des délices locaux. Musique à la fois reposante et excitante. Danses en paréo sur la plage de sable blanc. De retour à l'hôtel, ils discutèrent de finances internationales, d'énergie solaire et de chats.

Puis allèrent au lit.

– Si ça devait durer longtemps, ce que nous vivons maintenant, soupira-t-il après l'amour.

– La fin d'une relation amoureuse est aussi belle que sa naissance, tu ne penses pas ?

Ils se parlaient dans le clair-obscur, caressés par l'air doux de la mer qui entrait en courtes vagues par la porte grillagée.

– Et si, comme tous les amoureux de notre âge, on se parlait de nos relations passées ?

– Relations sexuelles ?

– Bien sûr que non ! Relations amoureuses.

– En commençant par les plus récentes ou les plus lointaines ?

– Ben… les plus lointaines. Les premières amours ne sont-elles pas toujours les plus mémorables ?

– Et on commence par toi ou par moi ?

– C'est toi la patronne !

– En cette matière, il n'y a pas de patronne et pas d'employé, je pense.

– Parle-moi de ton premier amour, tiens.

– Le tout premier ? Il s'appelait Gilles. Il ne savait pas que je l'aimais… et je pense que lui-même ne savait pas qu'il m'aimait. Mais ça vibrait dans la poitrine quand il passait devant chez moi… Imagine qu'une fois, il s'est assommé contre le mur de la maison sur notre galerie. Il me semble que je t'ai déjà raconté cela…

– À quelqu'un d'autre peut-être, mais pas à moi… Mais dis-moi, comment sait-on qu'on aime quelqu'un pour de vrai et pour de bon ? C'est seulement quand on le décide ? Ou quand ça vibre à l'intérieur ?

– À ton âge, tu dois savoir cela.

– Un sentiment pareil, c'est plutôt difficile à décortiquer.

– Une femme sait, elle, quand elle est en amour. Pas besoin de faire l'autopsie de son sentiment.

– Pas la première fois, tu viens de l'avouer.

– Je n'étais qu'une enfant. Pas même encore nubile.

– Tu veux que je te pose une question indiscrète ?

– C'est jamais les questions qui sont indiscrètes, c'est les réponses. Vas-y !

– Suis-je autre chose qu'un employé pour toi ? Quelle est la nature de ton sentiment envers moi ?

– L'amitié, c'est plus solide et ça dure plus longtemps.

– Ce n'est pas une réponse.

Elle se glissa contre lui et fit jouer sa main dans la toison de sa poitrine.

– Tu as le choix. Amitié. Amour. Mais j'adore l'idée d'« amitié amoureuse libre ».

— C'est un peu macho pour une femme, non?

— Je suis une femme macho comme il y en a beaucoup au Québec. Chez nous, les hommes font les lois et les femmes font la loi.

— Ah! on dit ça aussi en Russie.

— Et pourquoi les hommes ont-ils toujours le besoin de savoir ce qu'on ressent à leur égard? Orgueil? Peur de quelque chose?

— Non... c'est simplement pour savoir quel cap tenir. S'en aller sur la mer sans instruments de bord et sans jamais regarder les étoiles, on fait très vite fausse route. Une femme, c'est comme la mer: elle peut vous conduire n'importe où, aussi bien sur des récifs que dans la direction opposée à celle où vous désirez aller.

— Dire je t'aime à un homme, c'est se livrer corps et biens, c'est abaisser sa garde, c'est se mettre en son pouvoir. Souvent, les femmes les plus battues sont celles qui aiment le plus. Les hommes préfèrent les tigresses aux brebis.

— Pas tous. Et puis il y a de la place pour une femme entre la tigresse et la brebis.

Elle le toucha au sexe.

— Si tu devais te réincarner en un animal, lequel choisirais-tu d'être?

— On dirait Bernard Pivot qui questionne.

— J'espère que le reste à part ma question n'a rien à voir avec lui. Et alors?

— Je ne sais pas... Sûrement pas un animal sympathique, ce serait trop facile. Un crocodile. Un requin...

— Pourquoi pas un cobra?

— Ah! ça, c'est une bonne idée, tiens.

— Un serpent, ça bouffe les chatons.

— Les animaux ne sont pas méchants. Ils mangent quand ils ont faim et selon leurs déterminismes... Pour faire plus romantique, disons un goéland. Et toi?

– Un castor… Pour la fourrure. C'est pas frileux. Ça bâtit sans arrêt.

La suite fut aussi légère et en même temps révélatrice de chacun. Il se faisait le défenseur des bêtes les moins aimées et elle célébrait les vertus de celles dont les comportements se rapprochent le plus de ceux des êtres humains dans ce qu'ils ont de meilleur.

*

Les jours, les semaines qui suivirent furent à l'avenant. Une belle entente. Beaucoup de sensations et d'émotions. Parfois, un peu de nostalgie à l'avance à l'idée de devoir se séparer et aller chacun son chemin.

On parcourut les îles. On fit un long arrêt de dix jours à Manihi, une petite communauté de trois cents habitants où il n'y avait ni voitures ni motos. Et qu'un seul appareil de téléphone pour tous.

Ils louèrent un bungalow hors du village et mirent deux jours à visiter une ferme perlière. Observation des plongeurs. Observation des greffeurs de perles noires, les meilleurs artisans dans leur genre dans toute la Polynésie, leur dit-on.

Chaque jour, ils mangeaient chez Papa Louis et partageaient la table de la famille. Le plus souvent, on dînait dehors de poissons tout juste pêchés, cuits avec des ingrédients odorants et servis avec des cœurs de cocotier et autres délices sur des feuilles vertes servant d'assiettes posées sur des nappes tressées le jour même.

Paula se croyait vraiment en amour mais elle ne voulait surtout pas le dire, encore moins à son compagnon.

***

Chapitre 29

Chantal et Nicolas visitaient Aubéline et son mari à leur demeure de Sainte-Foy. La jeune femme leur apportait des nouvelles de sa mère. Des cartes postales. Des photos. Une lettre contenant quelques passages à l'intention de sa plus vieille amie.

On était autour de la table de cuisine, le «haut lieu de la convivialité», disait souvent Chantal, celle parmi les enfants de Paula qui regrettait le plus la division de sa famille par la séparation de ses parents.

Quand on est au loin dans un lieu voisin du paradis, on pense à tous ceux qu'on aime et on voudrait plus que tout au mode les voir là, tout près, pour partager avec vous ces beautés incroyables...

— Elle a mis des accolades en regard des bouts qu'elle veut que je vous lise... Y a rien de secret dans le reste, mais ça ne vous intéresserait peut-être pas... Bon... J'en étais où déjà ?

Un vieux rêve, c'était d'aller visiter l'île de Pâques, mais je ne pourrai pas le réaliser tout de suite. C'était décidé... mais les circonstances étant ce qu'elles sont, je vais rester plus longtemps que prévu à Tahiti. C'est André qui aurait de quoi se rincer l'œil par ici... Les vahinés sont vraiment belles... Du caractère autant que du corps... Je sais que tu n'es pas jalouse, Aubéline...

On regarda ensuite des photos puis André déclara sur la ton de la joyeuse autorité :

– Ta mère, Chantal, a voulu te livrer un message à toi et aux autres de ta famille, et elle a choisi son vieil ami André pour le transmettre à travers son œil exercé… Ta mère, Chantal, je te l'annonce et je te le dis en vérité, est en amour… Oui, oui, oui… Et avec cet homme-là, tu vois, là ?

– Voyons donc, toi ! contesta Aubéline en lui arrachant la photo des mains. Pourquoi celui-là et pas un autre ? Les photos sont remplies de beaux Polynésiens…

– Lui, ce n'est pas un vrai Polynésien ; il n'en a aucun trait, dit Chantal.

André leva un doigt rempli de sagesse et de perspicacité et il déclara avec une emphase voulue pour faire rire ses interlocuteurs :

– Et je le dis pour plusieurs bonnes raisons. D'abord, Paula, c'est une personne de ma génération ; et une femme de ma génération qui a divorcé n'annonce pas à sa famille comme ça, de but en blanc, qu'elle est tombée en amour avec un homme plus jeune qu'elle et à l'autre bout du monde en plus. Deux, elle a pensé que la filière la meilleure pour véhiculer la nouvelle serait : Chantal, le vieux André, donc moi, pour éclairer Chantal, et ensuite les autres. Simple comme bonjour ! Trois, ça fait longtemps que Paula ne s'exprime plus par les sentiments, on sait ça. Mais là, entendez-la parler des beautés de la nature, de la sensualité, etc. Quatrièmement, le sourire de cet homme n'est pas normal et on voit qu'il s'adresse directement et totalement à la caméra et à la personne qui les photographie.

Chantal sourit largement. Elle reprit la lettre et la parole :

– Y a un post-scriptum pour André… *PS Cher André Veilleux, joues-tu toujours au détective ?* Elle te connaît, on dirait.

L'homme éclata de son vieux rire de 50 ans : paternel, expérimenté, mais généreux.

– C'est la preuve par neuf de ce que j'avance. Que je fasse rire de moi si je me trompe!

Chantal redevint sérieuse. Elle espérait en son for intérieur qu'il se trompe. Son intuition et ses vœux lui disaient qu'un jour peut-être ses parents se retrouveraient. La lueur était mince mais elle brillait encore...

*

Marc ne possédait pas les forces requises pour accomplir sa tâche convenablement même si au fond tout était dicté par sa mère adoptive et ses recommandations au téléphone ou lors de ses brefs et peu visibles séjours à la maison.

Son âme semblait devenue une sorte de jungle inextricable bourrée de plantes vénéneuses et de bêtes dangereuses l'empêchant de renouer avec les vrais élans de l'accomplissement, ceux de la beauté et de la créativité. Sa vie se transformait en quelque chose d'inesthétique malgré lui.

Son homosexualité elle-même avait odeur de vinaigre parce qu'il la détestait plutôt de l'accepter et de la vivre pour en tirer des bénéfices comme de toute chose, même de la mort des êtres chers.

Il avait tâté la drogue. Mari au secondaire. Cocaïne plus tard. Une fuite en avant. Il fuyait sans trop savoir ce qu'il fuyait. Des doses espacées. Puis plus fréquentes. L'escalade classique. Et bête.

Au travail, il se donna deux employés bien choisis. Ils se tournaient les pouces, mais répondaient à ses attentes intimes. Il devint arrogant avec le couple français sous prétexte que leur attitude arrogante le leur valait bien. Les altercations se multiplièrent. Il y eut quelques réconciliations. Marc reçut ses amis de plus en plus souvent à la piscine. On buvait. On fumait. On riait. On criait. On salissait surtout. Mais rien de sexuel sauf en l'absence du couple.

Nathalie, Christian et Chantal ne venaient que rarement à la grande maison et seulement quand Paula rentrait. Ils prirent l'habitude de fréquenter davantage la maison de leur naissance où la compagne de leur père les accueillait toujours à bras ouverts quand elle s'y trouvait.

Malgré ses efforts, Sylvie sentait qu'elle ne parvenait pas à le libérer du souvenir de sa femme, à combler son vide intérieur qu'elle surprenait parfois dans ses regards nostalgiques.

Grégoire se montrait affectueux avec Lucie. Trop de taquineries et de jeux peut-être et cela inquiéta Sylvie. Il devina son souci et l'en libéra en rétablissant certaines distances malgré la volonté de la jeune adolescente.

Une amie de Sylvie lui dit que Grégoire cherchait sans doute à compenser pour tous ces moments perdus où il avait négligé de serrer ses propres enfants sur son cœur.

« Les hommes sont ainsi : leur cœur semble se réveiller toujours trop tard, bien trop tard. »

Un soir, l'homme reçut un appel de son ex-femme. Le fit-elle exprès, mais c'était le 15 novembre et il ne fut pas sans le remarquer. Elle lui demandait de se livrer à une enquête discrète sur ce qui se passait à la maison entre Marc et les Français. Il lui suffirait de les questionner mine de rien. Il était le mieux placé pour ça, lui dit-elle.

Il fit ce qu'elle demandait. Se rendit au studio de Marc, conversa. Puis parla aux Français. Impossible d'en arriver à une conclusion. Le torchon brûlait sans doute entre eux mais les choses pourraient probablement continuer ainsi jusqu'au retour de Paula.

*

À son retour de Polynésie en décembre, Paula communiqua avec Grégoire. Il n'ajouta rien à ce qu'elle savait déjà. Marc fit des concessions. Les Français aussi. La femme fut satisfaite.

Naquit le bébé de Nathalie. Paula lui fit un cadeau modeste. Se montra réservée aussi dans ses cadeaux de Noël.

Un repas de famille la réunit avec les enfants. Elle leur apprit qu'elle poursuivrait son voyage en compagnie de quelqu'un rencontré à Tahiti. On comprit...

Elle parla de son agenda pour 1990: Allemagne, Italie, Égypte, Russie, Proche-Orient, Extrême-Orient...

C'est l'âme en paix qu'elle quitta les lieux. Elle avait rendez-vous avec Jean-Paul à Hambourg.

Le jour même où Albert se rendit avec elle à Mirabel, Marc eut un affrontement violent avec Maryse. Une agression physique voulue, planifiée. Elle subit des blessures légères, des contusions, et surtout, ressentit la peur. Peur coléreuse, peur douloureuse, peur rageuse...

Toutefois, elle répondit par une contre-attaque psychologique qui fit autant de mal à son agresseur. Marc disparut de la maison par crainte d'avoir à faire face à Albert à son retour. Quand il sut que l'homme était revenu, il téléphona et ordonna au couple de quitter les lieux définitivement.

De toute façon, les Français étaient à préparer leurs affaires. Marc s'entoura de gardiens et retourna à la maison où il prépara leur chèque final.

Le jour suivant leur départ, ce fut la fête dans la maison qui se transforma en un véritable capharnaüm: alcool, drogues, cris, musique excessive, saleté, sexe. Tout.

Puis le jeune homme recruta du personnel à temps partiel pour remplacer les serviteurs partis. À Paula, il dirait que les Français avaient vidé les lieux sur un coup de tête...

«Prends soin de la maison comme si c'était la tienne!»

«Crains pas, maman!»

***

Chapitre 30

Paula et Jean-Paul s'étaient quittés au meilleur de leur relation trois semaines plus tôt. Après avoir réparé la *Natalia*, il l'avait remisée dans un petit port secondaire de Papeete puis s'envolant sur les mêmes ailes que la femme d'affaires, il se séparait d'elle à Chicago. Paula avait pu le rejoindre en France par téléphone à quelques reprises durant son séjour au pays. Ils avaient rendez-vous au Hilton de Hambourg où il arriverait le jour suivant l'arrivée de Paula.

Jean-Paul serait un ami et un amant, certes, pour la suite du voyage mais aussi un complice et parfois un guide. Par exemple, il connaissait bien l'Allemagne et l'Italie, et c'est par ces deux pays qu'elle voulait poursuivre son périple autour du monde.

Elle s'installa confortablement dans une chambre de luxe en l'attendant. Mais ce ne fut pas lui qui arriva le jour suivant, mais plutôt une lettre postée en France.

Regardant tout d'abord longuement l'enveloppe, elle hésitait à l'ouvrir. Un mauvais pressentiment. Il avait changé d'idée sans doute et ne voulait plus venir la retrouver. Quoi d'autre puisqu'il devait arriver durant la journée même ? Pour un simple retard, il aurait simplement téléphoné ou envoyé un message télécopié…

Elle jeta l'enveloppe sur la table et alla s'étendre un moment sur son lit, mains derrière la tête, regard fixé sur la lettre menaçante.

Et pourtant, ça ne lui ressemblait guère de craindre ainsi de prendre le taureau par les cornes. Et puis souvent les choses ne sont pas ce qu'on pense qu'elles seront. Elle avait beau se raisonner, les démons noirs de son intuition ne la lâchaient pas. Puis elle eut un petit mouvement de révolte contre elle-même, contre son côté émotif trop remué ces derniers temps. Aiguillonnée, elle chercha la lettre, l'ouvrit et retourna s'asseoir sur son lit pour la lire sous l'éclairage de sa lampe de chevet.

Chère patronne,

Je devine qu'en recevant cette lettre, tu as aussitôt pensé avant même de l'ouvrir qu'elle te décevrait, te contrarierait. Il n'en sera rien. Je le sais. Je te connais trop. J'ai beaucoup d'affection, d'amour pour toi. Qu'est-ce que l'amour, on se l'est souvent demandé. C'est un degré d'attachement, quels qu'en soient les raisons, les causes, les intérêts. L'amour est parfois simple, souvent complexe, altruiste et égoïste à la fois, bleu, rouge, jaune, multicolore et nuancé. C'est un beau sentiment vraiment. Et c'est bien plus encore, c'est une promesse d'éternité.

Mais l'amour trouve aussi une partie de sa définition dans ce qu'il n'est pas. Surtout et en premier, l'amour n'est pas nomade. Pas nomade du tout. Il est conservateur, stable malgré les tempêtes, installé quelque part. L'amour n'est pas un bateau dans le Pacifique Sud, mais bien plutôt une chaumière et un cœur, ainsi que tu le disais toi-même. Il est serein à travers les vents qu'il finit toujours par apaiser.

Je retourne vers la Natalia. *Errance. Découvertes. Rivages neufs. Je t'écris ces vers de Lamartine. Qu'ils compensent pour mon manque de talent en lettres.*

L'Amour ! je l'ai chanté, quand, plein de son délire,
Ce nom seul murmuré faisait vibrer ma lyre,
Et que mon cœur cédait au pouvoir d'un coup d'œil,
Comme la voile au vent qui la pousse à l'écueil.
J'aimai, je fus aimé ; c'est assez pour ma tombe ;
Qu'on y grave ces mots, et qu'une larme y tombe !

Mon absence ne sera pas une absence d'amour. Car l'amour, le vrai, dure l'éternité et ne connaît ni les frontières ni les distances. Le reste, ce n'est rien que de la transaction sentimentale.

Mes enfants se portent bien et les fêtes furent bonnes pour moi et pour eux. Sûrement pour toi aussi. J'irai te voir un jour quand tu auras terminé ton voyage. Ces collines verdoyantes de la Beauce et ta chère rivière Chaudière, je leur parlerai de toi, de nous, de la vie...

Bon voyage, patronne! Bon voyage!

Elle relut deux fois et sourit tandis que ses yeux se mouillaient. Mais les larmes grosses, perlées, abondantes ne vinrent jamais. Elle remit la lettre dans l'enveloppe qu'elle se rendit cacher dans la doublure d'une de ses valises. Une fois encore, elle devrait suppléer au pouvoir magnifique des sentiments par celui de l'argent. Il fallait de toute façon que cette relation, si belle avait-elle été, prenne fin un jour ou l'autre. De cette manière, ça ne manquait pas d'élégance et ça comportait le minimum de souffrance morale.

La femme se rendit à la fenêtre et regarda la ville grise. Et respira un bon coup. Qu'y avait-il à voir en Allemagne à part les musées, les monuments et les vestiges nazis?

Dans les semaines suivantes, elle fit parvenir quelques cartes postales, des films et de rares lettres au pays. Après quelques pays d'Europe, elle se rendit en Afrique et c'est en Éthiopie qu'elle fit parvenir la nouvelle au sujet de Jean-Paul. Chantal fut soulagée d'apprendre que l'amour ne faisait plus partie de son voyage.

En mars, elle poursuivit sa route sans revenir au pays comme elle l'avait pourtant annoncé. D'Afrique, elle se rendit en Europe de l'Est afin d'y voir, écrivit-elle, *la transition de ces peuples depuis leur vieille oppression sécurisante à leur fraîche liberté emballante et combien inquiétante...*

En Roumanie, elle visita certaines maisons naguère possédées par le dictateur Ceauşescu et, le jour d'après, un orphelinat où se côtoyaient des handicapés mentaux et physiques et des enfants malades du sida. Des images vues par le monde entier mais au contraste saisissant quand on les a directement sous les yeux. Il lui faudra plusieurs jours pour se libérer des cauchemars que ces moments avaient provoqués au cœur de ses nuits.

Moscou. Le temps du muguet. Là-bas, elle descendit à l'hôtel Cosmos à quelques kilomètres du centre-ville. Dès le premier jour, dans le hall d'entrée achalandé, sous un assemblage décoratif de vélos suspendus, elle repéra un groupe de touristes dont les visages et les vêtements lui disaient quelque chose. Une quinzaine de personnes qui ressemblaient fort à des gens du Québec. Elle s'approcha et reconnut aussitôt leur accent familier. S'adressant à l'un d'eux, elle dit avec une joie bien réelle :

– Permettez-moi de me présenter, je suis Paula Nadeau du Québec…

– Plaisir ! dit l'homme en lui serrant la main. C'est rare qu'on rencontre du monde de par chez nous par ici. On est un groupe de seize personnes.

Le Québécois tira un autre homme par la manche de sa veste rouge et lui présenta la femme.

– C'est le chef de groupe, monsieur Bélanger… Et voici madame Nadeau, une…

– Beauceronne, coupa la femme d'affaires en tendant sa main.

– Faites-vous partie d'un groupe ?

– Non, je suis seule de mon groupe. Une globe-trotter. J'arrive à Moscou, mais je n'ai vu personne du pays depuis un bail.

Le chef de groupe, un personnage bavard et à la voix puissante s'exclama :

– Eh bien, vous allez en avoir pour votre argent avec nous autres. Du monde qui ont de l'allure pis qui viennent des quatre coins du Québec. En majorité des souverainistes, mais on accepte ceux qui s'habillent autrement.

Il réunit les gens en cercle et fit les présentations. Il achevait lorsque la guide russe fit son apparition pour prendre le groupe en charge et le mener à l'exploration des «suprêmes beautés de l'exposition des réalisations de l'économie nationale», une attraction située en face de l'hôtel mais où il fallait se rendre en car à cause de l'étendue des lieux. Femme petite et mal fagotée, elle possédait une voix douce mais forte, un français impeccable mais très parisien.

– Alors ce matin, nous allons visiter l'exposition des réalisations de l'économie nationale. En russe, on dit plus simplement *VDISH*. Est-ce que tout le monde est là, monsieur Bélanger ?

– Oui, même qu'on a une personne de plus ce matin.

Et l'homme montra Paula qui lui dit :

– Est-ce que... bon... vous accepteriez que je me joigne au groupe ?

– Je ne comprends pas, dit la femme russe avec un large sourire.

– Je suis une touriste qui voyage seule et il m'arrive de me joindre à un groupe. Bien sûr que je paye ce qu'il y a à payer : billets d'entrée, repas, transport...

La Russe perdit son air affable et devint plus dure :

– Non, madame, cela n'est pas possible. Ces gens-là ont payé près de deux mille dollars chacun pour leur voyage et vous viendriez profiter de ce qu'ils ont acquis... collectivement ?

– Puisque je vous dis que je vais payer tout ce qu'il y a à payer.

– Ce n'est pas ça l'important, vous savez. Et puis comment faites-vous pour voyager seule ? Seriez-vous une femme riche ?

– Je suis une femme d'affaires canadienne. J'ai 50 ans. Je voyage seule. Quand je rencontre des gens du Québec, j'aime fraterniser avec eux quelques heures au moins...

La guide se composa un sourire hypocrite:

– J'ai bien peur que ça ne soit pas possible.

«Une communiste qui n'aime pas les exploiteurs!» se dit Paula qui haussa les épaules en même temps qu'elle regarda le chef du groupe.

L'homme intervint aussitôt:

– Irina, nous allons décider de cela si vous le voulez bien.

La guide fronça les sourcils:

– Vous dites?

– Que nous, habitués en démocratie, décidons à la majorité. On est seize dans le groupe. Quels sont ceux qui acceptent que madame Nadeau se joigne à nous?

Tous levèrent la main.

– Qui est contre?

Personne.

– On vous donne le droit de vote, Irina. Vous êtes contre ça?

Elle déploya son plus vaste sourire, grand comme la Sibérie, haut comme l'Oural, long comme la Volga:

– Écoutez, j'ai dit cela pour protéger le groupe, vous savez. Si vous êtes d'accord, madame est la bienvenue, il va sans dire. Et tiens, je vais même vous accompagner aujourd'hui à l'exposition des réalisations de l'économie nationale. Cela devrait vous intéresser particulièrement, vous, une femme d'affaires. Et vous me parlerez de ce que vous faites, je veux dire de quelles affaires vous vous occupez au Canada. Ah! le Canada, quel beau pays!

– Le Québec, le Québec, dit le chef de groupe.

– Mais, monsieur Bélanger, peut-être que madame...

– Rien qu'à voir, on voit ben que c'est une vraie Québécoise de souche… comme Marie Laberge, comme Gilles Vigneault, comme…

Le brouhaha reprit ses droits.

– Qui est Marie Laberge ? demanda la Russe à Paula.

– Je… je ne sais pas.

– Une célèbre écrivaine, dit aussitôt un homme derrière elles.

– Ce monsieur travaille à Radio-Canada, dit la Russe, il sait beaucoup de choses. Et puis, cet autre monsieur, là, avec la dame aux boucles d'oreille rouges, eh bien, c'est aussi un auteur de chez vous. Vous le connaissez peut-être ?

– C'est d'abord à lui que j'ai parlé tout à l'heure.

– Il s'appelle… je ne sais plus… Monsieur…

– C'est un monsieur Martel, dit l'homme de Radio-Canada. Alain Martel…

– Mais oui, mais oui, je me rappelle, dit la Russe qui refusait toujours d'être prise en faute. Peut-être le connaissez-vous, madame Nadeau.

– Pas plus que Marie Laberge.

Irina soupira :

– C'est malheureux : ne pas connaître les célébrités de son pays… Ici, en URSS, il y a des bibliothèques dans chaque maison, chaque appartement. Et nous connaissons tous nos écrivains célèbres… Ils sont nombreux, très nombreux. Bien sûr, le capitalisme n'existant pas chez nous, nous passons plus de temps à nous occuper de culture qu'à nous occuper d'affaires. Et c'est un peu pour ça que le monsieur de Radio-Canada qui nous suit…

Elle se tourna pour le saluer d'un sourire, espérant qu'il continue d'être à l'écoute et poursuivit :

– … connaît la littérature de votre pays tandis que vous devez plutôt connaître les capitalistes, soit dit sans vous offenser.

Paula tourna la tête. L'homme de Radio-Canada lui parut fier comme un paon, mais il fit une moue pouvant signifier que cette pauvre guide en mettait un peu trop tout de même.

Et la visite dura quatre heures. Il y avait plusieurs pavillons à visiter notamment celui appelé *KOCMOC*, pour Cosmos, qui présentait divers engins spatiaux, des répliques et des vrais qui s'étaient déjà arrachés à l'attraction de la Terre.

Devant la fusée associée au plus célèbre des astronautes russes, Youri Gagarine, la guide déclara de sa voix qui portait loin et haut :

— Comme vous le savez tous, nous avons été le pays qui a envoyé le premier satellite dans l'espace, c'était le *Spoutnik*, à l'automne 1957. Mais nous avons été aussi le pays qui a envoyé le premier être vivant dans l'espace, la chienne Laïka. Nous avons été aussi le pays qui a envoyé le premier homme dans l'espace, Youri Gagarine. Et nous avons été le pays qui a envoyé la première femme dans l'espace, une petite ménagère de Moscou. Quelle fierté pour la femme soviétique et pour la femme du monde entier !

Irina regarda plusieurs personnes du beau sexe avec un sourire de complicité en travers du visage.

— Est-ce qu'il y aurait des questions ?

L'auteur leva la main. La guide lui donna la parole par un signe de tête.

— Et concrètement, toutes ces dépenses pour aller dans le vide, qu'est-ce que ça aura donc apporté au petit monde ordinaire du pays ?

— Mais monsieur, l'honneur vous pensez bien. Quelle fierté pour tous les Soviétiques ! Le sentiment de grandeur, de puissance !

— Et ça met du pain sur la table, ça ?

— Mais aucun Soviétique ne manque de pain, cher monsieur. Tous les besoins des gens sont comblés chez nous.

Aucune exploitation de l'homme par l'homme ou de la femme par l'homme! Personne ne manque de travail. Tous mangent à leur faim. Tous ont un toit. Il n'y a pas de sans-abri chez nous. Et en plus, les gens ont un sentiment de fierté, d'appartenance. Nous sommes un PEUPLE!

– Bravo! dit le chef de groupe. Et nous en serons un bientôt, nous aussi du Québec!

– Ça, c'est vrai! approuva l'homme de Radio-Canada.

Tout ça paraissait bien incongru à la femme d'affaires. En fait, l'auteur avait posé la question qui lui brûlait la langue mais la réponse de la guide lui paraissait prétentieuse et emphatique, et les réactions des deux hommes québécois plutôt inopportunes et hors contexte. Le chef de groupe surtout avait l'air de traîner son obsession politique dans ses bagages et ça l'empêchait de s'ouvrir à ce qu'il avait sous les yeux pour l'apprécier à sa juste valeur, sans plus ni moins. Bref, il y avait beaucoup de sentiments qui planaient au-dessus de ce groupe et pas grand réalisme.

Des suiveux applaudirent les deux hommes. Irina crut que c'était pour son vibrant laïus patriotique et son visage rosit.

Paula se questionnait sur sa propre ferveur nationaliste. À l'aube de la mondialisation de tout, ne voilà-t-il pas une valeur obsolète et porteuse de vide? C'est cela en tout cas qu'avait voulu dire l'auteur avec sa question. Elle ne put aller plus loin dans sa réflexion. Irina lui parla tandis que les gens faisaient semblant d'admirer les exploits incontestables que portaient en eux ces gréements et artefacts.

– Qu'est-ce que vous faites comme affaires au Canada, madame Paula? Vous dirigez une entreprise? Vous avez des employés?

– Plusieurs entreprises. Plusieurs centaines d'employés.

– Vraiment? Mais… vous dites ça sur un ton détaché, je ne comprends pas. N'êtes-vous pas une passionnée de ce que vous faites?

– Bien entendu! Passionnée du moment présent, et en ce moment, je suis ici à faire du tourisme, pas à diriger des affaires. Et puis j'ai laissé la direction de mes diverses entreprises entre les mains de personnes fiables et elles-mêmes passionnées… Ça compense.

– Vous faites bien, vous faites bien, fit distraitement la guide pour qui c'était le moment de donner le signal de départ.

Tout au long de la journée, elle posa des questions à Paula mais rarement elle écouta les réponses. Elle fut bien plus attentive toutefois au repas du soir quand il fut question des relations entre les hommes et les femmes au pays du Québec.

L'auteur dénigra l'amour et il fut conspué par la plupart des femmes y compris celle qui voyageait avec lui. Cependant, il trouva une alliée en Paula que les récents déboires rendaient platement terre-à-terre dans les questions sentimentales. Alors Irina la prit en grippe et pour le reste du temps, soit deux jours où les deux femmes furent en présence l'une de l'autre.

Le groupe s'envola pour Volgograd et Paula dut s'en séparer sans trop de regret. Puis elle se dit qu'elle aimerait bien lui parler, à cet auteur sans renom, pour chercher en lui ce qui les faisait se ressembler dans plusieurs de leurs opinions, de leurs perceptions et des nuances qui ressortaient de leurs propos. Et le jour suivant, elle prit à son tour l'avion pour Volgograd.

Mais à quel hôtel logeait le groupe de Québécois? Ce ne fut pas difficile de les retracer. Elle prit une chambre au même endroit. Ce fut la surprise générale de la voir apparaître dans le lobby le lendemain. Elle mentit en disant qu'il s'agissait d'un pur hasard d'autant qu'elle les croyait tous à Leningrad et pas à Volgograd.

La compagne de l'auteur étant une femme souriante et avenante, il fut aisé à Paula de faire plus ample connaissance puis de les emmener dans un restaurant voisin, d'autant que Martel connaissait les rudiments de la langue russe et se débrouillait pour le strict nécessaire. On pouvait toujours se rabattre sur l'anglais. On eut donc une table en face d'un édifice rendu célèbre par la reddition de von Paulus, le feld-maréchal allemand fait prisonnier par les Russes en 1943.

La rencontre ne donna pas les résultats escomptés. L'homme déçut la femme d'affaires. Trop à gauche. Mais pourtant anti-communiste. En faveur de rien. Rebelle à toute autorité. Sans pensée substantielle. Contre tout. Sans solution pour quoi que ce soit.

« Un de ces braillards qui se valorisent en tirant sur tout ce qui bouge dans le monde ! »

Telle fut sa conclusion.

Quant à sa compagne, elle n'avait aucune pensée politique, aucune pensée économique, aucune pensée sociale. Il l'appelait sa chatte et elle ne savait tout au plus que ronronner.

Paula ne suivit pas le groupe et se joignit plutôt à des Allemands.

Elle visita un immense complexe hydroélectrique sur la Volga. Aussi des ruines de la Seconde Guerre mondiale dont on tirait tant de fierté là-bas. Et l'immense statue célébrant la victoire russe sur l'Allemagne nazie. Et des mausolées. Et fit une croisière sur la Volga. Visita une grande bibliothèque. Une usine de tracteurs.

Mais elle n'établit aucun lien autre que superficiel avec les gens du groupe.

Prise d'ennui, elle écourta le temps qu'elle devait passer en cette ville et partit pour Leningrad où elle se sentit plus heureuse.

Ville européanisée, hôtels américanisés, spectacles mon-dialisés, anglais partout ; mais aussi de grandes richesses culturelles. Malgré tout, une fois encore, elle fut prise de nostalgie et après trois jours passés dans l'incontournable mais incommensurable Ermitage, elle fit ses bagages pour s'en aller ailleurs.

***

Chapitre 31

Parce que naguère, elle avait beaucoup aimé le film *Docteur Jivago*, Paula voulut faire une virée en train, et tant qu'à faire, aussi bien y aller de bon cœur. Poussée par un certain ennui et mue par ses grandes ambitions de toujours, elle opta pour le transsibérien. Et pendant des jours et des jours, et pendant des nuits et des nuits, elle entendit le son monotone fait par l'acier des roues sur l'acier des rails.

Par bonheur, elle put se nourrir à satiété de paysages grandioses dans la taïga, les montagnes, la steppe, jusqu'au lac Baïkal, un lieu qui par son isolement lui rappelait Tahiti et qui, par sa chaleur d'été, lui donnait à penser à l'enfer. Elle se nourrit aussi à la cuisine russe, meilleure sur ce train que dans les meilleurs hôtels de Moscou ou d'ailleurs.

Nostalgie, tristesse, romantisme, chaque escale lui apportait un morceau d'*Anna Karenine*. Souvenirs de sa vie stable et de sa jeune famille quand les enfants grandissaient. Réussite financière et mort lente des sentiments. L'infidélité de Grégoire avait-elle été la cause de tout le mal ? Non, l'infidélité d'un conjoint n'est que la vague plus haute que les autres qui fait chavirer l'esquif déjà fragile. Pourquoi ces mesures à la fidélité, ces normes sacrées à ne point transgresser ?

D'une gare à l'autre, d'un paysage au suivant, son passé revenait la hanter. Cent fois pourtant, elle s'était promis de le garder enterré ; mais ce que d'aucuns se rappellent le plus, c'est ce qu'ils cherchent le plus à enfouir.

Comment meubler autrement un voyage en train au fond de la Sibérie quand on est seule ? Surtout qu'elle avait réservé un compartiment privé où elle se retrouvait le plus souvent à lire et à méditer en regardant distraitement défiler sous ses yeux les images sans cesse changeantes de la nature russe.

Au retour, elle se consacra davantage à faire du film et chargea plusieurs vidéocassettes, tout lui paraissant malgré son zèle à le faire, plutôt banal et relevant du déjà-vu.

*

De Moscou, elle se rendit en Iran, un pays qui lui donna froid dans le dos à cause de l'attitude des hommes envers les femmes, et surtout, en raison de l'intégrisme musulman dont on pouvait voir partout les signes et conséquences. Comme tous ceux qui suivent l'actualité internationale, elle avait été un témoin télévisuel de la prise d'otages du début des années 1980 par les étudiants iraniens d'un groupe de gens de l'ambassade américaine et de leur longue séquestration, de la tentative avortée de les libérer et de l'héroïsme de certains Canadiens au cours du déroulement de cette malheureuse affaire politicodiplomatique.

Elle passa un seul jour à Téhéran et s'envola pour Bagdad, où elle s'attendait à trouver plus de liberté et surtout de sécurité morale et physique. Elle choisit le meilleur hôtel du centre-ville et s'y installa confortablement avec le projet d'y rester une bonne semaine. Bagdad, *Les Mille et une Nuits*. Bagdad, la mystérieuse. Bagdad, la romantique.

Au moment d'atterrir, elle se souvint d'un film de son adolescence mettant en vedette Yvonne de Carlo, sauf erreur, et un bel acteur bronzé du nom de John Agar. Elle en chercha le titre pendant quelques secondes et le retrouva sous une lourde pile de souvenirs poussiéreux. C'était *L'Aigle rouge de Bagdad* dans lequel les deux stars se promenaient au-dessus de la ville sur le véhicule préféré des amoureux : un tapis volant.

Il lui fallait un garde du corps et un chauffeur. Sitôt entrée dans sa chambre, elle contacta l'agence de voyages qui verrait à répondre à sa demande dans le courant de la journée.

Tout était beau.

Tout était prêt.

Tout était planifié.

Elle entrait dans une autre étape de son long voyage, l'âme sereine après le formidable ennui de la Sibérie et les insupportables inquiétudes de Téhéran.

Cherchez et vous trouverez ! dit la Bible.

Mais vous ne trouverez pas forcément ce que vous cherchez. Ou bien vous ne le trouverez pas de la façon que vous l'auriez voulu.

On était le 1er août 1990.

*

Ce soir-là, la femme d'affaires appela au pays. L'appel avait été planifié quelques jours auparavant.

« Fais servir un repas à toute la famille à la maison et mercredi soir, je téléphonerai et parlerai à tous ! » avait-elle demandé à Marc.

À la table de la salle à dîner, il ne manquait plus que sa voix. Chacun au cours du repas jeta son œil sur l'appareil de téléphone qu'on avait installé sur le coin entre Marc et Grégoire.

L'ex-mari de Paula se trouvait là non pas pour lui parler mais à cause de ses enfants. Cela avait été clairement établi. Et sa compagne qui travaillait ce soir-là ne s'en plaignit aucunement.

Chacun savait que le jeune homme avait préparé la maison avec soin pour le retour de Paula. Elle aurait le tapis rouge devant la porte. Il fallait lui faire oublier le départ du couple français. Sachant sa maison bien entretenue, elle récompenserait son fils adoptif par une confiance accrue en lui. Même que dans les jours prochains, il ferait repeindre le fond de la piscine, arguant que Maryse et Albert avaient raté leur travail. Et quand Paula arriverait après son séjour au Moyen-Orient qui se terminerait dans quelques jours au bout de cet arrêt dans la capitale de l'Irak, elle ne pourrait pas être plus satisfaite de l'état des lieux.

Voilà à quoi pensait le jeune homme lorsque l'appareil de téléphone se fit entendre enfin. Il hésita une seconde, scruta le regard de Grégoire, et décrocha le combiné.

— Maison Paula Nadeau.

— C'est toi, Marc.

— Tiens, bonsoir maman!

— Comment ça va à la maison?

— Tout est bien: c'est diguidou! Et tout le monde est là, même papa qui a fait un spécial pour être avec nous.

— Bon, passe-moi donc Nathalie!

— Nathalie, dit-il en tendant le combiné par-dessus la table.

— Maman! s'exclama joyeusement la jeune femme. Comment vas-tu? Es-tu rendue à Badgad?

— Depuis aujourd'hui et pour une semaine après quoi je rentre à la maison pour quelques jours.

Nathalie jeta un petit coup d'œil vers son père et reprit:

— Tu es seule?

— À mon âge, c'est mieux comme ça. C'est un peu moins problématique.

— Tu as fait la Russie?

— J'y ai rencontré un groupe de Québécois, mais je n'ai pas réussi à créer un lien véritable avec eux autres ni à cimenter quoi que ce soit. Problème d'intégration au groupe à cause de la guide qui me faisait passer pour une intruse. Ensuite, j'ai fait la Sibérie. Voyage long et plat comme la steppe russe. Mais assez confortable et ce qu'il y a de plus luxueux dans ce pays-là.

– Ce n'est pas le luxe qui compte, maman.

– Non, je sais bien, mais je fais partie des générations à valeurs matérialistes. Peut-être à cause des privations dans l'enfance. Vous autres, vous avez été élevés dans la ouate : pas de problème à vous en passer.

– On ne va pas recommencer la discussion là-dessus, maman, sinon ça va te coûter cher d'appel.

– Le prix des appels, ça fait partie du coût du voyage.

– Que c'est beau, avoir de l'argent !

– Quand tu voudras te lancer en affaires, tu auras tout mon appui.

– Tu as dû te débrouiller et ça t'a rendue plus forte. Je ne serais pas capable, moi…

– Mais non, mais non… Tu n'as pas été élevée autrement que les autres de ton âge. Un peu plus de confort à partir de ta jeune adolescence, c'est tout.

Après avoir prêté attention aux propos de Nathalie pendant quelques secondes, les autres s'étaient remis à jaser afin de montrer leur discrétion. Le mari de Nathalie avec le compagnon de Chantal et Christian avec son père tandis que Marc parlait avec sa voisine Julie.

– Tu ne me demandes pas comment va la petite ?

– Cela va de soi que j'ai hâte de savoir. Je m'ennuie assez de ne pas la voir.

– Tu vas trouver qu'elle a changé.

– De zéro à six mois, c'est sûr qu'un enfant change énormément…

Elles échangèrent un moment quant aux finesses de l'enfant chouchou de la famille car le premier et seul petit-enfant, puis Christian parla un peu avec Paula de ses occupations. Elle le fit saluer Julie et ce fut au tour de Chantal qui prit l'appareil et s'éloigna pour parler en toute discrétion avec sa mère. Elle lui raconta quelques bonnes choses de son quotidien et surtout narra ses visites chez Aubéline et André.

— On ira les voir ensemble en fin de semaine prochaine, suggéra Paula.

— Je vais le leur annoncer.

Grégoire surveillait du coin de l'oreille tout en ne se détachant pas de la conversation à trois qu'il avait en ce moment avec ses deux fils. Quelle ne fut pas sa surprise lorsque Paula demanda à lui parler ! Et il put le faire aussi en toute discrétion puisqu'il se rendit là où Chantal avait répondu à sa mère soit dans le couloir voisin de la salle à manger.

— Et toi, quelles nouvelles ?

— Ah ! on a fini le gros des travaux dans l'écurie numéro trois. Tout avance. Moins vite que quand c'est mené par toi, mais ça avance. Et toi ?

— Comme prévu, il me reste un an de route à faire en globe-trotter, et ensuite, ce sera le retour définitif à la chaumière pour y mourir.

— Ça, c'est pas pour demain.

— Quoi ?

— Toi, mourir : tu vis trop vite pour t'arrêter avant 100 ans.

— Au contraire, ce sont les personnes qui vivent le plus intensément qui parlent le plus vite. Elles sentent que leur vie ne sera pas longue et elles en profitent au maximum.

— C'est peut-être pas une règle.

— Et Marc, il se débrouille toujours bien avec la maison ?

— On dirait que ça va mieux depuis que les Français sont partis. Je dis bien « on dirait »… Il est plus calme, plus souriant, il a l'air de produire plus pis mieux dans son travail…

— Ben contente de t'entendre dire ça. Et Sylvie ? Et sa fille ?

— Toujours pareil.

— Ce qui veut dire ?

— Se plaignent pas.

— Toujours sans nouvelles de notre bon vieux Gaspard Fortier ?

– Arrivé dans notre vie comme un survenant, parti de la même manière.

– Tu fais pas de réparations à ta maison ? Pas de retouches cette année ?

– Non, non, les besoins qu'on a sont limités. En tout cas, ça me convient comme ça. Je manque d'ambition, tu dois trouver.

– Chacun ses choix, chacun ses goûts !

Grégoire savait que Paula avait rencontré quelqu'un à Tahiti et qu'elle devait poursuivre son voyage avec lui et il lui démangeait de savoir si l'autre homme se trouvait toujours à ses côtés. Nathalie avait posé la question «Tu es seule?» Mais il n'avait pas pu entendre la réponse ni la déduire à partir de la suite.

– Qu'est-ce que tu fais pour voyager comme ça, toute seule, en pays étranger ?

– Je fais du pouce.

– T'es folle ?

– Je veux dire que quand je croise un groupe de touristes, je m'arrange, quand c'est possible, pour me joindre à eux. Mais ça ne marche pas toujours.

Et elle raconta quelques péripéties de son voyage.

Puis elle demanda à parler à nouveau à Marc et lui fit des recommandations. Et on raccrocha de part et d'autre. Il se fit alors une pause à la table. Les uns et les autres se regardaient dans les yeux. Grégoire rompit le temps d'arrêt des esprits :

– Marc, va demander aux gens du service de nous apporter deux bonnes bouteilles de vin. C'est votre mère qui nous demande de boire quelque chose de bon à sa santé.

*

Le jour suivant, la nouvelle frappa le monde comme un coup de tonnerre : les troupes irakiennes franchissaient la frontière du Koweït voisin pour l'occuper et permettre au régime de

Saddam Hussein de s'emparer des richesses pétrolières du petit État aux grandes richesses.

Consternation planétaire.

Commotion dans la famille de Paula.

Impossibilité d'entrer en communication avec elle.

Danger de guerre.

Et danger pour les ressortissants étrangers en territoire irakien.

Paula trouvait quelque chose, mais plutôt loin, du moins en apparence, de ce qu'elle avait cherché.

L'hôtel fut bouclé, gardé en permanence. Les résidents furent confinés à leur chambre avec pour seule latitude celle de se rendre à la salle à manger aux heures des repas.

Tout d'abord, elle vécut des heures d'angoisse. De regret surtout d'être venue là, se disant qu'elle l'avait peut-être cherché après tout. Il lui arrivait parfois de penser aux dangers d'un si long voyage : attaque par des bandits de grand chemin, tremblements de terre, ouragans, maladies tropicales ou autres, accidents. Pas une seule fois, elle n'avait imaginé qu'elle pourrait être prise au beau milieu d'un conflit.

À la table du midi, le jour suivant, des femmes anglaises lui remontèrent le moral et Paula se lia d'amitié avec elles. Deux surtout qui, de passage à Bagdad pour voir leur mari, avaient avec elles leurs enfants. Après le repas, elle les retrouva dans leur chambre. L'une au visage moucheté, personne de 35 ans, s'appelait Anne et l'autre, une brunette aux yeux bleus avait pour prénom Jacqueline. Elles prirent place à la table tandis que les enfants, un garçon de 10 ans et une fille de 9 ans regardaient la télévision.

– On va probablement nous laisser nous en aller dans quelques jours, dit l'une.

– Certainement ! approuva l'autre.

Ces deux phrases se retrouvaient en substance sur toutes les lèvres des ressortissants étrangers trouvables en Irak ces jours-là. Paula se sentait beaucoup plus pessimiste :

– Moi, j'ai peur, je dois dire. Je ne pense pas que Saddam Hussein va nous laisser partir aussi aisément. Il voudra nous garder pour empêcher une attaque de la ville par les Américains.

– Il n'y a pas d'état de guerre entre les deux pays.

– Ça va venir. Surtout que les Russes ne seront pas là comme naguère pour mettre des bois dans les roues. Et même qu'ils vont supporter ceux qui voudront remettre Saddam à sa place.

On parla d'armes chimiques. De l'utilisation de boucliers humains. De tout ce qui entoure une pareille situation. Les maris des Anglaises, des ingénieurs, se trouvaient dans le nord du pays ; leurs femmes surent le jour suivant qu'ils n'avaient pas l'autorisation de bouger de l'endroit où ils travaillaient.

Les jours passèrent. La télévision se moquait sans arrêt des pays occidentaux et de leur coalition ; mais parfois, elle se faisait menaçante envers les frères islamistes qui oseraient prendre parti pour les infidèles.

Après quelques semaines, on apprit que Saddam Hussein viendrait lui-même à l'hôtel afin d'y rencontrer la presse étrangère. Il réclama les enfants étrangers qui s'y trouvaient et s'en fit entourer pour donner son entrevue sous bonne image.

Au bout de deux mois d'espoir et d'angoisse, Paula fut enfin libérée, l'une des premières avec les femmes anglaises parmi les ressortissants étrangers considérés comme otages.

Elle appela à la maison depuis Francfort. Malgré les émotions et une certaine fatigue, elle avait décidé de ne pas rentrer tout de suite et de poursuivre son périple en retournant en Afrique. Cette fois au Sénégal et au Mali.

Elle y serait trois ou quatre semaines.

***

Chapitre 32

Les événements de sa vie et de son voyage conduisirent Paula Nadeau à un état de réceptivité peu commun devant la misère africaine. Après avoir rencontré l'abus et la tromperie en Amérique du Sud et s'y être fait dire en substance que prendre à plus riche que soi n'est pas voler, après sa maladie de Cuba et l'indifférence de ses amies face à l'état de sa personne, après avoir croisé l'occulte et la menace de mort en Haïti, après avoir baigné dans l'amour au cœur d'un paradis polynésien, après avoir vu les richesses matérielles et historiques de l'Europe sans toutefois y avoir rencontré l'humain, après avoir constaté les tares du communisme en Russie et les faiblesses du socialisme, après avoir passé deux mois à réfléchir, séquestrée au beau milieu d'un conflit absurde dont l'enjeu était l'or noir du Moyen-Orient, voilà qu'elle arrivait en pleine face dans la pauvreté d'un continent famélique et pitoyable.

Elle ne fut qu'un jour au Sénégal et Dakar ne lui laissa pas l'image de l'indigence. Le lendemain, elle se rendit par train à Bamako, capitale du Mali, ville de l'importance de Québec, située sur le bord du fleuve Niger. Elle y passa deux journées mais là non plus ne fut pas en contact véritable avec les pauvres puisqu'elle habitait dans un hôtel du centre-ville, au cœur du quartier administratif et commercial de la capitale.

Elle organisa son séjour au Mali, louant un véhicule tout terrain genre Jeep avec chauffeur et s'assurant les services d'une jeune femme qui serait à la fois guide et infirmière.

Un jour encore et en compagnie de son personnel, elle voyagea dans la campagne jusqu'à Koulikoro, ayant gardé sa chambre à Bamako pour y laisser une partie de ses bagages. Là-bas, elle réserva trois chambres pour dix jours dans un petit hôtel qui se trouvait être le plus grand de l'agglomération.

— Aminata, tu veux aller chercher Modibo? Nous allons planifier nos journées à venir. Il nous faut des cartes routières détaillées s'il en existe, avec la mention de tous les villages. Est-ce trouvable?

— Je le pense bien. Sinon dans les magasins, sûrement à l'office du tourisme. Voulez-vous que nous y allions tout de suite?

Paula acquiesça d'un signe de tête puis elle referma la porte qui permettait de communiquer d'une chambre à l'autre et que chacune pouvait verrouiller de son côté.

Les deux jeunes gens furent de retour une heure plus tard avec quelques dépliants entre les mains. Elle les fit entrer dans sa chambre et prendre place à la table avec elle.

— Vous avez trouvé ce qu'il faut?

— Nous avons trouvé quelque chose à l'organisme Vision Mondiale qui travaille fort dans ce pays.

Et elle étendit la carte des villages où se pouvait voir la touche de Vision Mondiale. Modibo prit la parole:

— On nous conseille d'aller en cet endroit où un dispensaire fut ouvert par Vision Mondiale et en celui-ci où la misère est grande, paraît-il.

— Ils veulent faire la promotion de leur ouvrage et je les comprends fort bien, dit Paula. Eh bien, faisons donc cela! C'est une façon comme une autre d'aborder mon exploration de ce pays.

Une heure plus tard, les trois personnes se trouvaient sur une route poussiéreuse menant vers le Nord. Et une autre heure plus tard, ils arrivaient dans le premier village où ils se rendirent tout droit au dispensaire qui se trouvait au bout d'un chemin bordé de huttes à toit de chaume.

Pas de médecin là, bien entendu, puisqu'au Mali, il ne s'en trouve qu'un par vingt mille personnes ; or, la petite ville voisine de Koulikoro en compte déjà plus de dix mille à elle seule. Une infirmière et un infirmier, des personnes au tournant de la trentaine, vinrent dehors accueillir les visiteurs. Aminata leur parla dans leur langue, le bambara. Car le français, langue officielle du pays, est parlé par peu de gens dans le pays.

– Madame vient du Canada. Elle visite notre pays. À Vision Mondiale, on nous a recommandé de venir ici. Nous désirons visiter non seulement le dispensaire mais aussi l'école. Et voir des gens dans les maisons. Ceux qui accepteront de nous recevoir, bien entendu.

Les deux responsables se montrèrent très favorables et très accueillants.

– Devons-nous laisser nos chaussures à la porte ? demanda Modibo., car c'est la coutume avant d'entrer dans une maison dans les pays musulmans.

– Non, ce n'est pas une maison, c'est un dispensaire, dit l'infirmière.

Tout fut traduit à mesure en français pour Paula par Aminata. Et la Canadienne fut invitée à entrer la première après qu'on lui eut demandé si elle était vaccinée contre les maladies tropicales.

– Nous avons une douzaine de personnes hospitalisées. Quelques-unes pour mourir. Des vieillards trop affaiblis pour retourner finir leurs jours dans leur maison. On a aussi des enfants atteints de malaria.

Paula vit tous ces gens. Une mère était assise près de son enfant, une petite fille de 3 ans, et attendait sa mort. Elle leva les yeux à une ou deux reprises puis les remit sur le visage émacié de la petite condamnée.

– Qu'est-ce qu'elle a, cette petite ? demanda Paula.

– Une hépatite. Il paraît qu'il est trop tard pour la sauver maintenant. Il en meurt souvent de cette maladie, ici. C'est à cause de l'eau non potable qu'elle a bue. Il faudrait des puits dans tous les villages mais plusieurs n'en ont pas.

Paula connaissait tous ces problèmes. On en parlait à la télévision canadienne depuis longtemps, notamment aux émissions de Vision Mondiale, mais de vivre à côté de ces tragédies dans la réalité du quotidien remuait en elle des sentiments tout nouveaux. Excepté dans son enfance et dans les premières années de son mariage, elle avait toujours vécu en fonction d'elle-même et pas des autres. Non, elle n'avait jamais exploité ses employés, non, elle ne se sentait pas coupable d'avoir gagné beaucoup d'argent et accumulé énormément de biens, mais une autre dimension du monde se montrait à son âme qui était prête à en recevoir les images et à en tirer les enseignements.

C'est en ces moments privilégiés que les vraies lumières de la Bible permettent à une personne humaine de voir son prochain sous un nouvel éclairage. Et combien plus brillant! Et combien plus fécond! La femme capitaliste découvrait en elle la femme humaniste à chaque pas qu'elle faisait et il en serait ainsi tout le temps qu'elle serait au Mali.

Des agonisants gisaient sur des lits blancs qui étaient gardés propres grâce au dévouement du personnel. Ils regardaient Paula avec la plus totale indifférence et la plus grande résignation quant à leur sort.

La bâtisse était de bois recouvert d'un papier noir qui avait pour fonction d'empêcher les mouches de pénétrer. Les malades étaient séparés par des divisions flottantes et regroupés selon leur maladie ou leur âge. Ou les deux. Mais on pouvait entendre les lamentations de certains partout dans la grande pièce. Depuis l'angle du toit étaient suspendus trois ventilateurs qui tenaient l'air plus frais à hauteur des lits des malades, ce qui rendait la température supportable malgré la chaleur de ce début d'automne.

Quand on visita la section des malades de la malaria, il fut à nouveau question d'eau potable dont parla l'infirmier par la bouche d'Aminata.

– Seulement douze pour cent de la population de notre pays a accès à de l'eau potable. Ce qui fait que des gens contractent des maladies, telles que le choléra, la fièvre typhoïde, l'hépatite infectieuse et l'entérite. Des moustiques porteurs de la malaria se reproduisent dans les eaux stagnantes et transmettent cette maladie à la population.

– Combien ça pourrait coûter de creuser un puits qui se rende à la nappe phréatique ? dit Paula.

– Deux cents dollars américains environ, répondit l'infirmier. Le nôtre en tout cas, c'est ce qu'il a coûté.

Avec moins de cent mille dollars, on pourrait donc abreuver tout le monde au Mali avec de l'eau potable, pensa la femme d'affaires. Il suffirait aux gens des villages de se rendre puiser leur eau au puits verbalisé plutôt que de s'approvisionner dans des mares à eaux corrompues.

Elle aperçut des corps d'enfants déshydratés par la maladie et pensa qu'il fallait une humanité criminelle pour laisser faire cela tandis qu'on consacrait tant d'argent pour l'achat d'armements de toutes sortes. Certes, ce discours avait souventes fois passé par ses oreilles mais il s'arrêtait véritablement dans sa tête pour la première fois. Paula n'était pas un être à regarder tout ça passivement et à nulle autre qu'elle ne pouvait s'appliquer le slogan de Vision Mondiale : aimer, c'est agir.

Elle agirait au bout de son voyage, elle agirait.

Le lendemain, plutôt d'aller dans le village prévu, on se rendit à un autre où se trouvait un orphelinat regroupant des enfants de toute la région. Il était financé à dix pour cent par le gouvernement malien et pour le reste par un organisme de bienfaisance de New York.

Les petits en santé étaient dans la cour, assis par terre en train de prendre leur repas. La plupart presque nus, ils mangeaient avec leurs mains une pâte blanche dont on disait qu'elle était très nourrissante et qui faisait un petit tas au milieu de leur plat de bois.

Sérieux comme des papes, les enfants jetaient parfois un regard sur les visiteurs, sur Paula surtout, comme pour lui dire leur incertitude devant l'avenir et face à la vie. Il lui fut donné une leçon d'histoire par le responsable de l'orphelinat, un homme de la mi-trentaine appelé Moussa Coulibaly qui parlait français :

– Quand le Mali est devenu indépendant, son économie était fondée sur l'élevage du bétail et l'agriculture. Même aujourd'hui, plus de quatre-vingts pour cent de la main-d'œuvre travaille pour des entreprises de millet, de riz, de blé, de maïs et de pommes de terre. Incapable de se débarrasser de son lourd déficit, le Mali compte beaucoup sur l'aide internationale.

– De la façon dont nous sommes gérés au Canada, nous aussi allons nous ramasser avec un déficit incontrôlable, dit-elle. C'est une question de temps. Le fédéral et même le gouvernement du Québec dépensent sans compter et surtout sans réfléchir. Il ne fera pas beau dans les finances de l'État dans quelques années. Quelle est l'espérance de vie de nos jours au Mali ?

– Quarante-cinq ans.

– Et le taux de mortalité infantile ?

– Dix-sept pour cent des naissances viables.

– Nous n'avons même pas un pour cent au Canada.

– Et le revenu annuel moyen est de deux cent vingt et un dollars canadiens.

Cet échange à saveur économique faisait oublier aux adultes présents que tout près d'eux, des enfants manquaient non seulement du minimum mais aussi de nourriture morale, psychologique, comme de l'affection humaine, de la considération, de la valorisation personnelle. Quand même, les images emmagasinées par Paula demeureraient toujours dans son âme, feraient leur travail en sourdine et en temps et lieu referaient surface.

Dès ce soir-là, dans sa chambre d'hôtel à Koulikoro, la femme ne put retenir des larmes au souvenir des mines attristées de ces orphelins, et surtout, de certains restés à l'intérieur parce que malades du corps et de l'âme. Tant d'entre eux avaient perdu leurs parents lors de la grande famine de 1984 qu'il se trouvait de tels orphelinats aux quatre coins du pays surtout au Nord près du Sahel africain, où le désert en progression constante tue chaque année le bétail des habitants et les prive de nourriture. La malnutrition cependant tue surtout des enfants tandis que les orphelins sont faits par la maladie chez les adultes dont l'impitoyable sida.

Et dans les semaines suivantes, Paula multiplia de telles visites par tout le pays. À Tombouctou, dans la région de Goundam et jusque dans la vallée de Tessalit près de la frontière algérienne.

Elle remplit des dizaines de vidéocassettes, fit des dons à chaque école visitée, chaque hôpital, chaque dispensaire, chaque orphelinat.

Et à la fin du mois d'octobre, elle appela Marc pour lui annoncer son retour prochain.

Elle rentra à la maison le 3 novembre.

***

Chapitre 33

Pendant les deux mois suivants, Paula s'enferma le plus souvent dans son bureau pour y faire des affaires et elle n'en parla à personne, pas même à Marc qu'elle voyait pourtant tous les soirs.

La conduite du jeune homme fut on ne peut plus exemplaire tout ce temps-là. S'il s'adonnait à des excès, jamais il n'en laissait paraître la moindre trace ou le plus petit indice à la maison.

Le dimanche, elle visitait l'un ou l'autre de ses trois autres enfants mais elle se faisait toujours très discrète sur son grand voyage.

« Tout ce que vous désirez savoir se trouve sur photos ou sur vidéo : vous n'avez qu'à les regarder à votre guise. À quoi bon me répéter, radoter et turluter, comme le dirait grand-père Joseph ? »

Les enfants s'entendaient pour penser et dire que leur mère avait changé mais aucun ne pouvait en déduire quelque chose de très précis. Il y eut réunion de famille chez elle le soir de Noël. Ses cadeaux furent plus que modestes.

« Dans chacun se trouve un cadeau caché, dit-elle à chaque fois qu'elle en remit un. Je vous dirai ce qu'il en est un beau jour. »

En fait, elle s'était lancée dans du parrainage d'enfants du tiers-monde au nom même de ses propres enfants. Elle paierait pendant un an après quoi, au prochain Noël, elle annoncerait à chacun qu'il pouvait poursuivre le parrainage ou l'interrompre. C'était un peu leur tordre le bras mais qu'importe !

Entre Noël et le jour de l'An, il y eut un repas de restaurant. Christian recevait sa famille, donc Paula eut l'occasion de côtoyer Grégoire et sa compagne Sylvie. Elle n'échangea que deux ou trois mots avec son ex-mari mais établit sans le vouloir une bizarre complicité avec celle qui partageait maintenant la vie de son ex.

— Ça va bien, toi, Sylvie ? dit la femme d'affaires lorsque Grégoire quitta la table.

L'autre comprit le sens de la question :

— On peut dire que tout est au beau fixe.

Sylvie ne ressentait pas de jalousie à cause de Paula, pensant que Grégoire et elle avaient emprunté des directions diamétralement et irrémédiablement opposées. Et pourtant, elle continuait à sentir la présence de Paula derrière la pensée de son compagnon, ce avec quoi elle avait décidé de composer du mieux qu'elle pouvait.

— J'espère bien que mon ex-mari est bon pour toi.

— Il ne le fut pas pour vous ?

— Oui… Bien sûr. Mais nos vues sur la vie sont devenues, disons incompatibles avec les années.

— Mais il regrette toujours le passé, vous savez.

Sylvie ne s'imagina pas que pareil aveu contenait une certaine part de risque en raison de l'évolution psychologique de Paula.

— Non, je ne le penserais pas. Grégoire est un gars qui vit au présent.

— Il a l'air de ça, mais…

Le brouhaha autour de la table, cris, rires, musique en fond, autres clients, masquait leur conversation… Tout en parlant avec Julie, Chantal prêtait néanmoins attention sans en avoir l'air à l'échange qu'avaient sa mère et Sylvie.

Paula avait fini par révéler à Marc que les Français le croyaient gai et le jeune homme lui démontrait qu'ils étaient dans les patates. L'accompagnait ce soir-là une jolie blonde à laquelle il se montrait dévoué et très intéressé.

– Tu sais, Sylvie, à 50 ans, on a tous le goût certains soirs de se retrouver à 25. Ça fait partie de la vie, cette nostalgie d'automne…

Sylvie sourit faiblement:

– Disons… qu'il a le mois d'octobre plutôt prolongé.

– Ne dis pas ça, Sylvie! Vingt ans dans une vie, ça imprime une marque profonde.

La voix forte de Christian les interrompit et commanda le silence autour de la table:

– C'est quoi, maman, ton itinéraire pour l'année qui s'en vient?

– Je ne pourrais voyager que trois ou six mois: ce n'est pas encore décidé.

– Ce qui est décidé, c'est quels pays?

– Le Japon. La Chine. Peut-être la Thaïlande et un autre pays de ces environs-là. Et l'Australie, ça, c'est sûr. Je ne veux surtout pas manquer l'Australie.

– Qu'est-ce qui t'attire tant en Australie? Les kangourous?

Rire général autour de la table.

– Je ne sais pas… on dirait que dans ce pays, tout est un peu différent du reste de la planète. Les animaux, les plantes, les paysages, les humains, les habitations, tout. Un tour de la Terre sans l'Australie, ce serait incomplet à mon sens. C'est le point final peut-être…

– Les amis, on lève notre verre au globe-trotter de la famille, dit le jeune homme en montrant sa coupe.

Les autres firent comme lui mais il les figea dans leur mouvement:

– Où est papa? On ne va pas porter un toast sans qu'il soit là…

Il balaya vivement la salle du regard, étira le cou, aperçut Grégoire qui parlait avec un petit homme tout en ventre.

– Bougez pas, je vais le chercher…

– Ça va être un long toast, dit Nathalie. Mais on a un bon bras, maman.

– Ben… baissez ça, ça me gêne, dit Paula.

On ne lui obéit pas et Christian revint en ramenant son père par le bras. Grégoire leva son verre aussi.

– À la globe-trotter de la famille, exploratrice de monts et merveilles, redit Christian.

Paula fit une moue joyeuse et haussa une épaule en signe d'acquiescement. Son regard se porta sur plusieurs mais il jeta une lueur singulière sur son ex-mari. Personne ne le remarqua, pas plus Sylvie que Grégoire lui-même.

*

Le lendemain du jour de l'An, Paula prenait l'avion à Mirabel pour Tokyo. Un voyage avec une seule escale à Vancouver.

Malgré ce qu'elle avait laissé entendre, la femme savait exactement quel serait son itinéraire des prochains mois. Trois semaines de Japon en janvier. Deux semaines de Chine ensuite. Deux semaines de février dans les pays du Sud-Est asiatique. Tout mars en Australie. Et ensuite : point d'interrogation !

L'agence avait tout organisé pour elle : billets d'avion à des dates prédéterminées et plutôt immuables, réservation de chambres d'hôtel, location de voiture et des services d'un chauffeur servant de guide et d'interprète dans chacun des pays visités.

Elle aurait pu cesser de voyager à la fin de 1990 puisqu'elle croyait avoir trouvé ce dont elle avait besoin pour entreprendre la troisième saison de sa vie, mais une réflexion profonde au cours de la période d'enfermement dans son bureau l'avait amenée à parfaire ce qu'elle appelait sa formation sur le terrain.

Tokyo, c'était grandiose pour une femme d'affaires qui la visite. Y rêver de gratte-ciel énormes, de capitaux gigantesques, de marchés mondiaux, de production illimitée, telle était l'intention de Paula en planifiant son séjour au pays du soleil levant.

Et pourtant, le rêve fut autrement. Perturbé sans arrêt par les images de misère du Mali. Rêve amorcé mais jamais achevé.

Elle put visiter quelques grandes usines portant des noms universellement connus : Honda, Sanyo, Nissan, Hitachi. Vit les gens entassés dans les trains, les autobus, les voitures, les logements. Se rendit à Osaka, Kobé et Yokohama. Partout le même modèle. Des gens pressés, compressés et souvent dépressifs. Rien de comparable nulle part ailleurs au monde avec ces pousseurs du métro qui entrent les dernières personnes à monter à force de pousser dessus. Rien de plus représentatif du monde japonais. Rien de plus asphyxiant pour l'âme d'une Canadienne de souche ayant toujours vécu dans de grands espaces.

Elle visita aussi des clients de la Reine de l'érable. Deux d'entre eux étaient même venus en Beauce et elle les avait conduits à la cabane à sucre pour leur plus grand plaisir. Ces rencontres lui apportèrent bien moins. Peu de vibrations intérieures. Peu d'espérance.

La Chine serait-elle davantage porteuse de promesses d'avenir ?

Elle le serait. D'autant qu'un vent de liberté soufflait sur les populations du pays, l'entreprise privée non seulement y étant à nouveau tolérée mais même encouragée par le monde politique. Mais dans ses bagages, après Pékin, Canton et Shanghai, elle emporta avec elle de l'inquiétude. Que se passerait-il si une masse humaine de cette importance se mettait à consommer à l'échelle nord-américaine ? Quels extrémismes naîtraient spontanément si la démocratie devait être installée partout sur ce territoire ?

Rendue aux deux tiers de février, elle n'avait pas du tout rencontré l'humain depuis son départ de la Beauce. Que de l'avoir tout au long de ses regards. Que du paraître. Que des ouvrages. Que de grandes constructions, que de grandes choses. Que des monuments à la gloire de l'homme. Tout cela lui ressemblait trop. Trop.

En Thaïlande, elle renoua avec les réalités les plus désolantes de cette planète. Des fillettes honteusement exploitées, vendues comme du bétail, empoisonnées par le sida, répudiées par leurs familles, abandonnées, jetées aux vidanges après usage. Certes, elle avait vu ces horreurs à la télévision, mais devant leur cruelle et pitoyable évidence, son âme fut bouleversée, marquée plus encore que par ces images de fillettes maliennes en train de se faire cuire des criquets en guise de repas du midi.

On la conduisit dans la campagne en des villages de petite vie. Partout où elle passa, elle distribua des dons mais pas sans compter puisqu'elle ne pouvait à elle seule soulager tous les maux de l'humanité.

Son séjour en ce pays dura plus longtemps que prévu et elle dut faire des ajustements avec l'agence de voyages qui amputa son itinéraire des autres pays du Sud-Est. Et c'est ainsi qu'au début du mois de mars, elle s'envola pour l'Australie.

Sydney. Hôtel Hilton.

Visites touristiques uniquement à travers lesquelles, elle pourrait se rendre compte du mode de vie des habitants et aurait une vue particulière sur le monde des affaires à travers le commerce au détail.

Elle fut grandement étonnée par des choses fort simples. Par exemple, quand elle apprit que les trois quarts des ventes de maisons là-bas se faisaient par encan public. Le plus offrant emporte le morceau pourvu que le prix offert atteigne ou dépasse celui fixé par le vendeur. Façon de faire tout à fait différente de celle au Canada. Et plus satisfaisante pour tous parce que plus ajustée aux besoins de chacun.

C'est sur l'eau qu'on peut le mieux voir Sydney, lui dit-on, et elle se comporta comme tous les touristes bien élevés et monta à son tour sur un ferry de la compagnie Captain Cook Cruises à partir duquel il lui fut possible de voir sans fatigue le port, le Circular Quay, l'île du Fort Denison et The Rocks, le plus vieux quartier de la ville où elle se rendrait plus tard après la mini croisière. Et bien entendu, cette vue imprenable réunissant dans un même cadre exceptionnel la célèbre Sydney Opera House aux toitures blanches imitant les voiles d'un bateau avec en arrière-plan le non moins célèbre pont du Port.

La seconde journée, elle visita la ville en car, un véhicule d'une flotte appelée Sydney Explorer, et fut conduite à l'Argyle Arts Centre où elle put circuler dans une énorme bâtisse de pierre construite par des condamnés au bagne qui avaient été les premiers habitants de la ville et du pays à la fin du XVIIIe siècle.

Troisième journée, ce fut une marche dans le centre-ville, un repas au restaurant Doyles on the Beach, du magasinage en après-midi et un dîner sur le John Cadman afin de voir le port la nuit et pour danser sans idées derrière la tête avec des inconnus élégants.

Et à son quatrième jour dans la plus grande ville du pays, elle se rendit en haut de la Sydney Tower pour y prendre son repas du midi et enregistrer de belles images panoramiques de la ville. Ensuite, elle passa l'après-midi à flâner dans le quartier chinois.

Partout où cela lui était possible, elle s'y rendait en limousine, un service fort peu coûteux là-bas. Son chauffeur lui rappelait Albert par son obséquiosité et le poli de ses manières. Elle lui parla peu et seulement pour le strict nécessaire.

Quand il y a trop de choses à voir dans un lieu, on ne voit guère les gens.

À Melbourne, les jours suivants, elle se plut davantage qu'à Sydney. Elle était maintenant plus habituée à cette circulation automobile et piétonnière à gauche, ce qui la rendait un peu confuse les premiers jours en ce pays qui se dit non sans une certaine prétention le pays des merveilles. Et qui l'est peut-être.

Elle devait retenir tout particulièrement deux souvenirs intéressants de cette ville olympique d'allure européenne. Tout d'abord The Royal Botanic Gardens, où elle vit tant de fleurs et de si belles qu'elle en serait rassasiée pour le reste de sa vie. Et pourtant, elle se souvint ce soir-là de toutes celles qu'elle avait elle-même cultivées dans les plates-bandes près de sa première maison. Sylvie les entretenait moins bien qu'elle et c'était dommage! Et puis cet excellent repas pris dans un tramway circulant dans les rues de la ville. Quel repos et que de plaisir!

Située à une heure de Melbourne, Ballarat est le Dawson City de l'Australie. Le visiteur peut même y brasser la batée, ce que Paula fit quand elle s'y rendit. Mais elle ne trouva point de pépites d'or. Pas la moindre. Depuis un siècle, la mine était épuisée tout comme celles de Saint-Simon dans sa chère Beauce natale. Le village lui plut beaucoup. Tout y était comme en 1851, mais entretenu pour recevoir les touristes. Et son or, il le trouvait maintenant dans les goussets des nombreux visiteurs, près de cinq cent mille s'y rendant chaque année.

La voyageuse vécut des expériences nouvelles à Brisbane, la capitale du pays et site d'une exposition universelle l'année précédente. À un jardin zoologique, elle put prendre un koala dans ses bras, nourrir des kangourous et abreuver des émeus.

Mais ce fut un tour de biplan qui l'excita vraiment. Voler sur un pareil coucou des années 1920, cockpit ouvert, cheveux au vent, bien attachée tant qu'on voudra, à subir les acrobaties commandées par le pilote, demeurerait à jamais dans sa mémoire. C'était sûrement plus fou que tout ce qu'elle aurait pu imaginer. Mais c'est d'abord pour s'imaginer avec le cardinal de Briccassart en route pour Drogheda qu'elle avait voulu tenter cette expérience. Elle se crut dans un épisode romantique de la série télévisée *Les Oiseaux se cachent pour mourir*.

Elle résida aussi au Hilton, qui là-bas porte le nom de l'hôtel Conrad, le seul où il y a un casino qu'elle fréquenta pendant trois jours pour y perdre en tout mille trois cents dollars.

Son séjour le plus long au pays du *down under* fut à l'île Hamilton où elle se lia d'amitié avec le plus grand développeur et promoteur de ce superbe site touristique, un homme d'affaires du nom de Keith Williams qui parlait un anglais expurgé de son accent trop local, ce qui rendit leur communication plus aisée.

Leur relation ne devait pas dépasser les limites de la conversation, chacun racontant à l'autre les diverses étapes de son ascension. Il la visita souvent dans sa chambre où elle lui fit visionner une vidéocassette sur ses entreprises, ses enfants, sa maison et la Beauce. Il la conduisit lui-même à l'aéroport local où elle monta dans un petit avion qui l'emporta vers le Territoire du Nord.

Elle se devait de voir le plus célèbre monument naturel de ce pays, Uluru, le Ayers Rock, et il lui fut donné de surcroît de voir un sanctuaire aborigène.

C'est là-dessus qu'elle devait refermer ou à peu près le grand livre de ses découvertes. En Paula Nadeau, le Marco Polo de Saint-Georges était tout à fait rassasié. Elle retourna à Sydney pour un dernier jour qu'elle utilisa pour se préparer à rentrer chez elle.

*

Mars 1991 achevait. On gagnerait un jour à cause du décalage horaire.

Au deuxième anniversaire de son départ ou presque, ce premier avril, elle descendit d'une voiture de taxi devant chez elle. Tandis qu'on s'occupait de ses bagages, elle se rendit un peu à l'écart et regarda la petite ville. Sa ville.

La Chaudière était libre de ses épais habits d'hiver. Le taxi lui avait dit que les glaces étaient descendues la semaine précédente.

Nathalie lui ouvrit la porte et lui sauta au cou.

— Je suis venue t'attendre avec ma fille. Tu veux la voir ? Elle est là, elle marche...

— Déjà ?

— Tu veux la voir ?

— Tu parles !

— Sandra, Sandra, vient voir grand-maman !

Paula éclata en sanglots avant que l'enfant n'arrive. Le chauffeur déposa les dernières valises dans le vestibule et, mal à l'aise, il quitta les lieux sans rien dire. Il avait déjà été payé.

Nathalie fut estomaquée, elle qui n'avait jamais vu sa mère pleurer.

— Mais qu'est-ce qui se passe, maman ? Il y a quelque chose qui ne va pas ?

— J'ai 52 ans et... et... ben, j'ai mon voyage, tu sais.

— Tu ne repartiras plus ?

Paula prit un ton définitif :

— Non. Il y a mieux, bien mieux à m'occuper maintenant.

La petite fille arriva de son pas mal assuré et s'accrocha à la jambe de pantalon de sa mère et elle regarda avec crainte cette femme étrange venue de nulle part.

***

Chapitre 34

De nouveau, Paula plongea dans les affaires sans en dire quoi que ce soit à personne. À un seul homme au monde, à part certains politiciens, elle aurait voulu révéler ce qui se brassait dans sa marmite : Gaspard Fortier. Mais le personnage, apparu comme un fantôme – qui sait, peut-être celui de Benedict Arnold venu sur Terre réparer ses fautes passées ? –, avait disparu comme un fantôme. On ne le reverrait sans doute jamais. Car s'il était un vivant, probable qu'il regardait chaque jour couler les eaux du grand fleuve comme si souvent, l'été, près de celles de la Chaudière apaisée, il rêvait à un monde bien meilleur. Elle se savait désormais animée de sa pensée : voilà pourquoi, eût-il rôdé dans les parages qu'elle en aurait fait de nouveau son confident et ami comme autrefois, mais en naviguant sur des longueurs d'ondes plus semblables dorénavant.

Elle vivait le plus clair de son temps enfermée dans son bureau où elle travaillait fébrilement, passant plusieurs heures par jour au téléphone et à envoyer des messages par télécopieur.

Par inadvertance, un jour qu'elle avait négligé de fermer sa porte, Marc l'entendit se battre avec, lui sembla-t-il, des fonctionnaires du gouvernement provincial. Et il crut comprendre que sa mère adoptive cherchait à obtenir un rendez-vous avec le premier ministre Bourassa, rien de moins. Il n'aurait jamais osé lui poser la moindre question, surtout à propos de la teneur d'une conversation privée. Et puis, sans le vouloir et par sa seule présence, elle lui faisait regretter le temps où elle voyageait de par le monde. Il devait maintenant vivre dans le placard et cela assombrissait considérablement ses jours. Si bien qu'il envisageait de plus en plus de quitter la Beauce pour s'installer à Montréal. Il pourrait y entretenir des relations plus suivies avec son père naturel et s'intégrer à un nouveau réseau d'amis.

Un jour qu'il se plaignait de manquer de clientèle dans la Beauce pour ainsi poser un des jalons menant à son départ, elle travailla pour lui, toujours au téléphone, et en quelques heures lui recruta des clients pour plus de deux mois. Cette intervention l'irrita au plus haut point mais il n'en laissa rien paraître.

Quand les enfants de Paula échangeaient entre eux, ils se questionnaient sur leur mère qui leur semblait bien plus distante que durant les deux ans de son absence. Hermétique. Rêveuse. Insondable. Hantée par quelque chose, leur semblait-il. Peut-être Tahiti. Peut-être l'Irak. Ou quoi encore?

«Ça va, maman?»

«Très bien!»

«Tu es sûre que tout va?»

«Absolument!»

En avril, une nouvelle la frappa de plein fouet et en plein cœur: elle apprit que son père était atteint d'un cancer du poumon.

Rosaire avait avoué son malaise physique et moral au réveillon de Noël et on pouvait alors entendre sa toux sèche qu'il tâchait d'épancher dans une autre pièce, aux toilettes, tout comme il s'y rendait pour se vider de ses larmes autrefois quand sa première femme se mourait de tuberculose dans la jeune trentaine.

Pendant plusieurs semaines, en homme de son temps qui se croit indestructible, il avait refusé de se faire examiner par la médecine. Et en mars, avant le retour de Paula et avant les grosses semaines d'ouvrage à la cabane, il avait passé enfin des tests. Résultats refusés d'avance mais résultats implacables tout de même! On évalua ses chances de récupération. Une sur trois et encore. Et à la condition de se faire traiter vigoureusement. D'accepter de passer par tout ce que sa fille Lucie avait subi en 1970: chimiothérapie, chirurgie, etc.

«La médecine a fait des pas énormes depuis vingt ans dans le traitement du cancer», ne cessait-on de lui répéter à gauche et à droite.

Hélène informa Paula par téléphone un beau jour du milieu des sucres.

– Comment le prend-il?

– Calmement.

– Et les traitements, ça commence quand?

– C'est commencé...

– Ici, à Saint-Georges?

– À l'hôpital, oui.

– Souvent?

– Trois fois par semaine.

– Comment vous vous arrangez à la cabane?

– De bons employés.

– Pourquoi il s'en viendrait pas chez moi le temps des traitements? Ce serait moins dur pour lui. Je m'occupe de tout. Et ce serait moins dur pour toi aussi...

– Avec toutes tes affaires, Paula...

– Mais ça ne dérangera rien à mes affaires, voyons donc. Il aura quelqu'un pour le reconduire à l'hôpital et le ramener à la maison. Tu verras mieux à tout le barda chez toi. C'est mon père et je vais lui prendre une infirmière au besoin. Je ne te l'offre pas, Hélène, je te le demande.

– Je dois t'avouer que j'y avais pensé. Oui, ce serait une bonne idée mais je ne sais pas s'il sera d'accord.

– Nous n'allons même pas lui demander son avis. On décide à sa place. Annonce-lui ça. Sa chambre l'attend ici. Qu'il mette toutes ses énergies et toute sa volonté à guérir.

On va l'entourer d'ondes positives, Marc et moi. Et les enfants, Christian, Nathalie, Chantal, vont souvent venir le visiter mais seulement quand il pourra les recevoir sans puiser dans ses réserves. Tu pourras l'appeler autant que tu le voudras, venir tant que tu voudras, coucher ici…

Paula raccrocha quelques mots plus tard. Et elle demeura longtemps dans son fauteuil, le front strié de rigoles : l'une de regret voisinant une autre de nostalgie et une troisième plus bas, celle de la résignation devant l'inéluctable.

Un moment plus tard, dans sa tête, elle ferma les deux poings et se déclara à elle-même : « Acceptation : oui ; résignation : jamais ! » Se battre contre la maladie, non, mais négocier avec elle… Ruser. L'amadouer. La convaincre de retourner se cacher pour dix, vingt ans dans la substance profonde. Voilà l'état d'esprit qu'elle tâcherait de communiquer à son père.

Sa journée de bureau accomplie, elle appela les enfants et leur fit part de la terrible nouvelle. Puis elle voulut parler à son ex-mari. Pour ne pas inquiéter inutilement sa compagne, elle composa le numéro à ses étables où elle pourrait aussi parler à son fils aîné.

C'est Grégoire qui répondit :

– Comment vas-tu ?

– Moi, ça va… disons à soixante pour cent.

– Ah ? Et de quoi les quarante qui restent sont-ils faits ?

– Commençons par les soixante et je te dirai pour le reste…

Il s'inquiétait souvent de sa santé. Et sa retenue avant d'aller droit au but était de mauvais augure.

– T'aurais pas ramené un virus dans tes bagages toujours ?

– Je ne suis pas allée faire le tour du monde pour lâcher mon fou, si tu veux savoir.

– Je sais, je sais. Mais pas besoin de lâcher son fou pour attraper une maladie tropicale. Les moustiques, l'eau et tout le reste…

– J'ai l'air sur la défensive : c'est que je ne suis pas dans mon état normal aujourd'hui. Ça arrive...

Elle se retenait toujours de lui révéler sa mauvaise nouvelle comme si elle s'attendait à ce qu'il la devine. Et puis quel intérêt pour lui puisqu'il avait refait sa vie avec d'autres personnes à aimer. Grégoire s'inquiéta encore davantage. Les enfants avaient répété devant lui qu'elle n'était plus la même. Mais elle s'empressa de faire dévier la conversation en parlant de chevaux, des sucres, de Sylvie qui se portait bien, de Gaspard qui n'avait toujours pas donné signe de vie.

– Sur quoi travailles-tu de ce temps-là ? Une autre acquisition ou bien aurais-tu l'idée de tout vendre ?

– Je ne sais pas ce que j'attends pour te le dire, mais j'ai une bien mauvaise nouvelle...

– Tu veux acheter Péladeau ?

Elle rit un peu :

– Dieu m'en garde ! Il est trop gros...

– Donald Trump, Robert Campeau, des financiers-serpents qui avalent pas mal plus gros que leur bouche et que leur corps...

– Je ne veux pas prendre d'expansion pour le moment et peut-être pour tout le temps... Je vieillis, tu sais.

Il arrivait à Paula de penser qu'elle aimerait passer une heure ou deux en tête à tête avec lui, histoire de brasser des souvenirs comme certains vieux divorcés aiment le faire à l'occasion... Elle hésita un moment puis lança vivement :

– Dis donc, Sylvie te laisserait-elle venir souper avec moi un de ces soirs ? Une heure ou deux, pas plus.

– C'est pas une jalouse. Elle comprend que nous avons les mêmes enfants et pourrions avoir des choses à nous dire. Après tout, on a vécu ensemble un quart de siècle...

– Mettons jeudi.

– Si problème, je rappelle...

Une fois la ligne fermée, chacun, à son bout du fil, se dit qu'il n'y avait pas eu réponse à la question portant sur ces quarante pour cent qui dans la vie de Paula ne brillaient pas.

Les humains se tiennent plus près les uns des autres quand l'orage gronde et que les nuages menacent. Sylvie aurait dû s'inquiéter lorsque Grégoire lui parla de son rendez-vous. Mais elle n'était pas une personne batailleuse. Et puis à quoi bon lutter contre le destin, se disait-elle souvent.

Des gens comme ça sont trop bons ! Ou peut-être pas !

***

Chapitre 35

Il fallut remettre au vendredi car Paula obtint un autre rendez-vous et celui-là ne saurait être remis puisqu'elle rencontrerait à sa première heure de bureau à Québec le premier ministre en personne.

Il avait une demi-heure à lui donner, pas une seconde de plus et il s'en expliqua dès qu'elle fut devant lui :

– Vous comprenez, madame, surtout vous qui êtes en affaires et devez calculer toutes vos minutes depuis des années probablement, que si je devais recevoir tous ceux qui veulent me rencontrer, il me faudrait des heures qui valent des journées et des jours qui durent des mois.

– Je sais, mais la cause est noble.

– Je sais que vous êtes une adversaire politique et ce n'est ni pour vous convertir ni pour vous pervertir que je vous reçois.

Elle rit avec lui. Il poursuivit :

– C'est votre cause que je vais entendre et non la personne que vous êtes ou si vous préférez, c'est la porte-parole de l'organisme que vous représentez.

La femme s'étonna :

– Je ne représente aucun organisme.

Le politicien grimaça et ouvrit le dossier qui ne contenait qu'un bout de papier :

– J'ai dû faire erreur... Vous êtes chanceuse. Eh bien, qu'est-ce que je peux faire pour vous ?

– Je viens plaider la cause des enfants de la misère que j'appelle les enfants de la lumière...

– Mais oui, mais oui, madame Nadeau. Tout le monde est pour la vertu mais nous avons à gérer les deniers publics, vous savez. L'ACDI agit au niveau fédéral et nous y contribuons par nos taxes. Et il y a tous ces organismes comme UNICEF des Nations-Unies, OXFAM, Vision Mondiale, Save the Children… L'an passé, tremblement de terre en Arménie. Vingt-cinq mille morts. Le Québec a envoyé vingt-cinq mille dollars. Une piastre par tête de pipe…

– Il faudrait, selon moi, un organisme typiquement québécois pour venir en aide aux enfants de la misère de par le monde entier.

Le politicien haussa les épaules en souriant:

– Vous êtes assez intelligente pour savoir que le Québec ne peut pas sauver l'humanité à lui tout seul. Pas plus que vous ne sauriez, vous, sauver un pays toute seule. Plusieurs de nos ministères agissent un peu partout, en Haïti, au Sénégal, au Bénin. Et puis moi, qu'est-ce que je peux initier comme premier ministre? Ce n'est pas mon rôle. Mon rôle consiste à trancher les questions, à sanctionner, et encore si peu, des décisions amorcées dans divers ministères et passées au crible de l'Assemblée nationale. Mes décisions portent sur des décisions déjà prises que je ne fais qu'entériner. Il faudrait vous adresser à un ministère ou l'autre. Tiens, par exemple, celui des Affaires culturelles. Mais c'est l'un des plus pauvres. Et puis les gens de la culture ne sont pas les plus donneurs non plus… Ou encore celui de… celui de l'Éducation… En fait, nous n'avons aucun ministère dont pourrait relever votre organisme… Il vaut sans doute mieux envisager de donner des subventions aux organismes privés reconnus. Vous savez, il nous faudrait plus de pouvoirs du fédéral, donc plus d'argent… Ah! rien n'est facile de nos jours! Rien n'est facile, ma pauvre madame…

– Nadeau.

– Ma pauvre madame Nadeau. C'est la récession, que voulez-vous ! Mais… votre intention et votre démarche sont louables, très louables. Ils sont rares les citoyens qui font preuve d'une telle conscience planétaire… Et dans le monde des affaires, ils sont une infime minorité. Pour aller en affaires et réussir, il faut penser d'abord et surtout à soi-même, n'est-ce pas !

Le dialogue de sourds se poursuivit encore quelques minutes. Jérémiades du politicien. Détermination de la femme d'affaires. On en vint à une entente à l'amiable : celle de se séparer. Le Québec attendait Bourassa. Le monde attendait Paula.

Elle retourna à la maison avec ses documents et sa colère sous le bras.

Elle attendait dans le vestibule. Grégoire avait toujours été remarquable de ponctualité. Et c'est une chose qu'elle-même avait dû pratiquer dans ses affaires où deux attitudes la mettaient toujours hors d'elle : les gens qui croient astucieux de se laisser désirer et ceux qui pensent imposer leur personnalité en serrant les mains à les broyer. Aussi, quand on lui faisait mal de cette façon, elle grimaçait et disait aussitôt : « Ayoye, mon arthrite ! »

Elle songeait à retardement au travail particulier qu'elle avait dû accomplir sur sa personne pour la rendre présentable. Puis elle se traita de grande adolescente qui craint de mal paraître.

Elle avait revêtu une robe à motif pêche fleuri, au look des années quarante : un choix pour elle de la gérante de la succursale locale de Rosabelle. Encolure en cœur. Corsage bien ajusté. Épaules rembourrées. Et pour actualiser le style : un chapeau exotique tout noir.

Plus question depuis longtemps de garder la couleur naturelle de sa chevelure. Elle admirait le gris des autres mais détestait le sien.

Tout à coup, la quinquagénaire en elle se reprit en mains et secoua ses pensées. Grégoire n'était tout de même pas un prétendant, encore moins un fiancé. Ce n'était qu'un ex-mari demeuré un ami, un homme qui avait dans sa vie, auprès de lui, de nouvelles personnes à aimer, à protéger, à guider aussi probablement... Sa compagne avait le sens du service et c'est de cela dont ont besoin tant d'hommes de la génération de son ex-mari, lui plus que bien d'autres. Il était un gars bien de son époque et le demeurerait jusqu'à sa mort.

Il arriva au milieu de cette réflexion un peu nostalgique. Sa voiture était une fourgonnette couleur champagne qui emprunta doucement l'entrée en arc de cercle et vint se stationner devant la porte. Elle ne le fit pas attendre et il n'eut pas le temps de descendre qu'elle atteignait le véhicule. Il se pencha et actionna la poignée pour ouvrir ; elle fit le reste.

– Salut ! Comme tu vois, je ne fais pas le chauffeur privé ni même le galant homme.

– Fais-moi rire !

– Comment ça ? fit-il, étonné.

– Le chauffeur privé, la limousine, c'est du passé tout ça et bien d'autres choses aussi... Ça va te surprendre, hein, Grégoire Poulin ?

– Beaucoup, beaucoup... Et ton ex, il fait partie des autres choses ?

– Comme dirait le poète, je crois que c'était Alphonse de Lamartine et notre cher Gaspard : « Le temps coule et nous passons... »

Il embraya :

– Puisque c'est toi qui invites, où c'est que tu voudrais qu'on aille ?

– J'avais pensé au Georgesville mais ce serait plus, comment dire... plus évocateur à l'Arnold.

– Tes affaires, comment ça va ?

– Une fois le premier million dans ses poches, et même avant, ça prend pas un génie pour faire virer les affaires… Tout s'enclenche de soi.

– Mais si je comprends bien, te voilà en train de te dévaloriser?

– Les mots «valeur», «valoriser», «dévaloriser», qu'est-ce que ça veut dire? Bah! laissons donc les discussions philosophiques aux jeunes. En tout cas, pour une heure ou deux, le temps qu'ils se bercent d'illusions.

– Tu ne cherches plus à changer le monde, Paula Nadeau? Surprenant, ça aussi!

– J'essaie encore tout en sachant que c'est peine perdue, mais ce soir je n'essaierai pas…

– Tu es avec un cas désespéré…

– Peut-être, rit-elle.

Il rit aussi. Il emprunta la rue suivante mais pas dans la direction normale:

– On va faire notre petit parcours du dimanche matin, tu te souviens?

Souriante, elle hocha la tête:

– Notre petite salle est toujours là?

– Si le pasteur baptiste avait seulement su ce qui se passait aux enterrements de vie de garçon.

– Justement! parlons-en donc. Moi aussi, je voudrais savoir ce qui s'est réellement passé ce soir-là. Maintenant que nous sommes divorcés, tu peux tout me dire, non? Rien que pour rire, là…

Il raconta. Elle sut qu'il disait la vérité. C'était écrit dans le ton et dans la spontanéité. Et puis il avait abaissé sa garde comme elle le lui avait demandé.

– Comme ça, les danseuses ont dû se cacher à la dernière minute?

– T'aurais pu refuser le mariage si je te l'avais dit. Et rien de tout ça n'était de ma faute. Et puis vous êtes arrivées juste au bon moment, hein! Un peu plus et je ne sais pas trop ce qui aurait pu se produire.

Hochant la tête, elle dit d'un ton détaché et souriant:

– De ce qu'on pouvait donc être jeunes!

Il répondit du même ton mais en soupirant:

– Mais de ce que tout ça pouvait être beau! Ah! les belles années soixante!

– C'est loin tout ça, si loin...

Il y eut une longue pause dans ce discours adolescent comme si chacun, ayant remonté le temps, était à revivre des événements mémorables. On passa devant la petite salle. Elle n'avait pas changé sauf dans ses couleurs. Puis on emprunta le boulevard voisin...

– Ça fait un siècle que je ne suis pas allée au cinéma, moi. Et toi?

Il sourit:

– Un siècle et demi.

On arrivait devant la salle où ils avaient passé tant de soirées avant et après leur mariage.

– Tu savais que c'est encore le père de Michelle qui est propriétaire de la salle?

– Non.

– Quel est le film à l'affiche? Peux-tu voir, là, dans la marquise?

Il stoppa son véhicule en face de l'armoire vitrée et lut tout haut:

– *Voyageur malgré lui*...

– Ah, ben Seigneur! J'ai vu ça sur l'avion quelque part en Europe... Ça nous ressemble un peu...

– Comment?

– Ben... c'est une femme qui quitte son mari. Il en rencontre une autre. La première veut revenir avec lui. Mais lui retourne à l'autre... la plus jeune...

Elle éclata de rire.

– Moi, je trouve que c'est plutôt triste…

L'autre objecta :

– Pas moi ! C'est une comédie… Et puis c'est logique… je veux dire réaliste. Les décisions de chacun dépendent des besoins individuels du moment et du futur anticipé de chacun. Il dit à sa première femme qu'il retourne avec l'autre. L'autre est une mal fagotée pas conventionnelle dont il dit : « Cette femme étrange m'a beaucoup aidé. » Ce qui est vrai. Je le crois aussi, qu'une deuxième femme répond mieux aux besoins d'un homme que la première. C'est une question, au fond, d'expérience.

– Chaque cas est particulier.

L'auto se remit à rouler.

– Tu peux passer devant l'école de tes 18 ans ?

– Je la vois souvent.

– Bon…

On se tut un moment.

– Après le souper, on devrait aller au cinéma. Même si t'as vu le film. Par après, on pourra en discuter. Ou peut-être que tu dois rentrer chez toi avant minuit ?

– Beau drôle ! Et pourquoi pas ?

Ce fut simple, joyeux. Elle ne lui fit part de l'état de son père qu'à la fin du repas. Il s'en montra désolé.

– Je vais l'héberger chez moi à compter de lundi. Ça va lui permettre d'avoir les choses plus faciles durant sa chimiothérapie. Tu viendras le voir ; il aimerait beaucoup ça, tu sais.

– J'irai, c'est sûr.

Elle héla la serveuse et dit avant son arrivée :

– Je pense que papa n'aimerait pas qu'on se désole pour lui. Parlons de quelque chose de plus agréable…

L'homme jeta sous les bancs le contenant vide de maïs soufflé. On en avait croqué lentement depuis le début du film. Il confia à l'oreille de sa compagne :

– La première femme ne te ressemble pas du tout à mon avis. Et la deuxième n'a rien de Sylvie. Et le gars ne me ressemble pas non plus…

– Tu sais ben que je ne voulais pas dire physiquement… mais dans la tête.

– C'est encore pire…

– On en discutera à la sortie.

– OK !

Dans les minutes qui suivirent, il n'écouta guère autre chose que le bien-être qu'il ressentait à se trouver là. Simplement là. Près de cette femme dont la beauté mûre lui rappelait celle d'antan, lui remettait dans l'âme cette lumière qui émanait d'elle le jour de leur mariage. Une image unique dans une vie.

Et elle ne cherchait pas à analyser le moment présent et les sentiments qui l'animaient. L'heure était bonne ; elle se sentait bien. Loin des affaires. Loin du monde. Entracte agréable. Soirée de marque…

Les têtes se faisaient rares dans la salle. Le film était déjà disponible sur vidéocassette et il ne comportait rien pour la jeunesse : ni poussière, ni poursuites, pas de musique assourdissante et aucun acte de violence.

Le couple lut au complet le générique de la fin et le rêve dura tant que les lumières ne furent pas allumées. Puis il fallut bien se lever.

– Ça fait du bien de relaxer un peu.

– Sûrement !

Les derniers sortis, une surprise de taille les attendait juste à la porte. La Michelle entrait dans le lobby sur son même pas décidé d'autrefois. Soudain, elle s'arrêta tout net, estomaquée, paupières écarquillées, se demandant si elle avait devant elle deux vieux fantômes d'une époque poussiéreuse ou quoi encore.

– Salut ma vieille ! s'écria Paula.

Ébahie, l'autre répondit aussitôt :

– Salut toi!

On se sauta dans les bras l'une de l'autre. On s'étreignit. On s'était perdu de vue depuis le départ de Paula pour son voyage autour du monde.

– Et la santé? Et ton voyage? Salut Grégoire! Ça va, toi?

Ils se serrèrent la main. Michelle reprit:

– Allons nous asseoir un peu sur les bancs. Viens m'en conter. Viens aussi Grégoire. Mais qu'est-ce que vous faites ensemble ici? Je vous croyais deux bons divorcés, vous autres.

– On l'est. Mais on est restés de bons amis.

Michelle agrandit le regard:

– Ben... oui... d'excellents amis, d'après ce que je peux voir.

– Et ton mari? Ça va toujours?

– Tu le savais pas? Il s'est envolé pour un monde meilleur. Crise cardiaque. Pouf! Les hommes, de nos jours, c'est pas ben ben coriace.

– T'es toujours à Montréal?

– Comme je te l'ai dit la dernière fois que nous nous sommes vues, je viens souvent en Beauce. T'ai-je dit ça? En tout cas...

Ils se déplacèrent doucement et atteignirent un banc recouvert de cuirette jaune. Et y prirent place, Grégoire un peu en retrait.

– Personne en vue?

– Je m'en cherche un qui serait plein comme un boudin. Par chance que t'es pas un homme, je te ferais de l'œil.

Elle appuya son regard noir et espiègle sur Grégoire qui se désista aussitôt:

– Moi, en tout cas, j'ai rien d'un boudin.

Il y eut un éclat de rire général.

– Tantôt, Grégoire et moi, on parlait justement de la soirée d'enterrement de vie de garçon à la salle baptiste, t'en souviens-tu ? On était allé se mettre le nez dans le haut de la porte...

— Si je m'en rappelle. C'est hier...

On placota une demi-heure et c'est Grégoire qui coupa la conversation avec un coup d'œil à sa montre mais sans rien dire.

— Nous autres, on va y aller, je pense bien. Grégoire vit avec quelqu'un. Tu dois trouver ça bizarre de nous voir ensemble. Ça nous arrive une fois ou deux par année. On parle des enfants. On parle du passé. Et on se dit au revoir et à l'an prochain.

— Grégoire, la dernière fois qu'on était ensemble tous les trois ici dans le lobby, tu nous avais chicanées...

Il fit l'étonné :

— Et je ne me souviens pas pourquoi. Ce que je sais, c'est qu'il faisait une tempête épouvantable...

On se quitta sur des promesses de se voir au plus tôt sans toutefois se faire d'illusions là-dessus.

***

Chapitre 36

L'été s'écoula rapidement comme une débâcle de printemps dans la rivière Chaudière. Et il dispensa à la terre des tornades d'eau jetées au sol par des ciels souvent gris et lourds.

Rosaire demeura chez Paula jusqu'à la fin de juin. Son état se stabilisa. Il voulut rentrer chez lui. Au-delà des bienfaits de la médecine, il voulut mettre toutes les chances de son côté et il courut chez les guérisseurs comme le font tant de gens qui s'accrochent aux espoirs les plus minces. Pourtant, ça n'avait pas réussi à sa fille en 1970. Non plus à ce député fédéral récemment qui avait remplacé son Coke habituel par de l'eau de Lourdes. Mais peut-être que pour lui, le Seigneur ferait un petit spécial, qui sait ! Il se rappellerait toujours de Jean Lapointe qui avouait candidement à une Andrée Boucher larmoyante qu'il avait obtenu deux contrats grâce à un pater qu'il avait récité au bon moment. Le fantaisiste bien-aimé des Québécois n'était peut-être pas le seul à posséder le numéro de téléphone de la ligne directe entre la terre des revendicateurs et le paradis des dispensateurs de bonnes grâces.

Eh bien quoi, n'avait-il pas été tout aussi utile à la société, lui, le demi-cultivateur beauceron, entièrement consacré depuis toutes ces années à la cause de l'érable que le grimaçant *entertainer* montréalais ? Ou bien le Bon Dieu, Lui-Même fait d'ondes éternelles, était-Il très sensible à la télévision et Lui aussi très conditionné par le *star-system* ? Quand l'homme envisage sa mort imminente, sa réflexion va loin…

Peu de temps après, il reprit ses traitements et retourna chez sa fille à Saint-Georges.

Pendant ce temps, Paula mit de l'ordre dans ses affaires et poursuivit sa propre recherche quant aux actions à prendre à la lumière de ce qu'elle avait vécu ces deux dernières années, ce qui jetait un nouvel éclairage sur toute sa vie depuis l'enfance.

Après les années de l'établissement de la carrière et des ambitions réalisées, la voilà qui continuait de renaître à des valeurs qui toujours avaient couvé sous la cendre en elle. Sa rencontre avec Grégoire s'inscrivait dans cette évolution mais depuis ce soir-là, ils ne s'étaient plus donné signe de vie si ce n'est qu'il se rendit visiter Rosaire un soir en l'absence de Paula et en compagnie de Sylvie qu'il désirait rassurer tout à fait...

Marc les conduisit à la chambre du malade, une grande pièce blanche qui donnait à penser à ces chambres de moribonds sur des peintures d'un autre âge. Mais Rosaire n'était pas couché. Assis au bord du lit, perdu et recourbé dans son pyjama, le visage émacié et pas un seul cheveu sur la tête, on l'eût pris pour un extraterrestre qui n'aurait emprunté des humains que la vieillesse, la maladie, la tristesse et l'angoisse.

– Salut Rosaire !

– Salut Grégoire ! Viens fumer... Madame...

– Bonsoir ! fit timidement Sylvie.

– Tire des chaises, là !

Grégoire approcha un fauteuil et la vieille berçante que son ex-beau-père avait fait transporter chez sa fille et il y prit place lui-même tandis que Sylvie s'asseyait doucement à côté de lui.

– Connaissais-tu Sylvie ?

Rosaire força sa voix morte :

– De réputation, on pourrait dire. De ouï-dire...

– Il paraît que ça se passe bien, les traitements ?

– Les résultats sont pas vargeux, faut ben le dire.

– Les effets secondaires sont durs mais au bout du compte, ça vaut la peine si ça prolonge un homme de dix ou vingt ans.

– Ouais… c'est sûr… Pis toi, comment que ça va ? Tu prends pas ta retraite ?

– J'suis pas le gars pour prendre sa retraite à 50 ans, ni même à 60…

– Ben si je guéris, moi non plus, j'vas pas m'arrêter. Je m'en vas faire comme le vieux Joseph Gobeil pis sa Clara Rancourt, je vas travailler jusqu'au lendemain de ma mort. Travailler, c'est pas une condamnation pour moi.

– Quand on aime ce qu'on fait…

– Mais emmanché comme je suis là, je courrais pas les érables pis c'est pas moi qui ferais pas la *cookerie* à la cabane à sucre.

Grégoire fit un geste de la main :

– Un homme relève vite ; t'es pas à bout d'âge.

La pensée de Sylvie allait d'une parole à l'autre comme une balle de tennis qui rebondit et pourtant, en même temps, elle alimentait sa propre réflexion sur son avenir que, de plus en plus, elle envisageait sans Grégoire plutôt qu'avec lui. Derrière les apparences, il restait un homme assez désemparé, tel un accidenté amputé de ses jambes, et elle réalisait dans sa conscience profonde qu'il ne retrouverait son équilibre psychologique qu'à la condition de vivre à nouveau avec sa première femme. Vraiment sa première femme, soit la Paula d'autrefois.

Et si elle était en train de reparaître, cette Paula des jeunes années… Une idée qu'elle avait émise devant lui mais dont il s'était ri :

« Le retour vers le passé, c'est du bon cinéma à la Spielberg, pas la vraie vie ! »

– Ça relève vite pis ça meurt vite itou.

– Faut se battre, comme dirait votre fille.

– C'est curieux, mais c'est pus de même qu'elle parle, la Paula. C'est pus son discours, asteure. Elle me dit toujours de négocier avec la maladie. Parce que se battre, ça prend trop d'énergie quand on est malade, selon ce qu'elle pense. Mais la maladie, j'ai beau lui parler, elle a pas l'air à comprendre grand-chose. Pis elle a pas l'air de vouloir acheter mon idée…

— Les négociations pour la paix, des fois, ça dure un bon bout de temps.

— Pis ceux qui s'affrontent ont le temps de crever en attendant… Bon, oublions ça ! Pis parle-moi un peu de tes chevaux, ça va me faire remonter vers la belle époque.

Rosaire reprit du poil de la bête tout en parlant. De faibles mais nouvelles lueurs émanèrent de son regard. Grégoire se montra enthousiaste. Sylvie demeura à l'écart. Physiquement. Et psychologiquement. Et ses rires fabriqués accompagnaient ceux des deux hommes, tels ceux déjà enregistrés sur une cassette et lancés à volonté et au besoin…

*

Dans leur chambre un soir, Sylvie fit les avances à son compagnon. Quand il lui fit l'amour, il la trouva exceptionnellement vibrante. Même qu'elle pleura dans ses bras. Il s'arrêta, interdit.

— Continue, continue, lui murmura-t-elle à travers ses sanglots.

Elle savait que ce serait leur dernière fois. Et elle voulait que cela soit mémorable. Se faire projeter dans une sorte de trajectoire spatiale comme une comète lumineuse. Qu'il garde au moins ce souvenir d'elle. Son oui de femme était si profond, si généreux, si violent aussi que la chair de l'homme n'en rencontrerait jamais un pareil de toute sa vie.

Quand elle reparut dans la pénombre après une brève visite à la salle de bains, il lui sourit :

— De l'énergie à soir : ça fait du bien de sortir un peu de la maison…

Elle s'allongea et leurs nudités se croisèrent un moment :

– C'est pour ça que je dois dormir : je suis exténuée, dit-elle en l'embrassant.

Quand il revint à la maison le jour suivant sur la fin de l'après-midi, il trouva un message sur la table, qu'il tint dans ses mains sans toutefois le lire, se doutant de ce qu'il contenait. Il se rendit dans la chambre et la vue de tiroirs de commode ouverts et vidés de leur contenu lui apprit la vérité. Il lut enfin.

Je te quitte, et la maison, pour te laisser la voie libre. Ton cœur demeure avec Paula. C'est bien ainsi. Retrouve-la. Vous vous aimerez mieux qu'auparavant. Sinon, je serai peut-être encore là à t'attendre. Mais je ne compte pas là-dessus même si je l'espère de toutes mes forces en ce moment.
Je reste une amie fidèle et sincère,
Sylvie

*

Le jour déclinait.

Le fond de l'horizon était embrasé, écarlate. Devant Paula, au pied de son regard, la ville sombre déroulait jusqu'à la Chaudière son tapis constellé d'étoiles prématurées : les lumières de l'activité humaine clignaient de l'œil pour attirer et séduire la clientèle. C'était vendredi soir.

La femme quittait l'hôpital. Dans la chambre de son père, là-haut, il y avait Hélène qui voulait demeurer seule un moment auprès de la dépouille de son mari. Le malade rendait le dernier souffle moins d'une demi-heure plus tôt.

Paula marcha lentement. D'un pas simple, mais un peu las et lourd, réfléchissant à bâtons rompus. Cet homme avait marqué sa vie depuis l'enfance par ses bons et mauvais côtés. Le bien l'emportait sur le mal en lui et passablement. Il était gauche souvent dans ses relations avec les autres, mais qui ne l'est pas ! Qui ne l'est pas ? Ses intentions avaient toujours été bonnes.

Des feuilles mortes roulaient parfois sur le chemin noir, emportées par des rafales inattendues. Elle parvint à son véhicule pour y attendre Hélène, cette belle-mère encore jeune qui avait toujours été parmi ses quelques meilleures amies.

Une fois dans l'auto, elle bougea la tête et les yeux longuement dans le vide et le vague, cherchant à adapter son âme à cette situation nouvelle et combien triste. Puis elle téléphona à la maison et demanda à Marc de faire circuler la mauvaise nouvelle à laquelle tous s'attendaient déjà.

Rosaire était un homme aimable. Sa paroisse pria pour lui le samedi soir et le dimanche.

Au salon funéraire, Paula fut entourée de gens, questionnée. Elle se fit évasive quant à ses affaires et à sa vie personnelle, et préféra interroger à son tour. Ce procédé d'esquive ne l'empêchait pas de s'intéresser à chacun de ses interlocuteurs. Elle avait l'âge pour sortir bien plus souvent d'elle-même que naguère.

Marcel Blais et Fernand Lapointe trouvèrent qu'elle avait bien changé depuis quatre ans, depuis qu'ils l'avaient rencontrée à une autre exposition celle du corps d'Esther Létourneau.

– Elle a l'air rajeunie; les épaules moins chargées.

Leurs femmes furent d'accord.

– C'est vrai! C'était peut-être sa ménopause.

– Paraîtrait qu'elle a fait le tour du monde.

– Ben oui, pis elle a été bloquée en Irak l'été passé pis au début de l'automne, tu dois t'en souvenir?

– Il s'en dit ben, des affaires...

– Ben voyons, les gars, c'était dans tous les journaux, leur dit sur le ton du reproche bienveillant Claire-Hélène, femme d'affaires du village.

– Ah! on le savait!

– Ben oui, on savait ça!

Elle joua leur jeu:

– Ah! j'avais cru que vous aviez dit que vous le saviez pas.
– T'as dû nous écouter rien que d'une oreille, là, toi.

Aubéline et André vinrent au salon le dimanche après-midi. Paula resta longtemps auprès d'eux à s'entretenir à voix basse dans un coin moins bruyant. Et plusieurs fois, l'homme et sa femme s'échangèrent des regards émerveillés. Ceux qui les observaient à l'occasion crurent qu'elle leur racontait les grandes péripéties de son voyage autour de la Terre.

Chantal s'approcha d'eux à quelques reprises mais il lui parut qu'alors, la conversation bifurquait dans une autre direction. Secrets de quinquagénaires interdits aux moins de vingt ans probablement!

Le cercueil était rendu à sa place au fond de la fosse.

Les assistants s'égrenaient en silence vers les sorties du cimetière. À l'enterrement d'un proche, Paula Nadeau restait toujours longtemps à méditer; et le plus souvent, elle quittait les lieux la dernière.

Elle se croyait seule maintenant près du lot familial à parler à tous. Car de sa famille d'origine, ils étaient tous là sauf elle. Herman qui, encore enfant, s'était fait jouer un tour par une fenêtre-guillotine. Rita, sa mère qui avait fait le lit pour tout le monde. Lucie qui, une fois encore, faisait monter les larmes aux yeux de sa sœur. Julien, le révolté, perdu, annihilé par son grand rêve américain. Et le père qui, la dernière fois qu'on avait enterré un être cher, avait dit à sa fille: «Ben, il manque plus rien que toi pis moi...»

Tragique, ce destin de la famille de Rosaire Nadeau: étrange! Une espèce de sort à la Kennedy.

Une voix, des pas, une présence... On chuchota avec respect dans son dos:

– Paula, je peux te parler une minute?

Venu de Saint-Georges avec Christian, Grégoire avait assisté à la cérémonie des funérailles et suivi le corps jusqu'à son dernier repos. Mais l'homme s'était tenu à distance respectueuse tel un observateur compatissant et réservé.

Après les dernières prières, il avait fait mine de partir avec les enfants vers la salle où un goûter serait servi puis avait rebroussé chemin pour se donner la chance de parler seul à seul et en toute liberté avec son ex-femme. Non, il n'avait pas un million de mots à lui dire mais ces mots-là pourraient peser lourd.

Elle ne bougea pas, ne se retourna pas, répondit :

– Je t'écoute…

– Je te dérange au mauvais moment peut-être…

– Non, non, j'ai tout mon temps.

– Ben… je voulais juste t'inviter à mon tour à souper… comme l'autre fois.

Il hésitait, promenant son regard sur le ciel gris, le tapis jaunâtre du cimetière, les arbres frileux et surtout la silhouette noire et toujours si gracieuse de Paula.

– Une fois par année, Grégoire, mais il ne faudrait pas faire de la peine aux nouvelles personnes dans ta vie et qui tiennent beaucoup à toi.

– Justement, Sylvie… elle est partie il y a une semaine. Ce ne fut pas une rupture avec éclats, pas un orage, mais elle s'est rendu compte que… que je n'étais pas là. Je me suis senti mal à l'aise qu'elle parte… Coupable, mais soulagé.

À mesure qu'il parlait, les épaules de la femme se soulevaient par petits coups qu'elle essayait en vain de maîtriser. Il fut étonné de cette réaction. Que contenait-elle ? Paula souffrait-elle d'un mal physique caché ? Ou bien était-elle entraînée dans une prise de conscience quelconque devant le lot de tous les siens à la pensée de son propre avenir ?

– J'ai pas voulu lui faire de mal et je pense qu'elle a compris ça aussi… Bon, ça fait que je me suis dit tout à l'heure qu'étant libres tous les deux, on pourrait peut-être placoter comme l'autre fois... Ce fut une très belle soirée, tu sais, une très belle soirée...

La tête penchée en avant, Paula gardait sa main sur son visage et elle pleurait abondamment sans même chercher à essuyer ses larmes avec un mouchoir.

– Bon... maintenant, je vais te laisser... Si t'as le goût, tu m'appelleras...

– Non, attends, parvint-elle à dire. Viens ici à côté de moi.

Il obéit. Elle dit :

– Prends ma main et tiens-la...

Il le fit et ils se tinrent là longuement sans dire un mot, dans un silence parfois brisé par un tourbillon du vent ou des sanglots étouffés.

Au loin, près de la sortie, Nathalie et Chantal leur jetèrent un coup d'œil, et elles s'échangèrent un regard sans rien se dire.

Quand elle fut soulagée, Paula demanda à son compagnon de la laisser seule.

– Pour le souper, tu m'appelleras... je serai là, fit-elle au moment de son départ.

Et elle musarda entre les rangs de monuments. Paya une visite à grand-père Joseph, à Martine Martin, à Esther Létourneau, au curé Ennis avant de se diriger vers l'ancienne sortie par laquelle elle passait toujours, et elle s'arrêta un instant.

Au loin, de l'autre côté des bâtisses du village, la cabane à sucre de son enfance paraissait elle-même endeuillée, seule, abandonnée au milieu des érables, tout à fait perdue dans un monde où elle se reconnaissait de moins en moins comme une vraie cabane...

Il apparaissait à Paula qu'il manquait un détail, une présence, une ombre, quelque chose ou quelqu'un, peut-être même, qui sait, un fantôme...

Quelque chose issu non point de la mémoire ni des sentiments mais de quelque part ailleurs, une sensation bizarre et pourtant douce obligea sa tête à se tourner vers la droite. Et son regard tomba sur le lot des Grégoire. S'était ajouté tout récemment un autre nom sur le vieux monument.

Même Bernadette Grégoire n'était pas éternelle.

Il sembla à Paula l'entendre venir par l'arrière, le pas claudiquant, la curiosité dans un œil, le respect dans l'autre, prête à demander :

« C'est ben toi la fille à Rosaire Nadeau ? Me semblait itou. Mais vue de dos, on sait pas tout le temps. Pis comment ça va, toi ? La santé est bonne toujours ? Ton mari, hey, que c'est un bel homme ! Grand, fort, avenant... T'as des jumeaux, je pense, hein ? Ah ! j'ai vu mourir ta mère... une bonne personne... une personne dépareillée. C'était attends... en 1953, imagine, ça fait quasiment quarante ans ! Le temps passe, c'est effrayant... Tu sais que je me rappelle la journée que tu t'es mariée. Hey qu'il faisait beau ce jour-là ! J'avais fait du jardinage toute la journée. C'est des beaux souvenirs... Sans des souvenirs comme ça, la vie vaudrait pas la peine... »

Très haut dans le ciel, un vol d'oiseaux passait. La voix lointaine du fantôme de Bernadette l'accompagnait, suivie de son vieux rire paroissial.

***

Chapitre 37

Un jour, quelqu'un, peut-être Gaspard Fortier, sans doute lui, cet explorateur de l'inconnu, lui avait dit que deux personnes qui dorment dans le même lit pendant plusieurs années deviennent liées pour l'éternité, non pas à cause de leurs relations charnelles mais en raison de la proximité – et de leur fusion – des champs magnétiques créés par les ondes de leurs cerveaux respectifs. C'était vouloir mesurer les choses d'ordre spirituelles par des lois de la physique.

En marchant de long en large dans son bureau-bibliothèque, Paula, à travers de telles pensées, cherchait à comprendre ce rapprochement devenu évident entre son ex-mari et elle-même. Comme si la chose allait de soi. Comme si leurs routes, longtemps communes, puis ayant bifurqué pour s'éloigner et prendre cent détours, se dirigeaient à nouveau l'une vers l'autre pour cheminer côte à côte le long du dernier littoral menant à la grande cité.

Mais alors, que signifiaient les autres personnes rencontrées dans les détours? Des objets, des meubles, des véhicules, de simples choses utiles puis délaissées après usage? Ou alors elles-mêmes voyageaient-elles dans les dédales de l'incertitude et de la recherche en se servant des autres pour avancer vers la sérénité et la lumière?

Non pas! Sylvie, pour une, aimait beaucoup Grégoire. Assez pour lui redonner sa liberté. Assez pour s'en aller. Ce n'était pas la possessivité, la mesquinerie, la jalousie qui l'avait fait fuir, ce n'était sûrement pas ça... Ou bien cachait-elle au secret de son âme des monstres qu'elle pouvait museler et empêcher d'apparaître aux fenêtres de sa façade toujours souriante?

— Je dois savoir le fond de l'histoire, je dois savoir...

Grégoire ne lui avait révélé que l'essentiel. Eût-il parlé davantage au cimetière qu'elle n'aurait pas réfléchi à la question en un tel lieu et en de telles circonstances.

On était le premier octobre.

Dehors, il faisait froid. Les splendeurs automnales atteignaient le faîte des érables puis coulaient comme des milliards de coups de pinceau vers le pied des arbres où le vent talentueux et espiègle les prenait en remorque pour les déposer sur les pelouses encore vertes, les rues noires et les cœurs sombres.

La femme eut l'idée de se rendre à l'arrière de sa maison pour laisser se décanter sa réflexion sans plus penser pour une demi-heure. Elle avait cette habitude et cela donnait toujours de bons résultats. Prendre les grands arbres pour conseillers et la nature pour inspiration, cela lui était venu dès son jeune âge quand elle se rendait réfléchir dans l'érablière de son père en regardant son village plus bas au loin. Peut-être que c'est là-bas que les futures arabesques de sa vie s'étaient ébauchées à son insu dans les profondeurs du miroir de son âme!

Elle se rendit au vestibule, ouvrit le vestiaire, et choisit un vieux manteau noir en gabardine, de ceux dont elle n'avait jamais voulu se défaire bien qu'elle ne les portât au grand jamais. La terre étant sèche et dure, elle demeura en soulier et passa par la piscine pour se rendre dans la cour.

Quand elle ouvrit la petite porte voisine des grandes en vitre, il lui sembla qu'elle n'était pas seule et elle tourna la tête. Une lumière avait été laissée allumée dans le couloir menant à l'atelier et aux douches et cabines des baigneurs. Elle fut sur le point de s'y rendre pour l'éteindre puis changea d'avis. Cette préoccupation lui apparaissait trop insignifiante pour y voir maintenant; elle irait en rentrant.

Pendant qu'elle marchait à l'extérieur à la recherche de la détente la plus favorable à la solution de problèmes, Marc restait caché dans une cabine de déshabillage avec son meilleur copain avec qui il eut une relation sexuelle. Prendre des risques décuplait son plaisir. Tromper ainsi sa mère adoptive nourrissait en lui le sentiment de la posséder en son pouvoir à lui, d'échapper à son emprise trop lourde à porter.

Il lui arrivait de plus en plus de se demander s'il ne haïssait pas cette femme d'argent possédant la volonté et l'énergie d'un char d'assaut. Il eût voulu jeter quelques grains de sable dans ses réservoirs pour la voir s'étouffer au moins quelques heures. Quelques petits grains insignifiants juste pour lui montrer qu'elle ne possédait pas toutes les vérités et s'encarcanait dans ses trop grandes certitudes.

Après les sommets atteints dans la réalisation de ses ambitions dérisoires, voilà qu'elle s'attaquait aux sommets de la vertu : écœurant ! Qu'elle soit donc balayée par une avalanche de sentiments pointus et incontrôlables, ce n'est pas à moins qu'elle comprendrait la vraie vie, qu'elle descendrait de ce piédestal où elle s'était mise elle-même et où elle se livrait à l'admiration des lèche-bottes tous azimuts qui passaient dans sa vie.

Cette femme était peut-être le diable après tout. Et avait pu détruire sa propre mère et son frère dès son enfance. Et avait pu détruire sa sœur Lucie, donc sa mère à lui. Et grand-père Joseph, mort en aidant Paula... Et Clara, morte dans des circonstances similaires. Et avait pu faire éclater sa propre famille. Et avait pu le prendre, lui, entre ses mains diaboliques pour en faire petit à petit depuis ses premières années et à son insu même l'homosexuel qu'il ne voulait pas être et qu'il abhorrait au plus haut point.

Ils étaient nus, debout sur une boîte de bois qui permettait à leurs pieds de ne pas être aperçus par l'espace sous la porte, à se caresser et à s'embrasser.

– C'est quoi ce bruit? murmura son ami inquiet.

– C'est rien, c'est la vieille qui est revenue.

– Tu m'avais dit qu'il y aurait personne à la maison.

– Oublie ça, oublie ça…

– C'est pour ça que tu voulais venir à pied?

– C'était en cas que la vieille folle revienne…

– C'est qu'on va faire asteure?

– Ça…

Et il commença à promener sa bouche dans le cou de l'autre tout en respirant bruyamment.

– T'es malade: on va se faire pogner. Elle va t'entendre, ferme-toi…

– Nous autres, on va l'entendre avant elle… Inquiète-toi donc pas, je sais ce que je fais…

En ce moment, dans sa marche parmi les grands érables, Paula n'aurait pu entendre quoi que ce soit tant elle atteignait les sommets du vide. Elle se concentrait sur un point noir situé dans une autre galaxie à des milliards d'années-lumière et chassait impitoyablement les attaques des pensées venues du quotidien.

Cela dura une demi-heure. Elle remua des milliers de feuilles mortes, en écrasa des centaines. Le soleil brillait là-haut mais ses rayons avaient beau se multiplier à travers les feuilles encore accrochées aux branches, ils ne parvenaient pas à gagner leur bataille acharnée contre les petits coups secs du vent grincheux d'automne qui venait pincer malicieusement la peau et la surprendre alors qu'elle n'avait pas érigé ses barrières en chair de poule.

Puis elle rentra.

Et se rendit dans la pièce où se trouvaient les douches et cabines de déshabillage. Tout lui parut normal au premier coup d'œil. Tout sauf la porte d'une cabine qui aurait dû être entrebâillée. Elle s'en approcha. Se pencha pour voir sous la porte comme on le fait quand on craint qu'il se trouve quelqu'un et pour ne pas le déranger. Puis elle mit sa main au-dessus de la porte pour l'ouvrir en saisissant le rebord. C'était fermé de l'intérieur. Elle hésita un moment puis sa main lâcha prise. Son bras retomba contre elle. Il faudrait faire déverrouiller cette porte par ceux qui à l'occasion venaient travailler à l'entretien de la maison.

Et elle retourna dans son bureau où elle se remit au travail, s'occupant de ses affaires et aussi de cette nouvelle mission qu'elle s'était donnée. Quelques moments plus tard pourtant, elle fit apparaître la console des contrôles et moniteur de surveillance électronique de la maison et se brancha sur l'immense pièce de la piscine. Aucune image ne lui parvint. Quelque chose ne fonctionnait pas. Problème technique: depuis le temps qu'elle ne s'en était pas servi, ce matériel pouvait faire défaut.

Au milieu de l'après-midi, elle reçut un appel de son ex-mari.

– Tel que dit, je t'appelle.

– Et tel que promis, je suis là…

Ils se donnèrent rendez-vous pour le repas du soir à l'Arnold. Chacun s'y rendrait avec son propre véhicule à l'heure qu'il voudrait pourvu que ce soit avant dix-neuf heures.

Elle y fut la première. S'installa à une table du bar. Et commanda un apéritif. Le temps de réfléchir ne lui fut guère donné puisque tout un chacun la saluait et lui adressait quelques mots en passant. Et puis Grégoire ne fut pas en retard. Il prit place avec elle. On s'adonna tout d'abord à des propos légers puis on se rendit à la salle à manger du sous-sol, un endroit intime, luxueux et fort discret.

Paula ne fut pas longue à mettre sur le tapis la séparation récente de Grégoire et Sylvie.

– Je veux que tu me dises clairement si j'y ai été pour quelque chose.

– Selon moi, tu lui as servi de prétexte à partir. Mais elle ne se sentait pas bien depuis quelque temps avec moi.

– Qu'est-ce qu'elle a dit?

– Pas un mot! Elle m'a laissé un message écrit, c'est tout.

– Et j'imagine que tu ne l'as pas avec toi et que tu ne te rappelles pas trop de ce qu'il contenait?

– Tu te trompes parce que je l'ai justement...

Il fouilla dans la poche intérieure de son veston et sortit l'enveloppe un peu fripée qu'il ouvrit et il fit lire la lettre par Paula qui la lui remit ensuite sans rien dire pour un moment.

– Qu'est-ce que tu en penses? finit-il par dire.

– Que cette séparation est de ma faute.

– Ben non, voyons!

– Je le pense sincèrement! Et je m'en veux. Toi et moi, on n'aurait jamais dû se revoir de la manière qu'on l'a fait. Elle s'est sentie exclue du jeu, exclue comme tous ces gens que j'ai vu vivre dans certains pays qui se retirent sur eux-mêmes... Un peu comme des animaux blessés qui vont se cacher pour lécher leurs plaies. Voilà ce que j'ai fait et je ne suis pas fière de moi. Je ne suis pas fière de moi, Grégoire.

Paula avait des larmes naissantes au coin intérieur des yeux.

– Ce n'était pas la première fois qu'elle se sentait exclue par la faute de mon attitude à moi... Et bien avant qu'on se revoie ces derniers temps... Tu n'as rien à voir dans cette situation, rien à voir.

– As-tu fait quelque chose pour la ramener?

– Non.

– Vas-tu faire quelque chose pour la ramener?

– Non.

– C'est regrettable.

– Je veux être seul pour un certain temps.

– Tu es sûr que c'est pour cette raison.

– Qu'y aurait-il d'autre?

– Je te posais la question pour que tu te la poses à toi-même.

– C'est fait...

Elle prit le menu et l'ouvrit en disant froidement:

– Qu'est-ce que tu as le goût de manger ?

– J'ai de la place dans l'estomac pour un bon plat, certes. Et toi ?

– J'ai de l'appétit.

Elle s'arrangea pour qu'il ne soit plus question de cette séparation malgré trois tentatives de Grégoire d'en parler à nouveau.

– J'aime autant ne plus en parler, redit-elle chaque fois.

La rencontre se termina dans l'amitié. Chacun paya pour soi. Ils quittèrent les lieux pas très tard. Sur le stationnement, il voulut savoir quand ils se reverraient.

– J'ai beaucoup de travail de ce temps-là. Je vais te rappeler dans un mois ou deux.

– Pas avant ?

– Comme je te dis, le travail est très accaparant.

– Tu fais quoi en plus de tes affaires courantes ?

– Des choses dont je ne peux pas trop parler pour le moment, mais ça viendra.

Elle n'avait pas voulu ni même pensé causer du tort à Sylvie ; mais maintenant, elle avait la ferme conviction de l'avoir fait et il fallait qu'elle agisse vite pour réparer les dommages s'ils n'étaient pas irréparables.

Facile de rencontrer l'autre femme, il suffisait de se rendre au restaurant où elle travaillait. Le lendemain, elle appela pour savoir si Sylvie servirait ce soir-là. Une réponse affirmative et elle se rendit là-bas où elle demanda à être assise dans sa section.

– Bonsoir Paula, comme je suis contente de te voir !

– Bonsoir Sylvie ! Je suis venue exprès pour te voir.

La serveuse devina que Paula lui parlerait de sa séparation récente et elle savait déjà que la femme d'affaires tâcherait de rafistoler les choses. Ça lui donnait un avantage pour mieux composer avec la situation. Car elle savait qu'elle avait affaire à un être fort qui cherchait à imposer sa volonté aussi bien dans les choses sentimentales que dans le monde de la business.

– Je te sers un apéritif?

– Un… tiens, à ton choix.

– Je reviens et on jasera un peu plus. De toute façon, je n'ai personne à servir à part toi pour le moment.

– Tant mieux!

Et pour être sûre que personne ne viendrait la déranger et l'empêcher donc de parler avec Sylvie, Paula sortit un crayon de sa bourse et se mit à griffonner sur une serviette de table. Et au service de l'apéro, elle revint à l'objet de sa visite:

– Je voulais te parler de Grégoire.

– Et moi, je voudrais ne pas en parler. Pas parce que je lui en veux, je ne lui en veux pas. Pas pour fuir la réalité parce que je ne la fuis pas…

L'autre coupa vivement:

– Tu dois m'en vouloir à moi?

– Bien au contraire, Paula. C'est grâce à toi si j'ai fini par voir vraiment clair en moi. Si j'ai fini par savoir ce que je voulais exactement. Et si j'ai décidé de l'exprimer sans aucun détour. Tout est bien dans ce qui arrive et arrive ce qui devait arriver.

– Et la douleur?

– Elle est là et très forte, mais elle est nécessaire. Il nous fallait sortir de la confusion tous les deux et mon départ de la maison, de sa maison, était rendu inévitable parce qu'il s'imposait.

Paula prit conscience que pour la première fois dans toute sa vie, elle avait devant elle une volonté de femme plus forte que la sienne. Quoi qu'elle dise ne changerait rien à la situation. Tout serait désormais entre les mains de Grégoire.

Mais Grégoire devrait assumer sa part de la situation et il lui appartiendrait et à lui seul d'émerger du brouillard émotionnel dans lequel il se trouvait.

Sans doute le reverrait-elle physiquement mais pas sur le plan des sentiments, si légers soient-ils. Et même s'il fallait que dix ans s'écoulent...

***

Chapitre 38

Elle fit venir Marc à son bureau.

Quand il fut là, elle lui demanda de leur servir une coupe de champagne. Ce qu'il fit. C'était pour qu'il ne s'inquiète pas, pour qu'il se sente bien en confiance. On n'abreuve pas de champagne quelqu'un qu'on veut abreuver de reproches. À moins de s'appeler Paula Nadeau…

Il prit place dans l'un des profonds fauteuils de cuir face au large bureau de madame, présidente de toutes ces compagnies prospères.

– Tu ne me dis pas que tu te prépares à repartir pour les pays lointains ?

– Non, fit-elle avec un regard dans le vague, c'est une époque révolue. À propos, je veux te féliciter une fois encore pour la façon dont tu t'es occupé de la maison en mon absence. Ou devrais-je dire notre maison parce qu'elle pourrait bien te revenir un jour ou l'autre, hein ? Ce pourrait être ta part d'héritage quand, à mon tour, j'irai rejoindre tous ces vieux os qui n'attendent plus que moi et les miens au cimetière de Saint-Honoré.

Son propos passait mal dans le tamis analytique du cerveau de son fils adoptif. De un, il eût aimé qu'elle reparte à travers le monde sans tarder. De deux, son conditionnel en parlant de l'héritage annonçait une négociation ; elle voulait sûrement obtenir quelque chose de lui. Et de trois, elle manquait de respect envers les morts en les désignant de manière si désinvolte par l'expression « vieux os », ce qui ne recelait selon lui aucun humour à part une morbidesse de fort mauvais goût.

Il fit semblant de rire... Elle avala un peu de liquide sans baisser les yeux.

— Ah! tu dois te dire parfois que je ne suis rien qu'une vieille folle, n'est-ce pas?

— Où as-tu pêché ça? dit-il en blêmissant.

— Quand je me mets dans la peau des autres et que je me regarde, je me trouve un peu bizarre. Une bien drôle de vie que la mienne, tu ne penses pas?

— Chacun qui fait ça se trouve bizarre. Tu sais, les êtres qui ne sont pas dans la norme, comme on dit, paraissent toujours bizarres à ceux qui le sont.

— Croirais-tu que moi, je te trouve bizarre?

Il fit la moue, haussa les épaules, porta la coupe à ses lèvres.

— Eh bien, je ne te trouve pas bizarre...

Elle fit pivoter sa chaise et poursuivit:

— Tu dois te dire que c'est parce que je ne te connais pas à fond. Et c'est vrai. Même si je te connais autant que les trois enfants que j'ai mis au monde moi-même, je ne te connais pas à fond. Pas plus qu'eux d'ailleurs. En chacun de nous tous en ce monde d'animaux où l'espèce humaine se croit supérieure aux autres, il y a des basses-fosses profondes, sombres et qu'on a du mal à explorer soi-même. Et ce monde poussiéreux et caverneux que nous portons tous dans les recoins secrets de nos âmes est celui de la confusion mentale. On pourrait penser que seul le mal s'y trouve et on a tort car il s'y trouve aussi des trésors enfouis, enterrés sous des gravats, des décombres, du délabrement mental...

« Non, mais elle va-t-il finir avec sa petite philosophie télé-romanesque à l'eau de Javel! »

— ... Le problème, et j'y reviens, c'est la confusion. Ne pas comprendre. Et se créer des chimères. La raison, on dirait, la peur de descendre dans les basses-fosses et elle refuse d'y aller. Elle soupçonne qu'il y a là des monstres prêts à la dévorer...

Vivement, Paula remit sa chaise droite. Elle s'appuya les coudes sur le bureau et jeta sa tête en avant:

– Ceci étant dit, Marc, je t'ai vu dans la cabine, tout nu avec un autre gars tout aussi nu dans tes bras. Ça ne présente aucun problème pour moi que tu sois homosexuel. Sans doute qu'au fond de moi, je le savais depuis fort longtemps. C'est génétique et tu en donnais tous les signes dès le début de ton adolescence. À cette époque, j'ai pu refuser de le voir, mais les temps ont bien changé. Albert m'avait *briefée* là-dessus, mais il ne m'avait convaincue que d'une seule chose: attendre que tu m'en parles, que tu te confies à moi, que... que tu me donnes ta confiance comme je t'ai donné la mienne, toute la mienne. J'ai su par diverses sources que tu ne t'étais pas conduit comme je l'aurais voulu ici en mon absence mais tu as réparé, du moins en partie, ce que tu démolissais. Voilà pourquoi je t'ai félicité. J'ai félicité la face positive de ta personnalité. Tu as fait en sorte que les Français partent; j'ai fini par recevoir une lettre de Maryse, et maintenant, je crois en sa version des faits. Qu'importe puisque tu as trouvé une formule de remplacement valable et que tu l'as éprouvée toi-même pour mon bien... du moins, je le crois. Je veux le croire... Ce manque de confiance envers cette femme qui aimait tant sa sœur, dont tu es le fils, un fils qu'elle m'a confié à sa mort et que j'ai voulu adopter de mon plein gré et avec joie, eh bien, il est là dans mes basses-fosses à moi, dans le noir et la confusion.

– Autrement dit: tu comprends pas.

Elle le regarda au fond des yeux:

– Pas du tout!

Il supporta son regard, posa sa coupe sur le bureau:

– Tu veux comprendre? Tu veux que je te dise?

– C'est pour ça que je t'ai demandé de venir dans mon bureau ce soir.

Il se recala dans son fauteuil et prit une position renfrognée, mains enveloppées et pouces accrochés au menton.

— Je suppose que je devrais t'exprimer des montagnes de reconnaissance pour tout ce que tu as fait pour moi depuis que tu m'as adoptée ? Grégoire, lui, en a jamais demandé autant mais ça, c'est une autre histoire. Sauf que moi, je ne t'ai pas apporté de l'argent, un toit, à manger et tout le reste. Vois-tu, le problème des enfants, c'est de venir au monde après leurs parents. Mais qui leur exprime de la reconnaissance pour ce qu'ils sont, pour ce qu'ils apportent à leurs parents. Les enfants, ça remplit les parents de joie, de fierté, ça les désennuie, ça les occupe, ça les soutient. Ça stimule leurs ambitions et tu dois en savoir quelque chose. Y a personne pour dire aux parents qu'ils devraient avoir de la reconnaissance envers leurs enfants de leur apporter tout ça… C'est toujours le contraire : fais pas l'ingrat, honore ton père et ta mère. Encore plus si le lien du sang est pas pur, si t'es rien qu'un adopté !

— T'as un discours de négociateur… On met pas les sentiments humains dans une balance parce que les poids et les mesures ne sont pas les mêmes d'une personne à l'autre, d'un sexe à l'autre, d'une génération à l'autre et même d'un peuple à l'autre, d'une culture à l'autre…

Marc se leva d'un bond. Ses mâchoires se serrèrent. Paula attendit qu'il éclate. Elle voulait qu'il vide le fond de son âme.

— T'as l'âge, t'as la richesse, t'as la volonté, le jugement, l'expérience, t'as les connaissances de la nature humaine grâce entre autres à tes voyages, mais y a une chose que t'as pas, ma chère mère adoptive, pis que t'auras jamais, c'est la souffrance. T'es comme un vieux chicot mort, sans aucune sève pour nourrir ses branches pis ses feuilles. Tu peux te passer de tout le monde, tu peux même te passer de toi-même, on dirait. T'as brisé notre famille à cause de tes ambitions démesurées, de ta soif insatiable d'argent, de puissance, de prestige. Pis c'est pas sûr que t'as pas commencé à détruire il y a un maudit bout de temps. Y a des forces justement dans les basses-fosses de l'âme qui sont destructrices.

Il la pointa du doigt et les traits de son visage se durcirent encore davantage :

– Comment t'expliques justement tous ces vieux os dans le cimetière de Saint-Honoré sous le monument des Nadeau. Y compris les ossements de ma mère ? Ta mère. Ton père. Tes deux frères. Ta sœur. Pis pas un en même temps, pis pas un de la même maladie ou ben du même accident ? Hein ? Explique-nous donc ça, toi, la femme de substance qui sait tout pis qui voit tout ! La famille dont tu viens et celle qui descend de toi ont-elles été le prix à payer pour la construction de ton empire ? Si c'est ça, c'est un empire qui coûte cher pis qui vaut pas cher.

Les mots pénétraient le cœur de Paula comme des flèches empoisonnées et si elle tentait de les enlever à mesure qu'elles frappaient, les pointes lui déchiraient les parois de l'âme. Mais elle garda la tête froide en apparence et ses traits ne changèrent pas.

– Je suis homosexuel, hein ! Tu vois, même ça te laisse froide et parfaitement indifférente pourvu que tu gardes le contrôle de la situation. On ne peut être soi-même quand on vit dans l'entourage d'une femme comme toi. Tu dois mettre le moule de ta main de fer sur les cœurs, les âmes. Et si tu n'y arrives pas, si on ne prend pas le moule, alors tu resserres l'étreinte jusqu'à étouffer ou bien écrabouiller… Ah, t'es une femme d'affaires dans le sens le plus profond du mot ! Une femme de poigne. Ah oui, les monstres du fond de ton âme, que tu ne vois même pas, sont toujours prêts à bondir pour sauter à la gorge de ceux qui ne se laissent pas intimider par leurs grognements ! Oui, j'ai peur de toi depuis que je suis haut comme ça, peur non pas de coups puisque tu n'en as jamais donné, mais peur de ton regard, de tes mots, de tes ondes, de ton esprit infernal.

— Ce n'est pas à moi que tu parles, Marc, c'est à toi-même, fit-elle sans sourciller.

— Je l'attendais, celle-là. Tous les gens comme toi l'ont en réserve. On ne veut pas se voir dans un miroir et on l'arrache des mains de l'autre pour le lui mettre dans la face... Hen, hen... ça prend pas avec moi, ça.

— Je ne suis pas homosexuelle, moi.

Il se rassit et se mit à ricaner :

— Bien sûr puisque tu es incapable d'aimer. Tu ne peux donc être ni homosexuelle, ni hétérosexuelle, ni bisexuelle : tu es une femme d'argent. Pis de l'argent, ça brille, c'est froid et c'est dur, toujours dur. Et c'est pas capable de faire l'amour avec une personne de l'autre sexe ou du sïen ou même avec soi-même.

— J'ai trois enfants et ils ont été faits dans l'amour du couple et élevés dans l'amour maternel. Tu peux toujours dire et penser ce que tu voudras... à cause de tes problèmes personnels que tu refuses de voir en face, tu ne parviendras pas à me déstabiliser. Tu n'ignores pas que ma vie se réoriente autrement et tu voudrais que je renie le passé et que je le regrette. J'ai une mauvaise nouvelle pour toi, je ne vais pas renier ce que j'ai été, ce que j'ai fait, ce que j'ai bâti. Parce que c'est grâce à tout ça si je vais peut-être bâtir mieux dans l'avenir. Ma vie est une constante progression vers le bonheur malgré toutes mes erreurs ; la tienne, me semble-t-il et c'est de ça dont je veux te détourner, est une constante progression vers le pire. Sois vrai, Marc ! Assume ton homosexualité : ce n'est pas une honte. Et alors, tu me verras d'un autre œil. J'ai des reproches à te faire aujourd'hui : ils ne sont pas si durs que ça. Au contraire, ces reproches ont la forme d'une grande porte ouverte, la forme d'une invitation à me donner ta confiance...

Elle se leva et il y eut une longue pause. Elle soupira et se rendit marcher de long en large derrière Marc :

– Non, je n'ai pas toujours agi comme les autres auraient voulu que je le fasse. Pourquoi aurais-je dû me recroqueviller, abdiquer ma personnalité? Je n'ai pour autant détruit personne, ni volontairement ni à mon insu. Il y a des choses que tu ignores et dont je ne peux pas te parler et dont je ne veux pas te parler. Pour protéger des gens. Tu juges sans avoir entre les mains des éléments majeurs. Quand je t'ai dit tout à l'heure: je ne suis pas homosexuelle, moi, ce n'était pas avec mépris, aucunement avec mépris. C'était une simple allusion au fait que tu te caches dans un placard tandis que tant d'autres comme toi ne craignent pas de s'afficher en plein jour et de réclamer qu'on leur porte respect. Ça les rend meilleurs que de s'assumer tels qu'ils sont, simplement parce que ça les rend plus heureux et plus vrais. Fais comme eux! C'est tout ce que je te demande. Et si tu veux emmener tes amis à la piscine ou même coucher dans ta chambre, fais-le, pourvu que ça se fasse dans l'ordre. Est-ce trop te demander?

– Et toi, tu prendras plaisir à nous observer comme des souris de laboratoire avec ton équipement d'espionnage électronique? Hum… merci, madame la présidente.

– Cet équipement sert à nous protéger. Et je n'en ai jamais fait un mauvais usage. Il n'y a ni hommes ni armes dans cette maison et beaucoup de choses à voler.

– Et moi, je ne suis pas un homme, bien entendu.

– Ce que j'ai voulu dire, c'est que Grégoire n'est pas là. Tu n'étais encore qu'un adolescent quand j'ai fait installer ce système.

Elle contourna la chaise:

– Marc, Marc, j'ai mal de ce que tu m'as dit mais dans un jour ou deux, la douleur va s'atténuer. Entre-temps, réfléchis à ce qu'on s'est dit ce soir. Analyse tout ça à tête reposée et on va s'en reparler dans une semaine, veux-tu? Il en sortira du meilleur.

– Ai-je le choix?

– Quoi, tu ne penses pas que c'est la meilleure solution, la bonne façon?

– Peut-être…

Elle retourna s'asseoir:

– Quant à moi, rien de ce qui s'est dit ne va sortir d'ici. Toi, tu feras comme tu voudras.

Marc se leva:

– Je vais chercher la bouteille de champagne.

– C'est une bonne idée. Je me demandais pourquoi tu ne l'as pas fait tout à l'heure…

– Évidemment que j'aurais dû y penser!

Elle le regarda marcher de ce pas dans lequel depuis quinze ans se pouvait remarquer la touche du gène qui féminise dix pour cent des mâles humains sans qu'il ne soit de leur faute, et elle soupira longuement en hochant la tête.

De retour auprès d'elle une minute plus tard, il se montra sous son meilleur jour: souriant, prévenant et poli comme il savait l'être. Comme si absolument rien ne s'était passé. Aucun nuage ne flottait dans l'air.

– Les affaires, ça va? demanda-t-elle.

– Depuis que tu m'as donné une journée pour des appels téléphoniques, ça n'a pas dérougi.

– C'est utile parfois, des contacts. Et la vie est bien moins dure quand on sait s'en servir. C'est la clé de tous les succès. Les contacts. Plus on en a, mieux c'est. Tout seul dans son coin, on ne peut pas faire grand-chose. Ce qu'on est, on le multiplie à travers les contacts. Et donc on multiplie ses chances d'obtenir ce que l'on désire.

Le jeune homme écoutait d'une oreille seulement…

**

Chapitre 39

Quelques jours après, la femme d'affaires entreprit une tournée générale de ses entreprises. Elle serait absente de la maison pendant plus d'une semaine.

– Tu t'occupes de tout comme toujours ?

– C'est certain ! fit le jeune homme avec une lueur de malice dans le regard. Surtout que c'est notre maison !

– À mon retour, on se parlera à nouveau si tu le veux bien de notre petite altercation. Pour mettre un meilleur éclairage sur tout ça.

À l'aide de ses divers travaux, elle avait enterré sa conscience d'une bonne couche d'insensibilité par rapport aux propos durs et froids que son fils adoptif lui avait servis afin de mieux couvrir lui-même sa propre conscience de la réalité. Et pour y moins songer encore, elle avait planifié cette tournée somnifère.

Selon son habitude, elle appela à la maison chaque soir. Quand Marc ne s'y trouvait pas, elle téléphonait plus tard ou bien lui laissait un message afin qu'il la rappelle lui-même. Le quatrième soir, elle n'obtint aucune réponse. Ni même tard. Aucun rappel. Ni rien au studio de Marc. Ce n'était pas normal. Que se passait-il donc à la maison ? Devait-elle appeler Christian ? Ou Grégoire ? Demander qu'on s'y rende au matin ? Et puis non : des domestiques répondraient dans l'avant-midi si Marc avait dû s'absenter...

Elle appela tôt, avant leur heure d'arrivée. Aucune réponse. Marc n'était pas là. Elle déjeuna et rallongea son inquiétude dans plusieurs cafés en ligne. Plus tard, un des employés préposés à l'entretien quotidien lui fit état de l'absence du jeune homme. On se rendit dans sa chambre : son lit n'avait pas été défait.

— Ouvrez son garde-robe, ouvrez ses tiroirs !

On revint lui annoncer qu'il avait emporté son linge. Elle raccrocha. Et retourna à sa table. Un peu désolée. Marc avait pris un appartement mais il avait manqué de courage pour le lui annoncer lui-même, préférant filer à l'anglaise comme un coupable. Une fois encore, il montrait sa défiance envers elle.

Elle prit la décision de le laisser voler de ses propres ailes sans lui laisser le moindre fil à la patte et c'est pourquoi elle ne lui téléphonerait pas sur les lieux de son travail. La soupe devrait mijoter d'elle-même dans sa marmite. Tout comme celle de Grégoire à propos de leurs relations.

Il fallait qu'elle continue sa tournée comme si de rien n'était. Impossible de laisser la maison sans gardien la nuit ; elle régla ce problème grâce au concours d'un des employés sur place. Trois personnes prendraient le relais en attendant qu'elle revienne. Et alors, elle verrait.

*

Dans l'ensemble et malgré la récession économique, ses affaires continuaient de prospérer. Elle n'avait pas à restructurer puisque jamais dans une affaire elle n'investissait sur du personnel superflu. Ainsi, elle n'avait pas souvent de mises à pied à faire.

De retour à la maison le vendredi suivant, elle tria tout d'abord le courrier. Il lui faudrait bien acheminer ses lettres à Marc. Le mieux serait de se rendre à sa place d'affaires après les heures et de mettre son courrier dans sa boîte. Ce qu'elle fit. Une mauvaise surprise l'y attendait. Les vitrines du local étaient bardées de papier kraft, signe que le jeune homme avait fermé ses portes, signe aussi qu'il n'était pas resté dans la région. Il fallait qu'elle rejoigne les autres enfants, du moins Christian et Nathalie pour voir. Peut-être qu'il leur avait fait des confidences, donné des renseignements ?

Tous furent estomaqués. Personne ne s'attendait à ce départ. On voulut savoir. Elle dut se faire évasive. Elle ne dirait à personne ce qu'il n'avait pas voulu révéler lui-même. À l'unanimité, on pensa qu'il était parti pour Montréal. Il entrerait en contact avec son père. En tout cas, c'est à lui que Paula adresserait le courrier. À n'en pas douter, le jeune homme voulait prendre beaucoup de recul et même s'il devait entrer en communication avec son père, il le ferait à la condition que celui-ci ne dévoile pas son adresse, son mode de vie, ses intentions, ses motifs l'ayant poussé à lever les feutres sans rien dire.

Paula fit une tournée de la maison.

Tout au deuxième étage et au premier lui parut normal à part la disparition de tout ce qui appartenait à son fils adoptif. Et pas un seul message à son intention. Alors elle emprunta l'escalier pour aller à la piscine. Ses pas sur le ciment lui parurent avoir un écho dans toute la maison. C'était le bruit du vide sans doute.

La chambre des cabines, la salle de séjour, la pièce aux entreposages, l'atelier, tout était propre et ordonné. Un événement important était pourtant sur le point de se produire dans sa vie. Cela arrive quand on s'y attend le moins. C'est le fruit du hasard. Mais pas toujours. Doit-on mettre sur le compte du hasard les desseins de Dieu ? Ou les arabesques de son destin ? Ou la volonté agissante des autres êtres vivants ?

Paula avait besoin d'aimer sans savoir quelle était la nature de son vide intérieur. Et l'occasion d'aimer lui fut présentée là, de l'autre côté de la porte vitrée, en un être démuni, affaibli, perdu. Le chat le plus laid qu'il lui eut été donné de voir dans sa vie la regardait avec des yeux à la fois brillants et malades. Il était couché et parfois sa bouche s'ouvrait comme pour dire quelque chose mais la femme n'entendait aucun son.

– C'est que tu fais là, toi?

L'animal tourna la tête puis la regarda à nouveau et il ouvrit la bouche une fois encore.

– Jamais vu un chat aussi affreux! Quel âge as-tu? Même pas trois mois, ça, c'est certain! Tu dois avoir faim, j'imagine? Je regrette, j'ai rien pour toi ici. Va falloir que tu retrouves ton chemin pour retourner d'où tu viens. T'as même pas de collier au cou. Qui c'est qui voudrait te garder avec l'air que t'as?

Le chat se mit sur ses pattes. La femme vit qu'il était blessé quelque part à l'épaule. Il fit des pas en boitant.

– Tu t'es fait maganer par un chat sauvage, un lynx ou quoi encore?

L'animal ressemblait à un hérisson avec son poil en épis sur le dos. Gris avec des courants jaunâtres, il répondait à la plus irréfutable description qui soit du parfait bâtard.

Paula hocha la tête à la vue du sang.

– Je te dis que t'as pas trop le sang bleu, toi... Sais-tu ce qu'on va faire? Je vais te loger pour la nuit. Je vais te donner à manger. Du lait. Du saumon. Ou je ne sais trop quoi. Et demain, je vais t'envoyer à la SPCA. Pis ben... ils vont t'endormir et tu vas t'en aller dans le paradis des chatons. Là, tu vas être aussi important que les chats des meilleures races. Tu seras heureux... Délivré des horreurs de ta petite vie... Tu veux? Si tu veux pas, si t'aimes mieux te faire dévorer par je ne sais pas quelle bibitte, prends tes petites pattes à ton cou et pars loin d'ici...

Le chat resta sans bouger à part la tête parfois, et la bouche qui essayait de dire quelque chose. Paula ouvrit la petite porte et ce fut pour le voir s'éloigner.

– Ah! t'as compris ce que je t'ai dit, hein?

Mais l'animal s'arrêta un peu plus loin et la regarda tout en ouvrant la bouche sans qu'il n'en sorte le moindre miaulement.

– Tu parles?

Le chat ouvrit la bouche.

– Tu parles, on dirait?

Le chat ouvrit la bouche encore.

– Tu viens ou tu pars?

L'animal hocha la tête, parla... Elle répéta son invitation mais en des mots différents:

– Je te loge pour la nuit. Je te donne à manger. Et demain, je t'ouvrirai la porte et tu pourras t'en aller. Non, tiens, je vais te faire soigner par un vétérinaire et... quand tu seras guéri, tu partiras où tu voudras.

Le chat fit quelques pas difficiles vers elle et il s'arrêta pour la regarder encore et faire semblant de dire quelque chose.

– Pis même si le vétérinaire me dit qu'il vaudrait mieux t'endormir, je vais insister pour qu'il te répare... et je te ramènerai ici pour ta convalescence. Ça fait-il ton affaire? Pis la porte sera toujours ouverte et tu pourras t'en aller quand tu voudras... Là, je ne peux pas faire plus pour toi. Viens...

La petite bête se remit à marcher comme si elle avait tout compris. Paula rentra, recula et elle aperçut la tête qui s'arrêta un moment. Puis le chat finit par entrer en reniflant le pas de la porte et ensuite la tuile de la pièce. Elle referma. Quand elle passa près de l'animal, il eut un mouvement de recul.

– Décidément, c'est pas pour rien que t'as le poil droit sur le dos, toi! T'as l'air peureux comme une souris... Ah! je ne vais pas te parler de souris parce que t'as l'air pas mal affamé... Mais je ne peux pas te toucher, je vais te faire mal et tu vas m'en vouloir. Pis tu pourras pas monter en haut, hein? C'est qu'on va faire, tu vas attendre ici et je vais aller te chercher à manger. Pis bois pas l'eau de la piscine, elle est pleine de chlore... Attends, je vais revenir.

Le chat ouvrit la bouche et la referma, et il regarda la femme s'en aller. Il se mit à marcher lentement et ses yeux se promenaient de la porte empruntée par la femme à celle qui menait dehors en passant par les dangereux mirages de l'eau...

Paula revint bientôt avec un plat de lait d'une main et une assiette de saumon dans l'autre.

– Et je pense que je t'ai trouvé un nom qui t'irait bien… Frou-Frou. C'est que t'en penses, hein ? Ça fait pas trop sérieux. Ça fait un peu fripé comme ton poil… Et puis j'sais pas… Tiens mon Frou-Frou.

Elle posa les deux plats et le chat s'approcha aussitôt du lait qu'il se mit à laper en fermant souvent les yeux de satisfaction.

– Le temps que tu manges, je vais te faire un lit… Hey, pis il faudrait ben une litière !

Elle trouva une boîte de carton à l'atelier ; elle la vida de son contenu et se rendit à l'extérieur pour y mettre de la terre à l'aide d'une petite pelle à main. Quand elle fut de retour et eut posé le contenant par terre, elle vit que le chat avait tout mangé et qu'il se pourléchait.

– Tiens, si tu veux faire tes besoins là-dedans…

Puis dans la pièce des douches, elle prit une grande serviette de bain dont elle fit un lit près de la litière improvisée.

– Tu parles ? chantonnait-elle parfois.

Et chaque fois la bête ouvrait la bouche sans toutefois miauler.

Enfin, Paula annonça qu'elle partait.

– Tiens, je vais laisser la porte ouverte… Si tu veux monter, c'est comme tu veux. La maison t'appartient.

Elle fit quelques pas dans l'escalier puis les défit et se mit en biais dans la porte. Le chat la regardait.

– Tu parles ?

La bête ouvrit la bouche et la referma.

Paula sourit et hocha la tête avant de s'en aller.

Au beau milieu de la nuit, elle s'éveilla. Le temps qu'elle reprenne sa pleine conscience, elle aperçut deux yeux luisants qui la regardaient depuis l'embrasure de la porte. Elle sursauta et cria :

– C'est quoi ça?

Le chat se sauva vite. Elle se souvint. Attendit que son cœur s'adapte. Lança:

– Tu parles?

Attendit…

– Tu parles?

Les yeux revinrent la regarder. Elle devina que la petite bouche devait s'ouvrir et se refermer.

Au matin, elle appela le vétérinaire et lui demanda de venir car elle ne voulait pas toucher la petite bête de crainte d'aggraver ses blessures. Il vint, la captura, l'emmena malgré ses gémissements.

– Faites comme vous voudrez, mais soignez-le. Et surtout, ne me rapportez pas un autre chat que celui-là! J'en suis responsable! C'était à moi de ne pas lui ouvrir ma porte. On est responsable des êtres à qui on ouvre sa porte, n'est-ce pas? Et faites ce qu'il faut contre les vers et les maladies.

– Voulez-vous qu'on l'opère pour ne pas qu'elle ait des petits chats? Et qu'elle ne tombe pas en chaleur?

– Comment ça, elle? On dirait un chat mâle?

– C'est une petite chatte.

– Une chatte?

– Une chatte.

– Bon! Faites tout ce qu'il faut. Qu'elle soit vaccinée, vermifugée, opérée! Surtout, qu'elle me revienne en santé, c'est ça qui compte le plus! C'est une promesse!

L'homme s'en alla.

– Ouais… Frou-Frou. Ben ça sera Frou-Froune!

*

Le jour suivant, elle reçut un appel du propriétaire de la bâtisse où Marc avait sa place d'affaires. Il se plaignit que le jeune homme avait déguerpi sans avertir avec un mois de loyer de retard. Elle le rassura. Il s'agenouilla vivement pour la flatter. Tout fut arrangé.

Elle fit en sorte que le courrier lui soit adressé. Et quand les lettres lui parviendraient, elle retiendrait celles qui, à l'évidence, étaient des comptes afin de les régler. Quant aux autres, elle en ferait un paquet qu'elle enverrait à Montréal au père de Marc une fois par mois.

Et elle enfouit dans les tréfonds de son être les paroles terribles que celui qu'elle appellerait désormais son neveu avait crachées sur son bureau avec l'amertume qu'il avait sécrétée toutes ces années mais gardée prisonnière dans un abcès douloureux qui avait transformé en pus beaucoup de son sang pur.

Et puis Frou-Froune lui fut ramenée. Bien portante. Tout était prêt pour la recevoir. Litière neuve et odorante. Trois maisons confortables, l'une à chaque étage. De la nourriture sèche. Des boîtes du meilleur manger.

Celui qui la rapporta ouvrit sa cage dans le vestibule. La chatte ne se fit pas prier pour en sortir. Elle portait des pansements à la patte et sur le ventre.

– Je peux la prendre?

– Ça pourrait lui faire mal. Attendez quelques jours encore.

Ce soir-là, tandis qu'au lit, Paula lisait une revue, Frou-Froune s'amena. Elle la fit parler. La chatte finit par s'élancer et sauta sur le lit. Elle étudia un moment cet univers moelleux, satiné et chaud. Paula posa sa revue en la laissant ouverte. La chatte s'approcha et s'y accroupit.

– Ah! tu veux pas que je lise quand t'es là?

Et Paula se mit à la caresser sous le menton. La bête commença à ronronner…

***

Chapitre 40

1995

Quelques années passèrent sans que la vie de la femme d'affaires ne soit bousculée par des événements pénibles majeurs. Au contraire, des bonheurs lui tombèrent du ciel et compensèrent pour le départ de Marc et toute cette amertume qu'il avait laissée derrière lui dans la maison. Il arriva un enfant à Christian et sa compagne et une deuxième petite à Nathalie. Chantal, selon tous, rayonnait autour d'elle.

De Marc, elle n'acceptait qu'une seule opinion mais cela lui venait aussi de son expérience de vie et de son voyage : «Il te manque la souffrance.» Comment un si jeune homme pouvait-il savoir cela, lui qui non plus ne l'avait guère connue cette compagne inspiratrice et féroce. Lui avait-il dit cela au hasard? Pour lui reprocher sa richesse, son matérialisme et sa puissance morale? Ou par une forme d'intuition?

Dans sa vie, la chatte devenue grande et plus cotonneuse que jamais prit un espace vide que Marc avait laissé sans jamais tenter d'en combler le plus petit coin.

Car le jeune homme ne donna jamais signe de vie directement à sa famille d'adoption. Son père transmit de ses nouvelles à Paula et de ses salutations à ses sœurs et à son frère, mais aussi fit part de sa volonté de prendre cinq ans pour se fabriquer une vie nouvelle à sa seule mesure et à sa seule manière.

«Qu'il sache que ma porte lui est ouverte!» lui faisait répondre Paula chaque fois que le mari de sa sœur décédée téléphonait ou qu'elle l'appelait.

Frou-Froune voyageait d'une maison à l'autre, de celle de l'étage à celle de la pièce de la piscine le jour, et de celle de l'étage où ses plats de nourriture sèche et d'eau étaient à celle du deuxième étage où couchait sa maîtresse.

Tous les matins, à la même heure, peu après le lever du soleil l'été ou vers les six heures l'hiver, elle sautait sur le lit de Paula à la recherche de chaleur et d'ondes aussi sans doute, et se rendait sur la poitrine de la femme qu'elle piétinait affectueusement de ses coussinets afin de la réveiller tout à fait et pour s'en faire flatter et caresser. Alors, elle ronronnait un quart d'heure avant de s'endormir pour une trentaine de minutes tandis que Paula retrouvait sa somnolence.

*

Grégoire n'avait pas été long à se rendre compte que son ex-femme restait à ses affaires et à sa vie repliée, se demandant parfois si elle ne l'avait pas fait exprès pour amener cette rupture avec Sylvie. Il vécut résolument seul dans sa maison et jamais Paula n'y mit les pieds. Et lui-même ne se rendit chez elle qu'à deux ou trois brèves reprises. Et quand ils se parlèrent au téléphone, ce fut de choses communes concernant les enfants, surtout Marc.

Il fréquenta plusieurs femmes dans la jeune trentaine avec la secrète intention de provoquer la jalousie de Paula, mais aussi pour mieux satisfaire ses besoins physiques et son ego de quinquagénaire.

*

Paula ne fit aucune acquisition. Ses affaires continuèrent de prospérer. Elle se débarrassa de deux ou trois canards boiteux. Il lui semblait quand elle se regardait dans son miroir le matin que dans son visage, la beauté de l'ambition s'était transformée en les ridules de la sérénité.

Elle prit tout un village malien en adoption et investit des sommes considérables pour faire creuser des puits un peu partout dans ce pays. La dualité politique canadienne et l'ambivalence politique québécoise cessèrent de l'intéresser et au référendum de 1995, elle s'abstint de voter, prétextant que le nationalisme francophone était maintenant largement devancé par l'histoire et donc parfaitement obsolète.

De plus, elle ne croyait aucunement en la volonté indépendantiste de Lucien Bouchard pas plus qu'elle n'avait réellement cru en celle de René Lévesque. L'option pure et dure s'était envolée sur les ailes amochées de Jacques Parizeau, mais la femme d'affaires n'aurait pas voté pour cette option simplement parce qu'elle est plus claire et limpide, les années lui ayant permis d'évaluer les risques d'une sécession du Québec. Et puis qu'avait-elle donc à y gagner? Seuls les idiots mènent à l'abattoir un cheval gagnant, se disait-elle souvent en lisant des manchettes politiques portant sur le sempiternel débat canado-québécois. Plus de pouvoirs peut-être? Pourquoi? Plus d'argent, pas sûr? Pourquoi? Plus de fierté? L'homme ne vit pas que de fierté nationale... La femme encore moins.

Avec le réveil de sa conscience sociale et planétaire, Paula perdit le goût du drapeau et de la cause nationale sans pour autant cesser de nourrir ses racines québécoises et beauce-ronnes d'une sève locale, traditionnelle et typique. Jamais les produits culturels américains ne parviendraient à javelliser son âme des teintes pittoresques aux couches indélébiles s'y superposant depuis l'enfance grâce aux peintures concoctées à partir de la vieille terre, des vieux instruments, des occupants des cimetières.

Fille de la Beauce, citoyenne du monde et encore fille de la Beauce.

*

En ces années-là, elle perdit de vue les biens matériels l'entourant. La maison fut entretenue mais pas améliorée. On prit bon soin des meubles, mais ils restèrent les mêmes, sauf un divan que la chatte grafignait tant qu'elle le désirait. Elle ne renouvela point sa garde-robe et quand elle devait faire une apparition publique, elle prenait plaisir à se choisir un vêtement démodé, non pour se faire remarquer mais pour le principe écologique.

Tout ce temps, sa maison était à vendre mais pas officiellement. Elle n'en voulait pas le prix maximum mais le prix minimum. Le bassin des acheteurs potentiels pour un tel château n'était guère profond. Mieux valait attendre la pousse quelque part d'une autre ambition dévorante. Mais cela aussi avait passé de mode.

On lui mit sérieusement la puce à l'oreille sur ses charités africaines et en 1995, elle envoya un homme de confiance enquêter sur place. Il en coûtait plus d'administrer les argents servant à creuser des puits qu'à les creuser. Et une petite clique s'emparait de la meilleure part des argents qu'elle versait pour le développement de son village.

Elle dut tirer des conclusions et des traits. Mieux vaudrait confier à un organisme reconnu et scruté à la loupe le soin de dépenser pour elle les sommes considérables qu'elle dirigeait maintenant vers la misère mondiale que de chercher des usages et résultats à la mesure de ses opinions sur le développement du tiers-monde.

Elle choisit Vision Mondiale, sachant que son retrait des entreprises qu'elle nourrissait déjà de ses deniers ne causerait pas grand tort aux personnes dans le besoin à qui elle destinait ses efforts puisqu'elles n'en retiraient presque rien de toute manière.

*

Noël. Paula donnerait une réception et il y aurait, comme autrefois, distribution de cadeaux.

L'invitation avait été faite aux quatre enfants. Elle savait déjà que, bien sûr, Nathalie, Christian et Chantal seraient présents avec leurs êtres chers, mais ignorait si Marc et Grégoire viendraient. Sans doute ni l'un ni l'autre. Mais elle n'avait obtenu de réponse d'aucun de ces deux-là. Par contre, Hélène, sa jeune belle-mère remariée serait de la fête ainsi que ses amis Aubéline et André, et peut-être Michelle qui avait réussi à trouver un prince charmant sur un cheval blanc et aimait, semblait-il, l'arborer comme un trophée à sa gloire et à celle de son compte en banque.

Mais Grégoire fut le premier à se présenter et il se montra plus épanoui que jamais. Il vint seul comme pour montrer à Paula qu'il restait un homme libre. Et, se disait-il aussi en son for intérieur, disponible. Il affichait beaucoup d'indépendance envers elle, mais il n'aurait pas voulu manquer ce repas du soir de Noël pour tout l'or du monde. C'était l'occasion idéale de se rappeler les belles années 1970 et qui sait, peut-être de vendre à son ex-femme le désir de ce qu'elle avait déjà qualifié un peu dérisoirement d'un impossible retour vers le futur.

Aux yeux des enfants, ces deux-là avaient l'air de s'attendre l'un l'autre sans oser plonger dans une nouvelle aventure qui n'était pas sans risques. Mais ils se seraient bien gardés de le leur faire observer.

Ça n'avait pas été facile à trouver malgré la récession persistante et le chômage endémique, mais Paula avait pu recruter du personnel pour assurer le service de ce repas. C'est que la Beauce traverse les récessions sans trop les ressentir ni fabriquer de notables surplus de désœuvrement. Cela tient au sang même de ses habitants. Un sang fortement teinté des meilleures caractéristiques des Abénaquis : débrouillardise, indépendance, courage et ténacité. Et surtout, un esprit d'entraide fortement répandu malgré les apparences en forme de chicanes de clôtures, et grâce auquel le capital de créativité y compris le capital dit de risque dispensé par les institutions financières y est plus abondant que partout ailleurs au Québec. Et pour l'entrepreneurship et pour tout le reste, rien de japonais là-dedans !

Chantal, son compagnon, Aubéline et André ayant voyagé ensemble arrivèrent ensemble une demi-heure après Grégoire et ce fut pour Paula l'un des meilleurs moments de la journée quoique son front paraissait donner naissance à des rides particulières ce jour-là. Puis Michelle téléphona pour transmettre ses vœux à tous et annoncer qu'il ne lui était pas possible d'être là.

D'autres arrivées s'égrenèrent tout au long de l'après-midi. Paula montra beaucoup de sentiment envers ses petits-enfants, presque des larmes, et Grégoire le prit pour une pause-nostalgie. Et il en aurait la preuve plus tard mais pas de la façon qu'il aurait cru. Et espéré.

– Marc va-t-il venir ?

– Oui et non.

– Marc va-t-il venir, maman ?

– Il sera là et il n'y sera pas...

Qu'était ce mystère, cette réponse de Normand... ou de Jésus à ses apôtres ?

Hélène et son mari furent les derniers arrivés. À part Paula, personne ne connaissait le nouvel homme dans la vie de leur très jeune grand-mère. Il se fit aimer par sa bonne humeur, sa broue, ses blagues, son respect et son écoute des autres.

Paula voulut que la distribution des cadeaux soit faite avant le souper et l'on procéda. Un employé agit en père Noël pour la plus grande joie des grands enfants aussi bien que des petits-enfants. Comme depuis quelques années déjà, Paula se fit modeste. Cela plut à Nathalie qui ne sentait plus maintenant que leur mère cherchait à s'assurer leur affection en la négociant comme naguère.

Le repas fut de la plus pure tradition mais avec un peu moins de gras et un peu plus de vin. Comme dans toutes les familles, il y eut beaucoup de bruit, du rire en masse, et des bonnes histoires par le mari d'Hélène et par André Veilleux.

Plusieurs toasts furent portés. L'un fut plus remarqué et il fut proposé par la femme d'affaires elle-même :

– Levons nos verres les uns aux autres ici présents... et à ceux qui ne sont pas là. À Michelle qui n'a pu venir. À papa, à Lucie, à grand-père Joseph et tous ceux qui sont partis. Et bien entendu à celui que nous voudrions tous avoir avec nous... Marc.

Son émotion se répandit dans les cœurs et seuls les petits-enfants ne furent pas mobilisés par le silence et une certaine tristesse. On but. Puis Paula sortit une enveloppe d'une poche de sa robe blanche.

– Si vous voulez me laisser votre attention ? Je vous ai dit que Marc serait là tout en n'étant pas là, eh bien, vous allez comprendre à la lecture de cette lettre... que j'ai reçue cette semaine.

Maman, papa, Nath, Chris, Chantal qui êtes tous là en train de fêter Noël, c'est moi, Marc... J'ai lu chez un auteur qu'il existe ce qu'il appelle un «vedettariat pathétique», c'est-à-dire la recherche par certaines personnes de ce qu'il appelle la «pitié admirative». En des mots plus simples, il y a des gens qui aiment se faire plaindre et en même temps qui veulent se faire aimer par ceux qui les prennent ainsi en pitié. Ces êtres sont tout simplement des enfants qui n'ont jamais grandi dans leur âme et qui sont restés accrochés à l'idée du «becquer bobo»... Et pourtant, il est très rare que les plaignards adultes soient aimés dans notre société qui célèbre les gagnants, les champions et les stars. On les voit comme des perdants perdus qu'il vaut mieux ne pas trop fréquenter. Je suis et j'ai toujours été de ceux-là.

Tel un alcoolique qui veut oublier son alcoolisme en buvant davantage, moi, j'ai combattu ce que je prenais pour un virus indésirable en moi en jouant avec le feu. Et je me suis brûlé. Je suis devenu ce qu'on appelle un sidéen. Dans ma folie suicidaire, j'ai mis toutes les chances de mon côté, c'est-à-dire que mathématiquement et en se basant sur les statistiques de l'épidémie, je ne pouvais pas ne pas l'attraper.

Je le sais depuis plus de deux ans. Quant aux symptômes de la maladie, ils sont apparus depuis trois mois. Je pourrais n'en avoir plus que pour un an ou deux au maximum selon mon docteur.

Je sais par mon père que maman ne vous a jamais révélé les détails de ma vie privée. Vous les connaissez maintenant. Bien sûr que ça n'aurait été un drame pour personne de connaître la vérité à mon sujet, encore que Nathalie et Christian avaient leurs doutes, je le sais, mais je ne m'acceptais pas moi-même, non seulement en tant qu'homosexuel mais en tant qu'orphelin de sa mère naturelle et fils adopté.

J'ai déjà reproché à maman de ne pas connaître la souffrance, croyant alors la connaître, moi, eh bien, c'était prétention de ma part. Maintenant, je fréquente la douleur physique et morale et si je me plaignais dans le temps, aujourd'hui, je ne me plains pas du tout.

Tout ça n'est la faute de personne. C'est le destin.

J'irai me promener par chez vous cette année avant d'être trop malade. Je voudrais revoir l'arbre où on avait bâti une maison avec les Fortin, tu te rappelles, Christian. Et j'aimerais entendre La voix de maman *par Chantal et maman en duo comme il y a bien longtemps. Et Nathalie, j'ai bien hâte de voir tes deux enfants. Ne crains rien, je ne les toucherai pas. On a beau ne pas avoir de préjugés… Et toi, Christian, tu es père de famille maintenant: bravo!*

Quelqu'un s'occupe de moi ici, et moi, je m'occupe de quelqu'un car je ne suis pas encore à l'article de la mort. Mais mon pays me manque. Ma rivière. Mes débâcles. Mes paysages d'automne. Ma verdure d'été. Comment ai-je pu le trouver si étroit, mon pays de la Chaudière alors qu'il est si vaste, si vaste? Et les sucreries et les cabanes à sucre que tu nous as fait tant aimer, hein, maman?

Et maintenant, tous, levez votre verre, d'accord?

Je lève le mien aussi. Et c'est à la santé de maman! Et à celle de papa! Buvons… Tout était si beau chez nous autrefois, tout était si beau…

La gorge écrasée par l'émotion, Paula ne parvint pas à terminer et tendit la lettre à Chantal qui en finit la lecture:

Que mon corps soit inguérissable, ce n'est rien; ce que je veux faire le plus et le mieux au cours des mois qui me restent, c'est de guérir mon âme pour que la famille Nadeau soit honorée de me recevoir dans le cimetière de Saint-Honoré. Ne vous laissez pas aller à l'émotion: rien n'est si regrettable qu'on l'imagine! Je vous embrasse tous comme dans le bon vieux temps. Drôle d'entendre ça de quelqu'un qui n'a même pas 30 ans, n'est-ce pas? Joyeux Noël quand même. C'est en étant le plus heureux possible que vous me rendrez le plus heureux qu'il me soit possible d'être…

Chantal plia la lettre, la remit dans son enveloppe et la posa à côté de l'assiette de Paula.

– Et voilà! dit la femme. Quoi ajouter? Je vais lui écrire bientôt et lui transmettre ce que vous aurez, chacun, à lui dire. Vous me le direz avant de partir. On pourra penser que ce n'était pas le moment de vous annoncer cette affreuse nouvelle, mais j'ai pensé qu'il valait mieux que vous l'appreniez tous ensemble. J'ai pensé qu'il fallait que vous appreniez en famille une mauvaise nouvelle familiale. Et maintenant, il faut que Noël se continue, Noël qui n'est pas une fête forcément joyeuse de bout en bout.

***

Chapitre 41

On était au seuil de l'été.

Grégoire relaxait, assis dans le solarium, lisant distraitement son journal. Il avait posé sur une petite table haute près de lui une coupe de vin rouge pour ajouter à la détente.

Pas plus que son ex-femme, il n'était quelqu'un à se poser de sempiternelles questions sur les problèmes existentiels mais il pensait de plus en plus souvent que sa machine physique répondait moins bien que naguère à ses désirs. Certaines tâches lui demandaient plus d'énergie, lui semblait-il, et les journées lui laissaient davantage de courbatures qu'auparavant.

Parfois, il se frottait le cou pour en chasser une raideur. La mort de personnes plus âgées que lui, dans sa parenté ou celle de Paula, ne l'avait jamais conduit à mesurer ses propres limites et réserves. Mais celle inévitable de ce fils adoptif qu'il avait toujours considéré comme le sien propre, quoique la personnalité de Christian soit bien plus proche de la sienne que celle de Marc, le portait à réfléchir sur les aléas de la cinquantaine qu'il avait le sentiment de traverser à toute épouvante.

Prendre sa retraite et s'ankyloser ? Ou bien attendre encore dix ans ? Ou probablement prendre sa retraite et continuer d'aider Christian tous les jours pour garder la forme ?

Quelle était donc cette raideur au cou ?

Et l'énergie sexuelle ? Il savait maintenant qu'un homme ne dure pas toujours en ce domaine non plus. Quelques échecs avec sa dernière conquête… Il en était venu à la conclusion que les femmes mûres possèdent bien plus d'expérience avec un homme, plus de doigté aussi, mais des exigences aussi, des attentes auxquelles il se sentait moins en mesure de répondre. Il avait envie de regarder vers des plus jeunes dont il captait le regard et l'intérêt, du moins le croyait-il, quand il lui arrivait de faire le beau dans un bar de la ville. Certes, Sylvie, la seule après Paula qui ait partagé son toit, était pas mal plus jeune que lui mais la différence était quand même bien moins accusée qu'elle ne le serait maintenant s'il devait se trouver une flamme dans la vingtaine ou la jeune trentaine.

Paula restait là à pas un mille dans son espèce de château moderne, comme un monument à la gloire de la richesse, comme un monolithe sans la moindre fissure, invulnérable, impénétrable. Certes, elle exprimait des sentiments à l'occasion: joie devant ses petits-enfants, tristesse devant le drame de Marc, mais il ne semblait pas y avoir la moindre place en elle pour le *give and take* essentiel à la reconstruction d'un couple.

Il n'était pas sans se poser des questions sur sa vie sexuelle. Après toutes ces années de séparation, elle avait dû connaître pas mal d'hommes encore que s'il s'agissait de liaisons avec des gars de la place, il l'aurait su. Peut-être avait-elle rencontré quelqu'un lors de son long voyage et sans doute voyait-elle des amis complaisants dans ses tournées d'affaires.

Jamais Christian, ni les autres enfants qui l'auraient révélé à Christian, ne lui avait rapporté le fait qu'un homme avait passé la nuit dans la grande maison. Paula était sans doute mariée avec ses comptes de banque, ses magasins et son chat, se disait-il parfois avec un sourire en coin.

Il se dit qu'il n'avait pas à être jaloux ni à lui demander des comptes. Sa vie privée lui appartenait à part ce qui arrivait à leurs enfants.

Marc posait problème. Impossible de lui proposer de vivre avec lui puisqu'il ne pouvait en prendre soin. Paula le pourrait sans doute mieux. Elle était femme, elle était mère, elle avait pris soin de son père, elle pouvait se payer du personnel, elle avait le pouvoir d'agir sur les choses. Mais le jeune homme accepterait-il de venir vivre en Beauce les mois, au mieux les petites années, qu'il avait encore devant lui?

Ce serait à lui de donner la réponse quand il viendrait les visiter. Au cours de l'été, avait-il annoncé. Ce qui était certain en tout cas, c'est que Paula subvenait à ses besoins en médicaments non couverts ainsi qu'à ses autres besoins quotidiens dont il ne parvenait pas à assumer les coûts avec son chèque d'aide sociale.

On savait qu'il vivait avec un ami tout aussi malade que lui et que cette association moribonde arriverait vite à son terme.

Il referma le journal sur les nouvelles désolantes de même que son esprit sur sa réflexion affligeante et prit une gorgée de vin. Peut-être devrait-il appeler un de ses amis? Peut-être devrait-il sortir et aller au bar jaser avec la serveuse? Ou passer son temps devant la télé au Réseau des sports?

Le meilleur moyen d'oublier cette douleur à la nuque, c'était de sortir. Il n'avait même pas besoin de revêtir une veste, son chandail lui assurant la chaleur et la tenue requises pour «s'extravertir» une heure ou deux. Marchant vers la sortie, il trouva ses clés dans ses poches, mais il n'eut pas à s'en servir.

En ouvrant la porte pour se rendre à sa fourgonnette garée devant le garage, il tomba sur une image étonnante. Ce n'était qu'un simple cycliste qui s'approchait lentement sur la route, mais que de particularités chez lui! La barbe, la maigreur apparente, le sac sur le dos et cet air si... familier!

Le personnage s'arrêta soudain et mit le pied à terre. Il promena son regard sur le panorama du soir tombant et ses yeux repérèrent Grégoire qui restait interdit sur le pas de sa porte à se questionner sur l'identité de ce survenant. L'homme esquissa un léger signe de tête et se remit en selle pour tourner dans l'entrée menant à la maison... Alors Grégoire put mieux voir l'âge apparent du personnage: très vieux, lui semblait-il. Et pourtant avec des énergies restantes d'une certaine jeunesse...

Le cycliste garda la tête basse et se laissa descendre par gravité. Apercevant plus nettement le gris de sa barbe et de ses cheveux, Grégoire se parla tout haut:

— Sacrement du Bon Dieu! Mais c'est ben lui!

L'homme freina au pied du petit escalier et mit le pied à terre:

— Salut, Grégoire Poulin.

— Si c'est pas Gaspard Fortier!

— En personne!

— Veux-tu ben me dire?

— Je passais par là…

— Justement, où que t'étais passé toutes ces années?

— Ailleurs…

— Ailleurs? Où ça? Jamais eu de tes nouvelles. Paula non plus. On a même fait faire des recherches…

— Pas de cartes de crédit, pas de compte bancaire, pas de permis de conduire, hors du contrôle de Big Brother, je suis un homme libre, donc pas facile à retracer, même pour la police.

— C'est quoi l'idée?

— La liberté, je te dis. Le minimum de biens matériels, je prépare mon voyage final.

— Voyage final… Quel âge que t'as?

— Quel âge tu me donnes?

— Je le sais plus trop… Quatre-vingts?

— T'es pas loin… Tu m'invites pas à prendre un verre de quelque chose? T'avais de quoi à faire? Tu partais pour quelque part?

— Non… J'allais au bar…

— Quand on va au bar, c'est pour y chercher quelque chose… en plus du contenu d'un verre.

— J'aime ben mieux placoter avec toi. Accote ton bicycle là pis viens me conter ce qui t'arrive.

L'homme passa la soirée là, avec Grégoire au solarium, plus à questionner qu'à donner des réponses. L'essentiel de sa vie depuis son départ consistait à avoir vécu ainsi qu'il l'avait annoncé déjà avant de s'en aller, dans une cabane au bord du fleuve de l'autre côté de Sainte-Flavie en Gaspésie. Ermite, philosophe muet, sorte de moine solitaire, il n'avait donc jamais établi de véritables contacts là-bas comme au temps de sa vie en Beauce autrefois.

– Et où vas-tu? Pourquoi passer par ici aujourd'hui? Pourquoi pas il y a trois ans ou dans trois ans?

– Ah! c'est comme une vague qui emporte un bateau qui n'a pas de gouvernail. Je me laisse aller...

– Non.

– Non?

– Si tu t'étais laissé aller, tu aurais pu continuer ton chemin vers Montréal, vers le Lac-Saint-Jean, vers Trois-Rivières, vers le Nouveau-Brunswick, vers la ville de Québec, vers mille destinations y compris les États en passant tout droit à Saint-Georges Est... Tu me diras pas que c'est tes poignées de bicycle qui t'ont fait fourcher vers la Beauce, vers Saint-Georges, vers l'ouest, vers Saint-Jean-de-Lalande?

– Pourquoi pas? Pourquoi que toi, tu t'es adonné à sortir au moment même où je passais? C'est-il tes poignées de bicycle qui t'incitaient à te rendre au bar?

– Si j'avais pas été dehors, t'aurais passé ton chemin? T'allais voir les ruines de ta maison qui sont toujours là cachées par les aulnes?

– Je le sais pas, Grégoire, parce que t'étais dehors. Oui, le terrain m'appartient encore mais pourquoi j'irais voir un terrain en aulnes, en bois pis en ruines?

– Retrouver des ondes?

– Peut-être, peut-être!

– T'es pas allé chez Paula? T'es pas passé par là?

– Non... Mes poignées de bicycle ont pas été aimantées par la grande maison, faut croire.

– Vas-tu coucher ici? J'ai des chambres en masse.

– Je ne suis pas trop propre. Comme on disait dans le temps, je sens le quêteux fatiqué…

– J'ai de l'eau, du savon, une douche, un bain, tout ce qu'il te faut…

– C'est beau, je reste… Pour une nuit…

Quand l'homme eut entré ses affaires et qu'il fut sous la douche, Grégoire téléphona à son ex-femme.

– J'ai une visite spéciale. Devine…

– C'est Marc, c'est certain.

– Non.

– Tu m'appellerais pas pour un visiteur de ta parenté. Qu'on a connu tous les deux et qui a été un proche dont tu m'annonces la visite comme un grand événement, ça ne peut être que Gaspard.

– C'est rare qu'on peut te surprendre, toi!

– Écoute, Grégoire, je déduis, c'est tout. Simple logique.

– Ç'aurait pu être… j'sais pas, André Veilleux.

– Mes amis vont venir ici avant d'aller chez toi. Et ils m'avertissent avant de venir. Ça ne peut donc pas être que notre survenant à Gaspard. Et dis-lui que je veux qu'il vienne me voir!

– Je ne lui ai pas dit que je t'appelais. Il dit qu'il est mené par ses poignées de bicycle pis que ses poignées l'ont mené chez nous… je veux dire ici.

– Justement, ton appel, ça fait partie de ses poignées de bicycle, as-tu pensé à ça?

– Ben…

– C'est ça! S'il vient pas me voir, je vas aller le chercher moi-même demain.

– C'est beau…

Quand il eut raccroché, Grégoire se posa deux questions. Devait-il faire le message? Sinon elle viendrait, et qui sait ce qui pourrait en résulter… Deuxièmement, Gaspard pourrait-il avoir besoin d'un rasoir ou de ciseaux pour égaliser sa barbe?

Il ne transmit pas le message ; il aurait l'excuse de la douche que prenait le visiteur. Il lui cria à travers la porte :

– Gaspard, si t'as besoin de quoi que ce soit, tu me signales... Tu prendras une chambre en haut, n'importe laquelle...

Il ne reçut aucune réponse par-dessus le bruit de l'eau jaillissant sous pression et frappant sur quelque chose de dur...

Grégoire fit un pas pour s'en aller, s'arrêta, écouta puis secoua la tête et reprit son pas vers sa chambre. C'est pas le nettoyage de sa crasse accumulée qui ferait mourir Gaspard le soir même de sa réapparition.

Il se frotta la nuque mais ce fut pour se rendre compte que sa douleur cervicale avait complètement disparu.

***

Chapitre 42

Grégoire crut entendre du bruit. Mais il ne se réveilla qu'à demi et demeura dans un état de somnolence. Son horloge biologique lui disait que ce n'était pas l'heure de se lever car même le soleil devait bâiller encore.

Puis il crut sentir l'odeur du café. Un rêve sûrement! Le rappel que Paula n'était plus là depuis longtemps pour faire se répandre cette senteur dans toute la maison et le rappel aussi qu'elle viendrait probablement ce jour-là... Mais pourquoi viendrait-elle chez lui? Non, elle ne viendrait pas. C'était un rêve...

Ces impressions des sens se mêlèrent avec la montée de son désir charnel et la chaleur qui l'environnait devint tout à coup très agréable. La pensée suivit au même moment, l'entraînant au bar où l'attendait cette belle poulette qu'il avait fréquentée pendant quelques mois l'année d'avant, si douce au lit, si passionnée avant d'y être, mais si cruelle après...

Le bruit sourd d'une porte de réfrigérateur qui se referme le fit émerger des vapeurs de la nuit des sens et des idées; il consulta sa montre. Il manquait pourtant trente minutes à son repos. La mémoire se brassa la souvenance. C'était son invité à qui il n'avait même pas songé offrir à manger la veille au soir et qui, affamé, se servait comme il l'aurait fait parfois autrefois. Grégoire se leva et mit ses pantalons puis se rendit à la salle de bains d'où il cria:

— Gaspard, t'as bien dormi?

— Comme un jeune.

— Toujours aussi matinal ?

— Je dors dur : j'ai moins besoin de dormir.

— T'as fait du café ? Ça sent…

— C'est ça…

Ils ne se parlèrent plus. Grégoire prit sa douche, s'habilla et se rendit à la cuisine :

— Tu dois trouver ça curieux que je reste encore tout seul après toutes ces années ?

— Non. Fallait peut-être que ça se passe de même…

Grégoire vit que la table était mise, que des œufs et du jambon cuisaient dans la poêle, que le café chaud attendait dans le percolateur. Mais surtout, il put se rendre compte que Gaspard paraissait propre dans ses frusques. Comme s'il avait saisi la pensée de l'autre, le vagabond lui dit en montrant ses mains :

— Propres comme des neuves. Mes guenilles, c'est des guenilles, mais j'en ai profité pour les laver pis les faire sécher durant la nuit. Ton déjeuner, c'est comme si c'était l'Arnold qui te l'avait servi.

— L'Arnold : t'aimais ça, aller là, hein ?

— Oui, mais je dépensais pas fort ; pauvre eux autres, ils ne se sont pas mis riches avec moi. Mais quand c'est Paula qui payait, j'aimais ben ça comme tu dis… Je me sentais chez nous là… Comme un fantôme qui…

— Paula s'est souvent demandé si t'en étais pas un…

— Un quoi ?

— Un fantôme.

Gaspard éclata de rire dans sa barbe :

— Un fantôme, ça prépare pas à déjeuner. Assis-toi, on va manger. Fais comme chez toi… comme j'ai fait en me mêlant pas de mes affaires.

— Je ne te fais pas de reproches. Se lever avec le déjeuner qui vous attend, c'est toujours un beau moment de vie, ça.

– Comme ça, c'est le Christian qui va tout reprendre ce que t'as?

– Il aime ça.

– Pis les affaires à Paula, ça va se transmettre de mère en fille probablement?

– Ça, c'est moins sûr.

Gaspard mit des tranches de pain dans le grille-pain et les cala entre les éléments:

– Ah! comment ça?

– Nathalie, c'est pas dans ses cordes, pas une minute. Pis Chantal, pas plus... La richesse de leur mère, ça les laisse froides.

– Ce qui fait que c'est Marc qui va...

Grégoire souffla, hocha la tête:

– Le pauvre Marc, c'est un mort en suspens... Malade... Pas d'échappatoire...

– Sida?

Grégoire s'étonna. Les rôties sautèrent. Gaspard les divisa, une à chacun.

– Y a personne qui le sait en dehors de la famille. On a une entente là-dessus, tout le monde... On sait ben que c'est cacher une montagne avec une vitre mais bon...

– Simple déduction, Grégoire. Maladie mortelle plus ses traits de personnalité: ça dit tout...

Et Gaspard tendit à son vis-à-vis la grande assiette contenant les œufs et le jambon.

– Sers-toi...

Après le repas, Gaspard vida la table, rinça la vaisselle et la mit au lave-vaisselle tout en parlant:

– Là, je reprends la route. D'abord, je vais laisser mes poignées de bicycle me conduire chez Paula pis ensuite...

– Tu veux pas rester ici une semaine ou deux? Ou trois? Tu viendras vernousser aux étables… Un arrêt prolongé sur ton chemin…

– Ça serait peut-être pas une mauvaise idée… Mais je vais prendre le temps d'y penser.

– As-tu quelqu'un qui t'attend dans le bas du fleuve?

– Non… Je te l'ai dit, je vis en ermite là-bas… Un peu comme dans le temps par ici, sauf que j'ai travaillé avec vous autres, toi et Paula. En tout cas, je vais t'appeler avant de m'en aller pour de bon.

– Pour le moment, j'ai personne avec moi. Pis j'ai pas l'intention de ramener une femme dans la maison. Pis pour un homme, vivre avec un autre de son âge ou plus jeune, il passe pour ce qu'il est pas… Tandis que toi, tout le monde sait que t'as travaillé pour nous autres durant des années, que tu connais les enfants, que tu faisais partie de la famille…

– Je dis pas non: je vais y penser…

Un quart d'heure plus tard, le visiteur enfourchait son vélo et quittait les lieux. Il prit la direction de la ville, de la grande maison où il fut en peu de temps. Et il sonna à la porte après avoir embrassé les environs d'un long et lent regard panoramique. Paula vint ouvrir.

– On reconnaît ses vieux amis?

– Gaspard, comme je suis contente de te voir! Mais entre donc! Quand Grégoire m'a annoncé ta visite hier soir, je lui ai dit: «S'il ne vient pas me voir, c'est moi qui vais aller le chercher demain…»

– Ah! le venimeux de Grégoire, il m'a privé du plaisir de te faire une surprise, et en plus, il ne m'en a rien dit…

– Tu l'as pas entendu m'appeler?

– Il devait être dans sa chambre, et moi, je devais être à me nettoyer de la route…

– Je ne comprends pas pourquoi il ne t'en a pas parlé. Ni à matin non plus?

– Hé non!

– Viens, on va se faire à déjeuner.

– J'ai mangé avec Grégoire.

– On va prendre un café et tu vas tout me dire.

– Tout te dire?

– Ben oui : où étais-tu passé? Où as-tu vécu toutes ces années? On a essayé de te retracer… Un fantôme, que je disais tout le temps à Grégoire en parlant de toi.

– J'étais là-bas, dans les basses terres… Sais-tu, autant te le dire, Grégoire m'a dit pour Marc. J'ai eu de la peine d'apprendre ça.

– Je me sens désarmée devant ce cas-là. J'aurais peut-être pas dû élever les quatre enfants de la même manière sous prétexte d'être égal envers chacun. Les besoins de chacun autant matériels que moraux, que sentimentaux… ne sont pas les mêmes. Mais on s'aperçoit de ça après coup…

Il la suivit jusqu'à la cuisine où elle le fit asseoir à la table, et elle mit le percolateur en marche avant de le rejoindre, tout en poursuivant l'échange de propos. Levée tôt elle aussi, elle avait eu le temps de se toiletter et son visiteur lui signala sa beauté placide :

– Tu n'as pas changé physiquement, Paula, mais on sent que tu as changé moralement. Ça se lit dans tes mots, le ton, l'habillement, le regard surtout…

– Je te remercie de me le dire.

– Même si tu le savais. Un changement comme celui-là, on est les premiers à s'en rendre compte.

– Te souviens-tu comme tu m'avais fait peur la première fois que je t'ai vu? C'était au bord de la rivière. C'est peut-être pour ça que l'idée du fantôme est restée gravée dans ma tête…

Gaspard esquissa un sourire :

— Et si j'en étais un, un vrai fantôme, hein ? Le fantôme de Benedict Arnold revenu à la recherche de son trésor…

— J'ai su qu'il y avait un livre là-dessus.

— Et moi aussi, je l'ai su, et c'est peut-être ça qui a dirigé mes poignées de bicycle vers ici ?

— Non, je ne le pense pas…

— Non ?

— Non, je ne le pense pas… C'est autre chose et je ne le saurai jamais… Je sais une chose Gaspard à ton sujet et une seule : c'est qu'on ne peut jamais connaître le fond de ta pensée… Pas que tu sois hypocrite, mais c'est comme si tu possédais une compréhension des choses qui nous est inaccessible. Comme si on était des fourmis devant un être humain… ou encore un être humain devant un extraterrestre très très avancé sur lui. On ne peut jamais se rendre dans ton monde secret.

Il rit, épaules sautillantes :

— Ce qui me rend si secret, c'est que… bon, je ne cache rien…

— Ça, je veux bien te croire. C'est nous autres qu'on voit pas clair.

— Faut dire que j'ai pas mal d'années d'avance sur vous autres. Le temps, ça compte. Surtout à l'automne de la vie. Et puis si je suis un fantôme, c'est des siècles d'avance que j'ai…

La conversation se poursuivit : joyeuse, profonde sous ses dehors anodins, intéressante pour chacun. Mais il ne fut question que de l'univers de Paula. Elle raconta une partie de son voyage autour du monde. Puis elle lui fit une confidence qu'il serait le seul à recueillir :

— Marc m'a accusé de détruire les personnes qui m'entourent pour construire un empire sur leurs décombres. Je ne me sens pas coupable. Mais ça ne peut pas lui être venu à l'esprit sans raison.

— Tu sais bien que tous les humains détruisent pour se construire, mais ce n'est pas le mal qui les pousse à cela, c'est leur nature profonde et incontournable. Il aura reconnu cela en lui-même puis il aura trouvé que c'était encore plus apparent chez toi. Tu as raison de ne pas te sentir coupable tout comme tu as raison de t'inquiéter. Ta conscience devient plus claire... Toujours heureuse dans cette maison ?

– Elle est à vendre.

– Je n'en suis pas surpris.

– Mais je ne suis pas malheureuse pour autant.

– Je le sens.

– Elle n'est pas listée chez les agents immobiliers, mais ils savent tous qu'elle est à vendre. Et ils savent aussi que celui qui me fournira le client touchera sa pleine commission.

– Je comprends. On ne vend pas une maison pareille comme on se débarrasse de sa chemise et si tu la laissais trop longtemps listée, elle perdrait de sa réputation donc de sa valeur.

– On ne peut rien te cacher, Gaspard. C'est exactement comme ça que j'ai raisonné. Et maintenant, je vais te parler de mes entreprises de charité qui fonctionnent moins bien que mes autres. Il semble que mon talent en ce domaine soit peu reluisant. Échec sur toute la ligne. C'est comme si le Créateur me disait avec... une sorte de paternalisme : « Ma petite fille, c'est pas ton rayon ! »

– Là comme dans tout autre domaine, il faut acquérir de la sagesse. Et les échecs en font partie, tu sais ça. Tu t'es trompée de manière classique. Tu fais déjà beaucoup mieux les choses.

Paula servit un deuxième café. Le premier dans les tasses n'était pas terminé mais il refroidissait vite. Et abruptement, elle dit :

– Si je t'offrais un emploi ?

– Un homme de mon âge ?

– Un homme de ton âge qui se laisse mener par ses poignées de bicycle sur des dizaines de milles par jour et des centaines de milles par semaine peut encore s'arrêter et travailler.

– C'est la deuxième proposition du même genre à m'être faite dans la même journée. Pis y a des centaines de milliers de chômeurs…

– Deuxième? Grégoire?

– Hum hum…

– Cette fois, je ne vais pas lui couper l'herbe sous le pied…

– C'est à moi de décider. Je n'ai pas accepté son offre. Je veux bien examiner la tienne. Quelle sorte de travail un vagabond comme moi peut-il accomplir pour ton bonheur?

– Liquider mes affaires comme tu m'as aidé à les construire.

– Ne me dis pas que tu veux t'acheter un vélo comme le mien et partir à l'aventure?

– Peut-être? Pourquoi pas? Je connais mieux les pays étrangers que le mien… Et ta réponse?

Il sourit, garda le silence un moment:

– Tu sais ce que je vais faire? Je vais prendre le reste de la journée pour y penser. Je dois penser aussi à la proposition de Grégoire.

– Je ne serai pas mécontente si tu prends la sienne. Après tout, il te l'a faite avant moi.

– Parce que je suis allé là-bas en premier. Ce facteur ne compte pas. Il se pourrait bien que j'accepte la tienne. Ou que je reparte comme je suis venu… Mais je vais t'appeler si je devais m'en aller…

Peu avant le repas du midi, il partit.

Et ses poignées le conduisirent à l'endroit où il avait vécu de bonnes années mais où il ne restait que des aulnes et des décombres anciens presque disparus et ne formant plus qu'un tas noirci.

À dix-huit heures, sachant que ses deux vieux amis seraient de retour à la maison, il leur téléphona, l'un après l'autre. À Paula, il dit:

– J'accepte ta proposition pourvu que tu me loges chez toi dans ta grande maison.

Et à Grégoire :

– Paula m'a fait une offre que je ne saurais refuser. Mais j'irai faire un tour aux étables quand tu voudras…

***

Chapitre 43

Grégoire accusa le coup sans broncher.

Avec Paula Nadeau, il n'y avait jamais moyen de donner les cartes. Elle s'arrangeait toujours pour s'emparer du paquet, le brasser et faire la distribution.

Un autre échec lui barrait le chemin. Et pourtant, à l'analyse de sa réaction, il comprit que son amour-propre n'avait pas souffert. Car si Gaspard avait choisi d'habiter chez Paula et de travailler avec et pour elle, ce n'était pas pour l'environnement matériel puisque le personnage se foutait royalement du luxe. Et ce ne pouvait donc pas être pour l'argent non plus. L'homme s'était toujours tenu loin de se qui sentait la médaille du mérite et le trophée reluisant; ce n'était pas pour se valoriser donc... Mais alors quoi? L'amour physique? Hors de question sinon il y aurait eu quelque chose entre ces deux-là autrefois, et il eût fallu faire preuve du plus total aveuglement que de voir entre eux une relation de cet ordre ou même ne faisant que s'en approcher ou même repliée dans le sublime... Et même si un cerveau dérangé pouvait concevoir l'impensable, ils auraient caché la chose et lui n'aurait pas emménagé avec elle dans la grande maison. Mais alors quoi? Mais alors pourquoi? Qu'est-ce qui se cachait donc derrière la décision de Gaspard? Et qu'est-ce qui avait poussé Paula à le prendre chez elle? Paula n'avait besoin de personne... Ou peut-être avait-elle justement besoin de quelqu'un? Peut-être une sorte d'éga-lisateur... Au siècle dernier, l'Américain Samuel Colt avait fabriqué un pistolet dit égalisateur qui permettait aux plus faibles de faire face aux plus forts ; cette image boiteuse trottait dans l'esprit de Grégoire. Il se pouvait que Paula veuille auprès d'elle quelqu'un capable de faire contrepoids à l'écrasante masse de ses idées et de sa volonté ? Nul doute que Gaspard avait été un personnage déterminant dans sa vie malgré leurs profondes divergences de vues ; c'est comme si elle en avait fait une sorte d'étoile polaire afin de connaître la position de son grand bateau sur l'océan de sa vie et de la mesurer autrement qu'à l'aide de ses propres et seuls instruments de navigation.

Non, il n'était pas blessé dans son orgueil. Mais il trouvait un nouveau vide dans la maison et une impression de vide dans son âme. Il lui semblait que son désir profond et caché de voir son chemin et celui de Paula se rapprocher petit à petit se heurtait à une muraille que son ex-femme venait d'ériger en une seule journée, se servant de Gaspard et sa force morale comme armature pour supporter ses propres rêves…

Voulait-elle faire de lui un second Marc ? Un chien fidèle, gardien de la maison, et qui lui permettrait de se procurer un vélo et de se laisser guider par les poignées, l'esprit en paix ? D'autant que Gaspard s'acquitterait de sa tâche à la perfection et qu'elle pourrait s'appuyer sur lui bien mieux que sur leur fils adoptif à la personnalité autodestructrice.

Peut-être que Gaspard comprenait qu'au fond, Paula avait plus besoin de lui que lui-même, Grégoire, qui parvenait à combler tant bien que mal ses jours par son travail aux étables et ses rencontres occasionnelles du soir. Sans compter les vieux amis sur qui il pouvait toujours compter un peu dans les moments plus durs…

Le jour suivant, il se produisit en lui une sorte d'inversion des polarités. Et le courant de ses pensées devint positif. Il sortirait quelque chose de bon de tout ça. Car jamais Gaspard n'avait été la source de quelque chose de mauvais. Quand il se tournait vers quelqu'un, il ne se détournait pas de quelqu'un d'autre. Et quand il s'était absenté de leur vie ou bien l'avait désertée, leur semblait-il pour toujours, ç'avait juste au bon moment... En fait, Gaspard arrivait et s'en allait au bon moment, comme si tout ça était arrangé avec le gars des vues...

*

Dès ce soir-là, Grégoire se fit une nouvelle amie. Trente-six ans. Vingt ans de moins que lui. Des allures de Marilyn au point qu'on lui avait donné ce surnom. Blonde. Pulpeuse. Vulnérable. Elle travaillait depuis de nombreuses années au bar dans une brasserie; célibataire, plusieurs la savaient la maîtresse depuis fort longtemps d'un homme marié, homme d'affaires en vue, et elle vivait seule avec son chat noir.

Il l'emmena chez lui.

Un soir étoilé, chaud, les convia au solarium où ils prirent place côte à côte sur avec entre les deux une bouteille de champagne. Cela ne pourrait être que physique entre eux, il se le disait chaque fois qu'il avait la chance de promener sur elle son regard charmé, et chaque fois qu'il entendait sa voix sucrée et chantante qu'il avait tendance à confondre avec la naïveté accompagnant généralement les quotients intellectuels modérés et pondérés.

Micheline possédait à fond l'art de jouer le rôle d'une femme-enfant et la souris, dans ce décor, n'était pas la personne que Grégoire pensait. Il dit:

– On a une belle vue de la ville ici!

– Une belle vue de la vie?

– De la ville...

– De la ville et de la vie...

– Si tu veux.

Il leva sa flûte vers elle. Le verre tinta. Des bulles se formèrent encore davantage au fond du liquide.

– À la ville et à la vie! proposa-t-il.

Elle se contenta d'un petit rire sans importance et ils burent en même temps.

– Depuis le temps qu'on se connaît, c'est le moins que tu finisses par venir voir ma maison.

– Faut pas que je visite la maison de tous mes clients. Y a des madames qui me jetteraient dehors…

– C'est vrai que j'ai pas été un client fidèle depuis que je te connais.

– Ça adonne de même… T'es un gars de l'Ouest, c'est normal que tu te tiennes surtout dans l'Ouest.

Il l'interrompit et la dévisagea un moment avec un plaisir évident:

– Je regrette de pas être allé plus souvent à la brasserie. C'est comme si à soir, il s'était passé quelque chose de spécial.

– De spécial?

– Je t'écoutais parler avec l'annonceur de radio pis j'oubliais ta beauté physique pour m'arrêter rien qu'à tes paroles. On dirait que t'as vécu cent ans pis tes idées sont pas pour autant racornies. Ce que tu dis, c'est original pis c'est profond en même temps…

«Vil flatteur! C'est mon corps que tu veux!» se disait-elle tout en camouflant sa pensée derrière un petit sourire de fillette heureuse. Il poursuivait:

– J'ai trouvé que tes idées en publicité étaient pas mal meilleures que les siennes. Le Jacques, il ouvrait les yeux des bouts… Où c'est que tu pêches tout ça?

– Bah! j'écoute ce qui se dit.

– Y a plus que ça!

«Mets-en, mets-en, mon grand, tant qu'à faire!»

– En publicité, faut toujours séduire et instruire: c'est la clé, c'est ce qu'il faut faire… Séduire. Instruire…

Il soupira d'aise:

– Ah! je me sens bien comme ça fait longtemps... Les étoiles au ciel, les étoiles dans nos verres et des étoiles plein les yeux d'une belle femme assise à côté...

«Quel poète! Il manque plus rien que son cheval et sa guitare!»

Micheline tâchait aussi de ne pas se laisser envahir par le souvenir de sa récente rupture avec son amant de toutes ces années. Un mois déjà et elle avait du mal à retomber sur ses pattes. Pourquoi les amours impossibles sont-elles toujours les plus tenaces? Quinze ans à se faire dire que son divorce devait être retardé pour éviter la ruine financière. Quinze ans à n'avoir que la partie congrue de son corps, de ses nuits, de ses chaleurs. Quinze ans de fidélité dans l'infidélité.

– Tu vis ici depuis combien d'années?

– Ça fait... ça fait... attends que je me rappelle... Ça fait autour de trente ans. Ben... depuis que je me suis marié avec Paula Nadeau... en 1963. Ben, ça fait donc trente-trois ans.

– Et tout seul?

– Ben, y a eu Sylvie... et d'autres pour un mois ou deux. C'est pas facile de trouver la bonne... Et puis c'est quoi la bonne? Difficile de faire *fitter* ça juste juste, comme diraient les vieux. L'histoire d'être faits un pour l'autre, comme dit la chanson, c'est probablement rien qu'une chanson...

Elle chantonna:

– Tu ne crois plus en l'amour, toi...

– Si j'y ai déjà cru dans ma vie... On se marie, on fait des enfants puis un beau jour, on se rend compte qu'on est deux étrangers qui vivent sur deux planètes différentes.

– Les valeurs changent...

– Mon ex, le monde, ça dit que c'est une femme d'argent pis on peut pas trop dire le contraire. Moi, j'avais des horizons moins larges... Elle voulait faire de l'argent pis encore de l'argent, de la politique pis encore de la politique, elle voulait voir le monde et elle l'a vu, elle voulait s'élever au-dessus de la moyenne pis ça, ben, pas sûr que ça soit une chose réussie...

Micheline se fit verser du champagne et but :

– Faut dire que c'est une personne qui n'a pas d'ennemis non plus. Elle est aimée des gens qui travaillent pour elle. J'en entends parler depuis ben des années.

– Elle a ses qualités. Des belles qualités. Non, mais qu'est-ce qui se passe donc ? On est à parler de mon ex-femme tandis qu'il y a plein de sujets pas mal plus... disons chauds pour un homme et une femme qui prennent du champagne sous les étoiles, non ?

– Comme ?

– Comme la chaleur du soir...

Il y eut une brève pause.

– Non, mais parlons donc de toi ! Le mariage, les enfants, tu y penses pas trop ?

– Un peu tard pour les deux...

– Au contraire, c'est le bon temps. Tu sais ce que tu veux...

– Non... C'est pas sûr que je sais ce que je veux.

– Moi, je le sais ce que je voudrais... C'est danser avec Marilyn... Ça te fâche pas quand on te dit ça ?

– Ben non... c'est plutôt flatteur.

Il se leva et tendit la main vers elle :

– Viens au salon, on va danser, veux-tu ?

– OK ! J'apporte le champagne...

– Bonne idée !

Elle prit le seau et suivit Grégoire qui se pressa d'aller au système de son. Micheline l'attendit, la bouteille à la main :

– La tête commence à me tourner, moi. Toi ?

– Moi aussi, mais c'est pas le champagne... c'est les étoiles dans tes yeux.

« Ça y est : il recommence ! »

Il prit les deux flûtes et les posa sur la table du salon.

– Madame veut bien m'accorder cette danse !

– Monsieur est romantique !

« J'ai le goût de faire l'amour avec toi, Marilyn. »

« Combien de fois faudra-t-il danser avant d'aller au lit, mon beau grand ? »

Ils commencèrent à danser. Elle se tenait raide.

– Tu peux te laisser aller : je ne suis pas l'homme du premier soir, tu sais...

« Menteur va ! Ils sont tous des hommes du premier soir... »

Elle se montra plus détendue.

– Ton parfum... il est super !

« Ah ! ça, par exemple, c'est moins romantique ! Si au moins tu disais superbe... »

Et il serra plus fort. Elle se laissa aller.

« Ah ! mon beau vicieux, te voilà déjà bandé comme un singe ! Pas si mal pour un gars de ton âge ! »

La jeune femme portait un joli t-shirt en jersey de coton de coupe semi-cintrée, pourvu d'une encolure dégagée et de boutons devant. Et une jupe froncée à la taille et coupée ample et d'une applique ajourée sur l'ourlet. Toute en blanc, ce qui, avec une ceinture en tissu marine nouée à la taille lui donnait un air fripon.

– Ah ! un homme devrait pas rester seul trop longtemps, ça le rend un peu... animal.

« Tu veux japper ou tu veux grogner ? »

– Ils ont pas besoin de rester seuls pour se sentir un peu... animal... ou animaux.

Il rit en hochant la tête.

– J'aime ça t'entendre parler : on dirait une petite fille de première année.

« Violeur de première ! »

La pièce se termina.

– On ouvre une autre bouteille ?

– Faudrait pas.

– C'est pas pour te faire perdre les pédales.

« Il va-t-il cesser de mentir tout le temps. »

« Une autre bouteille et deux autres danses et tu vas te tor-
tiller comme une chatte en chaleur. »

– Je travaille demain.

– Tu commences tard.

– Un de nous deux, toi, doit pouvoir conduire.

– On fera venir un taxi… ou tu coucheras ici, en haut, y a
trois grandes chambres…

« Hum ! en haut, fais-moi rire ! »

Il ouvrit une deuxième bouteille. Ils dansèrent encore. Il
passa à l'étape de la montée silencieuse. Petits pas. Mains
baladeuses. Soupirs profonds.

Vint le regard intense. Regard qui commande à la substance, aux cellules, aux glandes, au système nerveux, aux tissus
génitaux…

Elle le brisa par une phrase molle et provocatrice qui traversa ses lèvres mouillées :

– T'as envie de m'embrasser… et moi aussi.

Il la dévora : bouche, joues, front, cheveux, cou…

« J'espère qu'il se mettra pas à me sucer les yeux ! »

– Non, j'suis pas l'homme du premier soir mais…

– Mais on se connaît depuis quinze ans.

– On y va ?

– *Why not ?*

– On est faits l'un pour l'autre parce que je dis toujours ça,
why not, moi…

– On se ressemble, hein ?

– Tu veux qu'on apporte le champagne ?

– Non… pas besoin…

Il lui enveloppa les épaules et la conduisit vers sa chambre
en se félicitant d'avoir fait le lit avant de partir veiller avec
l'intention de ramener une compagne pour la nuit.

– Cher, j'aimerais bien passer par la chambre de bains ; je
vais prendre une petite douche rapide étant donné que je ne

suis pas allée à la maison après ma journée de travail comme tu sais.

– C'est la porte qui est là…

Quand le bruit de la douche se fit entendre, le téléphone sonna. Il répondit sur le combiné qui se trouvait sur la table de chevet. C'était Paula.

– J'espère que tu ne m'en veux pas trop d'avoir engagé notre cher Gaspard ? Je ne savais pas que tu lui avais fait une offre quand je lui ai fait la mienne. Il a choisi…

– Je sais tout ça, il me l'a expliqué. Je ne m'en plains pas, Paula. C'est son choix. Et puis peut-être que ça aurait fait jaser s'il avait emménagé ici. Tout est pour le mieux dans le meilleur des mondes…

– À part de ça, toi, ça va ?

– Ouais, pas pire ! dit-il à voix retenue, conscient de répondre par un euphémisme.

– Avec Gaspard pour voir un peu à mes affaires, je vais pouvoir me libérer un peu plus et si t'as encore le goût, comme tu me l'as déjà dit, on fera des petites virées de temps en temps.

– Tu files toujours le parfait bonheur solitaire ?

– Comme toi…

Il ne fit pas de commentaire. Elle reprit :

– Je ne voudrais pas me mettre le doigt entre l'arbre et l'écorce comme du temps de Sylvie sans m'en rendre compte. En tout cas, quand t'auras le goût de venir veiller comme autrefois, ma porte te sera ouverte. Gaspard ne sera pas une entrave, bien au contraire, sa présence va favoriser les choses pour que notre amitié soit plus suivie…

– Je prends bonne note de tout.

– Bon, je vais te laisser. Tu dois travailler demain ?

– Ben… ouais.

– Salut là !

– Salut ! Et salue Gaspard !

Il se dévêtit lentement, le front soucieux. Et quand il ne lui resta que son slip, il se glissa sous les couvertures qu'il replia sur lui pour garder son torse dégagé. Et il se mit sur le côté, couché sur son bras gauche arc-bouté.

Comme elle l'avait dit, Micheline ne fut pas longue dans ses ablutions. Le bruit de la douche s'éteignit et quelques instants plus tard, elle apparaissait avec ses seuls sous-vêtements pêche qui, l'espace d'un éclair, lui laissèrent au regard de son compagnon l'apparence de la nudité dans ce clair-obscur de la chambre.

Il tourna la tête et promena sur elle des yeux inexpressifs. En de telles circonstances, la femme s'attend de son partenaire nouveau des paroles pour la détendre, pour l'amadouer encore un peu plus, pour la caresser par les mots avant de le faire par les gestes. Mais il demeura muet, autant de la bouche que des traits du visage.

Ses métiers de barmaid et de maîtresse ayant pour exigence première qu'elle plaise aux autres et les serve quand elle se trouve au bar ou au lit, elle fit appel à cette ressource. Et se mit à genoux près de lui afin de lui servir des images voluptueuses. Il lui suffisait de bouger doucement afin que sa poitrine propose encore plus de vie et dispense de généreuses promesses.

– Tu veux que je te frotte à rebrousse-poil? fit-elle en glissant sa main sur la poitrine velue.

– Tu ressembles de plus en plus à Marilyn… Tes cheveux, les yeux, la peau…

Il la toucha aux épaules.

– Deux pour le même prix: Marilyn et Micheline.

– Y a de quoi combler les plus difficiles.

– T'as l'air un peu perdu.

– Qu'est-ce qui te fait penser ça?

– Le regard.

– Spécialiste des regards d'hommes?

– Une femme sait lire dans les yeux d'un homme.

– Ou elle lit ce qu'elle veut y lire?

– Est-ce qu'une femme sait lire aussi sur les lèvres d'un homme?

– Bien sûr...

– Alors lis sur les miennes: je ne suis pas perdu.

Elle sourit mais ne le crut pas. Et pour mieux s'en rendre compte, elle laissa glisser sa main négligemment sur lui, vers le ventre puis le sexe qu'elle trouva bien moins vigoureux que plus tôt quand ils dansaient lascivement tout en se faisant croire qu'ils ne coucheraient pas ensemble ce soir-là.

Aucun homme sain de cet âge ne saurait résister à un tel appel et sa chair s'érigea aussitôt. Pourtant le désir ne parvenait pas à effacer de son esprit le contenu de l'appel de Paula. Elle fit mine de retirer sa main; il la retint sur lui. Et ses yeux d'homme devinrent plus petits mais plus vivants.

Elle appuya sa caresse comme elle savait si bien le faire depuis quinze ans avec son seul amant qu'il en fut tout retourné. Jamais on n'avait su lui en donner si peu et autant à la fois; elle possédait à fond l'art de faire monter le désir dans des sphères inconnues, offrant son corps à la vue, son parfum à l'odorat et sa main à tous les sens à la fois pour en décupler les pouvoirs.

Il se laissa faire tout en lui prodiguant des caresses à peine effleurées au bras, au cou, au visage...

– Étends-toi à côté de moi...

Elle ne lui obéit pas et traversa la ligne qui fait passer des amants de la valse-hésitation au tango de la passion sans frein. Elle s'étendit mais pas dans la position de celle qui veut recevoir, prenant le devant de la marche inexorable des baisers enflammés, multipliant ses attouchements sur lui, glissant sa main sous la couverture à la recherche du sexe tendu comme un sabre, un sabre dont elle s'empara à pleine main pour lui faire connaître par l'agilité de ses doigts son besoin d'immolation prodigieuse.

La mise à feu se produisit soudain dans un autre étage de la fusée et l'homme s'empara de sa partenaire pour la soumettre à son joug débridé. Il la dénuda sans trop se rendre compte de ses gestes.

Jamais Grégoire ne s'était senti aussi fort, aussi excité, aussi formidable ; c'était qu'il réalisait l'impossible triple fantasme : faire l'amour à une femme aussi belle que douée, faire l'amour à Paula par l'imagination, et faire l'amour à Marilyn par le rêve le plus brillant né au milieu de champ de ses doux souvenirs.

Et quand il plongea, quelques instants d'éternité plus tard, il se crut à nager en plein mystère d'une fantastique trinité...

Il l'entendit lui murmurer :

– Tu es bon... Tu es bon... Tu es bon...

C'était comme si la voix changeait à chaque répétition. Il voulut que ça dure trois fois plus longtemps mais le désir se montrant trois fois plus irrésistible, il se mit à craindre que cela dure trois fois moins longtemps... Il sut qu'il n'était pas en mesure de contrôler la situation et il voulut s'en remettre à ses trois maîtresses.

– Tu vas monter sur moi, dit-il en la prenant à bras-le-corps et en roulant.

Quand elle fut sur lui, il renoua avec le triple fantasme tout en se demandant en laquelle de Paula, Michou ou Marilyn, il se déverserait... Il caressait la poitrine de l'une, les cheveux de l'autre, les cuisses de la troisième. Et, comble de plaisir, pas une ne montrait la moindre jalousie envers l'autre.

Elle bougeait avec une vigueur très grande, s'arrêtant toutes les quinze secondes pour enserrer la verge plus fermement avec les muscles de sa vulve si chaude et mouillée.

Il en arrivait à se dire qu'il vivait la relation sexuelle parfaite lorsque son corps éclata sans trop le prévenir. Et malgré son âge, il fut emporté, cœur et âme, par l'irrésistible vague d'une éjaculation prématurée.

Micheline pensa que le lendemain matin, c'est lui qui prendrait les initiatives. La Paula de son imagination dit à Grégoire qu'elle lui en ferait voir d'aussi belles couleurs le lendemain matin. Et Marilyn se roula en boule contre lui et se mit à ronronner comme un chat...

***

Chapitre 44

Chaque soir, Paula recevait Gaspard dans son bureau et ils s'entretenaient de l'évolution de la situation de ses affaires. Il lui apparaissait que liquider ses avoirs serait plus difficile que prévu. On avait décidé de vendre les entreprises en les morcelant pour en obtenir le maximum et beaucoup plus qu'en les vendant en bloc. Mais il faudrait deux à trois ans pour y arriver selon leurs prévisions basées sur le nombre de petites affaires à vendre, le prix demandé et la situation économique générale.

« Je serai avec toi jusqu'à la fin du processus », lui avait promis son vieil homme de confiance.

Ils avaient déjà des habitudes tout comme naguère. L'homme se calait dans le fauteuil de cuir noir et elle se mettait de profil pour mieux pouvoir appuyer ses jambes sur un tabouret et relaxer tout en restant derrière son bureau.

Ce soir-là, ils se parlèrent plutôt de valeurs humaines et le sujet porta un moment sur l'ego et son évolution chez certaines personnes, notamment Grégoire.

– Il a fait d'énormes progrès, dit Gaspard. Il était très compétitif envers toi. Pis aujourd'hui, il a les coins plus ronds. Sans le dire et même en le cachant bien, il n'avait pas trop aimé se faire dépasser par toi. Il a trouvé des manières de se retirer en douce. Des petits trucs, je me souviens.

Paula se remémora un fugitif moment cette soirée politique où elle l'avait surpris avec une autre sans toutefois le démasquer. En même temps, elle regarda un énorme collier à plusieurs rangs de coquilles de bois travaillé qui lui avait été offert à Tahiti par Jean-Paul Lavalier et qu'elle portait dans l'encolure d'un chemisier tout-aller en crêpe froissé à épaules tombantes. Ce cadeau l'exorcisait d'un vieux démon qui l'avait longtemps gardée en colère contre Grégoire.

— Je dois t'avouer qu'il m'est arrivé de penser que je pourrais reprendre la vie commune avec lui.

— Laisse-moi te dire qu'il y pense lui aussi. Mais tu as jugé qu'il ne se connaissait pas assez lui-même?

— Exactement ça!

— Tu as bien fait. Vous auriez couru à l'échec.

— Tu ne me le conseilles pas?

— Je ne dis pas ça. Mais vos chemins pourraient passer par bien des escarpements, des détours, des éloignements avant de se croiser à nouveau. Et peut-être qu'ils ne se croiseront jamais plus...

La sonnerie de la porte se fit entendre.

— Tu veux que j'y aille?

Elle était déjà debout.

— Je n'attends personne ce soir pourtant.

— C'est dans ce temps-là qu'on reçoit les plus belles visites...

Elle quitta la pièce. Il l'entendit s'exclamer. C'était donc quelqu'un d'attachant, mais les mots éloignés ne possédaient pas la clarté suffisante pour permettre à quelqu'un dans le bureau d'identifier le visiteur.

Une fillette de 5 ans arriva dans la porte et figea un moment quand elle aperçut Gaspard, cet étrange personnage barbu qu'elle ne s'attendait pas à voir dans cette maison pourtant familière puisqu'elle y venait souvent avec ses parents.

— Bonsoir mademoiselle? Moi, je pense que toi, tu t'appelles Sandra?

L'enfant esquissa un signe de tête affirmatif et, pas très sûre d'elle, regarda en direction de sa mère et de sa grand-mère qui n'étaient pas loin derrière.

Nathalie parut. Elle savait déjà que Gaspard se trouverait là. Il se leva et l'embrassa.

— Salut, monsieur Fortier. Comment ça va?

— Salut Nathalie, bien et toi?

— On a appris votre retour et tout le monde était bien content. Moi en tout cas.

— Dis-en pas trop, ma petite fille, je ne suis qu'un vieux bonhomme dont une bonne partie de l'humanité a pu se passer jusqu'à aujourd'hui, tu sais.

Il montra son jeans et sa chemise:

— Tu vois, sans ta mère, je serais dans mes vieilles guenilles sur ma vieille bécane quelque part sur une vieille route…

Nathalie hocha la tête et regarda sa mère:

— Je me demande lequel des deux a le plus besoin de l'autre, moi…

— Sandra, elle a tous les airs de famille.

— Comment vous savez son prénom?

— Oui? enchérit Paula. Moi, je ne t'en ai pas parlé.

— Mais oui, tu m'as parlé des deux petites filles à Nathalie!

— Mais je ne t'ai pas dit leur nom, mon cher Gaspard.

— C'est donc Grégoire qui me l'a dit. Je ne l'ai toujours pas lu dans les étoiles du ciel.

— Ou dans tes poignées de bicycle, dit Paula en riant.

— Bon, moi, je vous laisse placoter à votre guise et je retourne à ma chambre…

— Non, non, monsieur Fortier, restez! Dans un sens, ça pourrait vous concerner.

— Mon Dieu, mais tu te fais mystérieuse! dit Paula. Bon, si elle préfère que tu restes, Gaspard, reste! Tu veux une eau minérale ou quelque chose d'autre? J'aurais un bon petit jus de citron pour notre belle petite Sandra.

Il y eut service de breuvages sur une conversation légère. Sandra se rendit flatter Frou-Froune. Paula lui donna une ficelle pour que l'enfant puisse s'amuser à faire courir et tournoyer l'animal. Quand Nathalie fut assise près de Gaspard, devant le bureau de sa mère, elle parla de la raison de sa visite.

– C'est Marc, maman, qui m'a appelée au téléphone hier. Il ne me l'a pas dit carrément, mais je pense qu'il aimerait revenir à la maison pour le temps qu'il a encore devant lui.

– Pourquoi il ne m'appelle pas, moi ?

– Il dit qu'il a été injuste envers toi, sans révéler en quoi il l'a été. Sans doute les dettes qu'il a laissées derrière lui et que tu as dû payer.

– Sans doute !

– Tu crois que tu pourrais le garder comme tu as gardé grand-papa déjà ?

– Il faudrait que je me pose sérieusement la question. Ça implique bien des choses que de garder un grand malade chez soi. Ce n'est pas forcément le meilleur endroit pour lui.

– Tu n'as pas peur d'attraper le sida, j'espère ?

Paula fit pivoter sa chaise, mais elle se remit aussitôt de profil :

– Je ne sais pas… Non… je ne pense pas… Tu sais, Nathalie, Marc est bien mieux de poursuivre son chemin dans le milieu où il se trouve. Il ne manque de rien. Je veille à cela. Il a les médicaments dont il a besoin. Il mange à sa faim. Il vit sans l'énorme casse-tête qu'ont bien des malades de cette maladie. Il a un copain. Quoi de mieux dans les circonstances ?

– Maman, je connais ça, les malades, moi, et il vient un temps où leur souffrance morale est énorme. C'est là que la famille devient importante, très importante… Qu'est-ce que vous en pensez, vous, monsieur Fortier ?

– Il est naturel de vouloir mourir pas trop loin des êtres chers, bien entendu. Personne ne va nier ça.

– Dis-moi, Nathalie, pourquoi ne m'as-tu pas dit au téléphone simplement que Marc… faisait voir qu'il voudrait revenir à la maison ? Pourquoi venir ici exprès pour ça ? C'est comme si tu t'attendais à ce que je sois dure à convaincre…

La jeune femme pencha un peu la tête et fit un léger sourire où il se trouvait une sorte de compassion envers sa mère :

– Ben… oui, c'est un peu ça.

Elle jeta un coup d'œil rapide à Gaspard et reprit :

– Ben… c'est toujours mieux se dire ces choses-là en personne, tu ne penses pas ? Et puis si Marc devait revenir à la maison, monsieur Fortier pourrait dire qu'il s'en va, lui. C'est pour ça que j'aimais mieux t'en parler en sa présence.

Elle regarda à nouveau Gaspard, attendant un commentaire qui ne vint pas de lui mais de Paula :

– T'attendais-tu à ce que je saute en l'air à l'idée de reprendre Marc ici ? Et à travers ça, cherches-tu à évaluer ta mère ? À ma place, lui ouvrirais-tu ta porte ?

– Si je n'avais pas d'enfants et si j'avais une aussi grande maison et si Marc était mon fils adoptif : oui, sans hésiter.

Paula se mit à faire tourner un crayon dans ses mains et dit sans se remettre de face :

– C'est pour ça que tu es une infirmière, pas une femme d'affaires…

Nathalie soupira mais garda le silence. À un d'eux de dire quelque chose. Paula parla encore :

– Les arguments pour me convaincre, car je ne le suis pas d'emblée, *a priori* sont donc : je suis une célibataire solitaire avec une grande maison, et Marc est mon enfant adoptif. C'est drôle, mais je pense que ça ne me suffit pas. J'aimerais bien que tu t'exprimes là-dessus, toi aussi, Gaspard.

– Ho, ho, il me manque beaucoup trop de données. Je suis certain qu'il y a au moins vingt bonnes raisons de part et d'autre. Si le bilan était clairement en faveur ou contre le retour de Marc, Paula n'hésiterait pas. Son intuition lui donnerait une réponse nette, et ensuite, sa raison viendrait consolider sa décision. Vois-tu, Nathalie, le bien n'est pas toujours dans ce qui paraît l'être. Le mieux est de laisser l'idée se décanter dans l'âme de ta mère.

– Pourvu que ça ne prenne pas trop de temps : Marc va venir dans quelques jours.

Paula reprit sa place normale derrière son bureau, coudes appuyés sur le dessus et mains qui continuaient leur jeu nerveux avec le crayon :

– Tu m'as bien dit qu'il ne t'a pas demandé de me parler de son désir de revenir à la maison.

– Au contraire, il m'a dit de ne pas t'en parler.

– C'est mieux ainsi. Tu ne vas donc pas lui dire que tu m'en as parlé. Si je ne lui rouvre pas la porte, il repartira à Montréal et si je l'ouvre, il croira en un sentiment spontané : dans les deux cas, ce serait bien mieux.

– Je me tairai...

Sandra parut dans l'embrasure de la porte avec la chatte dans les bras. Elle se collait la tête contre celle de l'animal en disant :

– Je l'aime beaucoup, moi, Frou-Froune...

– Et moi donc ! dit Paula. Sandra, viens voir grand-maman avec Frou-Froune. Viens...

La fillette obéit et la femme serra l'enfant contre elle en se libérant à moitié de l'enveloppe de son fauteuil.

– Savais-tu que Frou-Froune, elle parle ?

– Non...

– Regarde sa bouche... Frou-Froune, tu parles, tu parles ?

La chatte ouvrit la bouche et la referma pour le plus grand bonheur de la fillette.

Après le départ de Nathalie, Paula conféra longuement avec son homme de confiance. On se mit à peser et soupeser toutes ces raisons de garder Marc ou de le renvoyer à Montréal, et parmi elles, certaines évoquées par Gaspard lui-même.

Non, ce n'était pas facile et laisser pencher la balance d'un côté en donnant à certains arguments un poids qu'ils n'avaient pas malgré les apparences de leur volume. Trop calculer, on passe à côté, disent d'aucuns pour cacher leur incapacité à évaluer un ensemble de données devant un problème à résoudre ou une situation nouvelle à gérer.

Au bout du compte, selon l'un et l'autre, il ne manquait plus que de connaître l'état d'âme du jeune homme malade afin de le mettre aussi sur le plateau de la balance pour permettre à Paula d'ouvrir sa porte à son fils adoptif ou de ne pas l'ouvrir.

Car si, dans la vingtaine, on accueille aisément un enfant de 3 ans qui vient de perdre sa mère, il n'en est pas de même quand on est dans la cinquantaine et qu'il s'agit d'accompagner vers la mort un adulte de 29 ans qui a peut-être dilapidé sa santé et gaspillé sa vie. Encore qu'elle n'avait aucun reproche à adresser au fils prodigue...

***

Chapitre 45

Marc s'annonça la veille et vint en autobus depuis Montréal. Paula envoya Gaspard le prendre en taxi. Le malade savait que le vieil homme était de retour dans le décor de sa mère adoptive, mais il fut quand même un peu surpris de voir que c'était lui qui venait l'accueillir et pas elle. En tout cas, il le prit pour un premier signe en sa défaveur.

— Ta mère est très contente de ta visite, lui dit Gaspard parmi d'autres civilités.

Le jeune homme ne vit pas trop les rues familières, mais il réagit fortement quand on traversa le pont.

— Ah! ma belle rivière Chaudière, j'ai pensé un bout de temps ne jamais la revoir.

— As-tu eu un accident? demanda naïvement le taxi.

— Oui, dit aussitôt le malade. Longtemps à l'hôpital.

Le taxi, un homme au visage adipeux, n'ajouta rien. Il comprenait pourquoi ce jeune homme avait la mort écrite dans les yeux. Et puis Gaspard intervint pour éviter des questions indiscrètes :

— Après toutes ces années, je ne sais pas trop quelle va être sa réaction.

— Je comprends ça. Surtout que...

Gaspard ne voulait pas qu'il exprime du remords pour l'attitude qu'il avait eue à l'endroit de Paula à la veille de son départ précipité de la Beauce, ce qu'elle avait dû lui exposer quand ils avaient discuté du retour possible de Marc à la maison, et il l'interrompit :

– Il va y avoir un gros party samedi soir. Tous les enfants vont être là. Christian, sa compagne, Nathalie et Stéphane, Chantal et son copain, Aubéline et André, Grégoire qui aurait, faut pas le dire trop fort, une nouvelle blonde… Une vraie blonde!

Et il fit les gestes joyeux décrivant les rondeurs d'une femme.

– Un gros party? Ça va être dur…

– Quand tu seras trop fatigué, tu iras te reposer.

– C'est ça, oui…

On fut bientôt à la maison. Gaspard ouvrit avec sa clé. Il laissa la petite valise dans le vestibule.

– Paula fait beaucoup de marche dehors. Elle promène sa chatte et fait de l'exercice en même temps… Elle veut vivre jusqu'à 80 ans…

Marc fit une lente exploration des lieux avec son regard amorti et sans expression et il se rendit dans la cuisine avec Gaspard qui cogna dans une vitre pour signaler à sa patronne leur arrivée. Elle montra par un signe de tête qu'elle était alertée mais poursuivit sa marche avec la chatte dans ses bras. Le jeune homme osa un regard à l'extérieur et des larmes lui montèrent aux yeux, alors il secoua la tête.

– Va dans le bureau, je vais préparer un breuvage. Il ne se boit plus d'alcool – à part du vin rouge en quantité modérée aux repas – dans la maison, juste de l'eau minérale ou des jus de fruits, ça te va? C'est une autre bonne décision de ta mère.

– C'est bon! Une eau minérale pour moi…

– Va dans le bureau, elle va rentrer et puis on jasera un peu et ensuite, je vous laisserai parler à votre goût entre vous deux.

– Vous n'êtes pas sans savoir ce qui m'arrive?

– Non, je ne suis pas sans le savoir, dit l'homme en ouvrant la porte du réfrigérateur.

– Elle ne m'en veut pas trop?

– Pourquoi?

– Parce que je suis malade… par ma faute.

– Je ne vais pas te répondre à ça. Ce que je peux te dire, c'est que Paula est une femme en grande mutation. En fait, elle traverse un très long processus de retour à la terre si je peux dire...

– De retour à la terre?

– Pour ainsi dire...

Marc parut ne pas bien comprendre et il s'en alla dans le bureau. Tout lui parut inchangé. Il posa son regard sur le panneau qui donnait sur la console de contrôle de l'équipement de surveillance. Puis sur les portes de ce bar qu'avec ses amis, il avait souvent vidé et rempli mais dont on se servait rarement depuis son départ. Puis sur les livres décoratifs. Et fort de ces brèves images, il rentra en lui-même, assis dans un fauteuil, yeux fermés, main en visière sur le front.

Il demeura ainsi un bon moment. Gaspard perdit du temps afin de laisser à Paula un moment seule avec lui.

– Enfin de retour! entendit le rêveur qui leva la tête et se découvrit les yeux.

Paula se tenait au coin de son bureau avec sa chatte dans les bras. Comme si l'animal lui servait de barrière de protection lui donnant un prétexte pour ne pas embrasser son étrange visiteur.

Il fit le geste de se lever en disant à travers un faible sourire:

– Maman, comment vas-tu?

– Reste assis, reste assis! Ménage tes forces!

Il crut encore plus qu'elle cachait sa peur de lui et de son virus mortel. Il se dépêcha de se rasseoir.

– Je ne suis pas à l'article de la mort. Paraît qu'il me resterait encore un an ou deux.

– C'est une bonne nouvelle! Je veux dire par rapport aux dernières prévisions.

– C'est souvent comme ça: on nous donne un an et l'année d'ensuite, on nous en donne un autre... Et on va son petit bonhomme de chemin de sursis en sursis en attendant le dernier.

Paula se rendit à son fauteuil et prit place tout en gardant la chatte avec elle.

– Je ne savais pas que tu aimais les animaux.

– Quand j'étais jeune, oui. Et même quand les enfants étaient jeunes, il nous arrivait d'avoir un chien, tu te souviens.

– C'est pas un animal de race.

– Imagine que je l'ai trouvée blessée sur le pas de la porte en arrière. Je l'ai fait soigner puis je lui ai montré à parler…

Elle rit un peu et mit l'animal par terre.

– Elle s'appelle Frou-Froune. C'est une petite fille.

– C'est un nom qui lui va bien.

Ils se parlèrent de petites choses. Puis Paula dit qu'avec l'aide de Gaspard, elle était à préparer sa retraite.

– Il m'a parlé d'un retour à la terre : as-tu envie de t'acheter du terrain à cultiver ?

– Non. Enfin, j'ai pas trop songé à ça. Retour à la terre, Gaspard veut dire que je reprends goût à certaines vieilles choses, que je renoue en quelque sorte avec un certain très vieux passé.

Gaspard arriva, portant un cabaret et les boissons qu'il distribua.

– Tu restes avec nous autres! dit-elle sur le ton du commandement.

– Bon!

– Je voudrais que tu sois témoin de ce que je vais dire à Marc. Mais surtout que tu t'opposes si tu n'es pas d'accord avec moi.

Gaspard prit place.

– Fatigué ? demanda-t-elle au malade.

– Pas tant que ça!

– Bon! De toute manière, ça ne sera pas très long. Marc, ta sœur Nathalie est venue me voir pour me dire que tu l'avais appelée. Selon elle, tu aurais le désir de revenir par ici pour faire le bout de chemin qu'il te reste à faire. Est-ce qu'elle s'est trompée ?

– Elle ne s'est pas trompée. Mais elle avait défense de te parler de ça.

– Tu n'étais pas sans savoir qu'elle le ferait et c'est pour ça que tu l'as fait. Ne me dis pas que je me trompe parce que je ne te croirais pas. Et maintenant, je vais te donner ma réponse étant donné que j'ai eu le temps de tout réfléchir à ce sujet. Mais je ne vais pas te donner mes raisons par le détail. Je n'ai pas à te les donner et je ne veux pas te les donner. Pour ce qui est de ma réponse, elle est négative. Je ne suis pas prête à te recevoir chez moi et à t'accompagner dans ta lente agonie. Et je ne dis pas malheureusement, elle est négative, je dis heureusement, elle l'est. Les avantages à ce que tu reviennes sont beaucoup plus minces pour tous, toi y compris, que les inconvénients qui s'y rattachent. Je resterai là pour t'aider avec des fonds, mais pas avec ma maison ni avec ma personne. Je dois donc te suggérer de retourner à Montréal et de nous tenir au courant par téléphone ou par ton père comme auparavant. La Beauce, ce n'est plus pour toi. Ton choix s'est porté ailleurs.

Elle but une gorgée, croisa à nouveau ses mains sur son bureau et reprit après un silence pesant :

– Quand ta mère est décédée, je lui ai promis de t'élever au mieux de mes capacités. Et je l'ai fait. Et j'en suis très contente. Tu m'as beaucoup apporté. Tu m'as déjà fait mal, mais ce fut pour mon bien et il en est résulté du meilleur pour moi. Tu auras été un jalon important dans mon long cheminement vers… vers autre chose. Gaspard a mis ta valise dans le vestibule mais je dois te dire que je ne peux même pas t'offrir l'hospitalité pour la nuit dans cette maison. Je le voudrais que je ne le pourrais pas. En fait, je le veux, mais ne le peux pas. Je t'ai donc fait réserver une chambre à l'hôtel où tu pourras rester le temps que tu voudras d'ici à dix jours.

Je donne une réception demain soir ici pour toute la famille comme au bon vieux temps et j'espère bien que tu en seras. C'est pour souligner ta visite. Tes frères et sœurs seront là de même que Grégoire.

Des larmes tranquilles roulaient sur le visage osseux du jeune homme. Que pouvait-il reprocher à cette femme qui avait tant fait pour lui et qui continuait d'assurer l'essentiel de sa subsistance ? Quoi lui demander de plus, quoi lui demander encore ? Satisfaire à un caprice ? Savoir hors de tout doute qu'elle ne le rejetait pas à cause de cette terrible maladie ? Lui imposer de finir ses jours dans cette maison pour un dessein aussi égoïste ? Une mort imminente ne donne pas tous les droits au condamné tout de même.

Et pourtant, il avait grand mal à l'âme. Et pas le moindre morceau de sa douleur ne se pouvait transformer en agressivité. Surtout pas envers sa mère adoptive. Pas envers son père absent. Ni non plus envers lui-même malgré toutes ses erreurs passées.

Mais il ne comprenait pas tout. Mais il ne comprenait pas les desseins de Dieu. Mais il ne comprenait pas les raisons de Paula.

— Je comprends, maman, dit-il à l'opposé tout à fait de son état d'esprit. C'est un caprice de ma part ; le pays ne m'appartient plus. Je l'ai quitté. J'en ai choisi un autre. J'appartiens à un autre pays maintenant, et c'est celui de la mort. La Beauce, c'était la vie, l'avenir, l'espérance, les débâcles suivies de la sérénité des eaux qui coulent paisiblement dans la rivière d'été...

— Beaucoup de gens meurent ici. Je mourrai ici. Gaspard, je ne sais pas, lui...

— Pour moi, c'est encore un mystère, sourit-il.

— Ta mort sera, comment dire... naturelle. Tandis que la mienne sera une mort artificielle. La tienne sera vraie, normale et au bout de ton chemin tandis que la mienne sera fausse, anormale et au bout d'un chemin d'emprunt.

– Ce serait pareil si tu mourais ici.

– Je sais.

Le silence de Gaspard parlait haut et fort. Il disait que l'homme était d'accord avec les vues de Paula et s'il n'y avait pas eu déjà un point final à la démarche du jeune homme, ce mutisme l'inscrirait trois fois sans pour autant qu'il ne s'agisse de points de suspension.

– Nous allons passer une soirée heureuse, demain, dit-elle. Les enfants ont assez hâte de te voir.

Il grimaça :

– Dans cet état...

Gaspard hocha la tête :

– Ils ne verront pas cet état plus de quelques secondes, et ensuite, ils retrouveront le frère qu'ils aimaient.

– Le mouton noir de la famille, fit-il en souriant.

– Tu parles ? chantonna Paula.

Marc demeura interdit un moment puis réalisa qu'elle s'adressait à sa chatte qui la regardait en s'interrogeant. L'animal ouvrit la bouche et la referma sans miauler.

Gaspard vit à tout et la soirée fut une réussite. Du moins dans les détails. Car le refus de Paula de garder Marc chez elle était interprété par tous comme un net rejet du malade, un bris de promesse à sa propre sœur, un comportement de peur exagérée et une bizarre incohérence chez quelqu'un qui, on le savait un peu à travers les branches, faisait construire des dispensaires et forer des puits dans le tiers-monde. Comme toujours, Paula s'occupait parfaitement des choses matérielles puisqu'elle subvenait aux besoins de Marc mais ne traversait pas cette ligne. Est-ce pour cela qu'elle avait l'air d'aimer sa chatte plus que tout au monde ? Un chat ne demande qu'à manger, à boire, à dormir et à se faire flatter...

La femme trancha vivement la question au dessert :

– Je vous annonce que Marc va rester avec nous autres pendant quelques jours. Il a une chambre au Bellevue et une fourgonnette à sa disposition. Il pourra se promener à sa guise. Aller à Saint-Honoré… où il voudra. Si un de vous décide de nous recevoir tous au restaurant ou chez lui ou chez elle, on sera tous là. Il faut que les vacances de Marc soient les plus belles qu'on puisse imaginer.

Nathalie était furieuse contre sa mère mais elle n'en laissa rien paraître. Les autres aussi s'attendaient au retour définitif de Marc. Grégoire fut le plus étonné de tous ; il lui avait pourtant semblé que son ex-femme montrait plus de sentiments depuis quelques années. Ou bien cherchait-elle simplement à se forger une image attendrissante ? Comme si elle avait deviné son questionnement, Paula le prit à part dans la cuisine. Debout tous les deux, ils s'entretinrent un moment plutôt bref.

– Marc aurait aimé revenir par ici, mais moi, je ne peux pas le garder. Toi, tu ne voudrais pas le faire ? Il serait dans la maison où il a été élevé. Je suis prête à payer une infirmière pour voir à ses soins. Tu n'as aucun lien du sang avec lui, mais je sais que tu le prends en pitié. Et que tu l'aimais autant que les autres.

– Je vais te répondre par une question : pourquoi pas toi dans ta grande maison, justement parce que c'est le fils de ta sœur et que tu l'as élevé ?

– J'ai mes raisons.

– Comment les comprendre si on les ignore ?

– Tu dis non ?

– J'ai pas dit non. Gaspard viendrait-il aussi pour s'en occuper ?

– Ça non ! J'ai besoin de Gaspard ici.

Marc entra vivement :

– Écoutez, vous deux, n'essayez pas de régler mon sort. Je repars demain pour Montréal. Ma place n'est pas plus dans une maison que dans l'autre. Je n'ai plus rien à faire ici à part vous visiter à l'occasion tant que mes forces me le permettront. Et ni l'un ni l'autre n'avez aucun, aucun mais aucun reproche à vous faire. Ceci étant dit la question est réglée. Définitivement réglée !

Et il tourna les talons sans tenir compte de leur désir d'approfondir...

À l'insu des autres, Nathalie convoqua une petite réunion de famille sans sa mère ni Marc pour après la soirée. Cela eut lieu chez Grégoire. Elle proposa que l'on trouve un appartement au malade, ce qui permettrait de se partager la tâche auprès de lui quand son état s'aggraverait. Mais son père s'objecta aussitôt :

– Il refuserait. Il part demain. J'étudiais avec votre mère la possibilité de le garder ici quand il est venu nous dire qu'il s'en allait et rien ne le fera changer d'idée. C'est comme ça et nous n'y pouvons rien du tout.

Devant le front hésitant de sa fille, il répéta :

– Non, non, y a rien à faire !

– Si maman lui avait ouvert sa porte, une chose comme celle-là arriverait pas, dit la jeune femme en grimaçant. Il voulait tant revenir !

– Votre mère a ses raisons.

– Elle a toujours de bonnes raisons, toujours...

***

Chapitre 46

Dans les jours qui suivirent le départ de Marc, Nathalie, qui se sentait investie d'une sorte de mission par le reste de la famille, téléphona à sa mère. Pas une seule fois, il ne fut mention de Marc. Elle savait qu'elle risquait de se faire revirer bêtement si elle revenait sur cette question.

De manière subtile, elle amena sa mère à parler de valeurs et Paula avoua que les biens matériels avaient perdu beaucoup de leur importance et continuaient d'en perdre dans sa vie. Pour l'encourager dans cette voie, la jeune femme tint à lui lire un article de journal qu'elle avait découpé exprès pour elle :

— *Le nouveau rêve américain, c'est de mieux vivre avec moins.* Ça, c'est le titre…

— Je le sais depuis un bon bout de temps, Nathalie, que chaque chose que l'on possède ajoute une servitude de plus à celles qu'on a déjà. Mais on a beaucoup manqué de l'essentiel dans notre enfance et on a beaucoup rêve d'avoir des choses que les autres avaient… Que veux-tu ? Si tu étais née dans mon temps, tu jugerais autrement.

— Laisse-moi te lire quand même.

— Si ça peut te faire plaisir.

— *Beaucoup d'Américains découvrent que l'abondance ne signi- fie pas nécessairement le bonheur et que l'on peut vivre mieux avec moins. La simplicité volontaire, attitude plus que mouvement, gagne peu à peu du terrain dans le nord-ouest des États-Unis. Au pays de la consommation, ils sont de plus en plus nombreux à déclarer être prêts à gagner moins d'argent et à réduire leur train de vie pour se consacrer davantage à leur vie personnelle, à celles de leurs proches... à lutter contre le gaspillage et apprendre à « cultiver son jardin » au propre comme au figuré.*

– Facile à dire quand on a tout ce qu'on veut. Ou veut toujours ce qu'on n'a pas. Et la modération est aussi une chose que l'on s'offre quand on ne la possède pas.

– *Cinquante et un pour cent des Américains interrogés déclarent qu'ils préféreraient avoir davantage de temps libre, même si cela signifie gagner moins d'argent. Des quadragénaires surmenés, les baby-boomers, qui atteignent le seuil du milieu de vie, décident de tout abandonner après avoir mené pendant des années une carrière fulgurante. Ils se tournent vers d'autres activités bien moins rémunérées, mais où ils trouvent leur équilibre intérieur. Le social les attire, parfois même le volontariat, lorsque le salaire du conjoint le leur permet.*

– Je suis en plein dans un processus semblable, moi, Nathalie. Je ne m'habille plus depuis un bail. Je porte mes vieilles affaires. T'as vu pour les cadeaux des fêtes...

– Oui, mais d'autres fois, tu te conduis d'une manière qui contredit ça...

– Comme par exemple ?

– Laisse-moi finir de lire l'article.

– T'aurais qu'à me le télécopier.

– Tu veux pas l'entendre de ma bouche. Je vais sauter des paragraphes...

– Vas-y, vas-y !

– *La simplicité volontaire est classée parmi les dix premières tendances au sein de la société américaine. Une plus grande précarité de l'emploi va inciter les Américains à se passer de besoins superflus et à adopter une simplicité involontaire cette fois-ci. Autant de facteurs susceptibles de conduire au changement le plus important des habitudes de consommation depuis la fin de la Seconde Guerre mondiale.*

– Et c'est tout ?

– Ben… ouais.

– Lis donc le dernier paragraphe.

– Tu me fais marcher.

– Je l'ai lu, ton article et je l'ai même sur mon bureau. Je te lis le dernier paragraphe. Écoute. *Certains sociologues n'ont pas manqué de relever que la simplicité volontaire ne concernait que les milieux les plus aisés. Décider de gagner moins d'argent, font-ils valoir, implique que l'on en ait suffisamment, alors que joindre les deux bouts est le lot du plus grand nombre.*

– Pourquoi tu m'as laissée lire tout ça?

– Pour te tester.

– Me tester?

– Tester ton honnêteté. Et tu n'as pas passé le test.

– C'est pas compliqué: avec toi, on a toujours tort. Tu t'y prends d'une manière qui nous met dans notre tort.

Paula répondit affectueusement:

– Nathalie, je sais que ça part d'une bonne intention chez toi. Mais un changement de valeurs, ça ne se fait pas du jour au lendemain, sinon ça ne réussit pas parce que ça n'est pas authentique. C'est un processus qui s'étend sur toute la vie. Le chemin de Damas, là, ça n'arrive pas dans toutes les vies, ça. Tu sais, j'ai encore des croûtes à manger pour te rattraper même si j'ai un quart de siècle de plus dans la peau que toi… Ceci dit, les chats, tu y connais quelque chose? Ma chatte a des problèmes. On dirait qu'elle s'étouffe…

– C'est ses poils voyons!

– Je lui donne ce qu'il faut pour ça. Elle en régurgite parfois… On dirait que c'est autre chose. Ça me préoccupe tellement.

– Mais maman, c'est un animal, pas une personne humaine…

– Je te défends de dire ça. Oui, c'est un animal, mais pour moi, elle est aussi importante qu'une personne humaine.

– J'espère qu'on se ramassera jamais sur un radeau, toi, ta chatte pis moi et que tu aies à choisir entre elle et moi.

– De ce que t'es bête, toi, des fois! T'es ben la fille de ton père!

– Maman… maman… t'as un enfant malade à Montréal pis tu lui fermes ta porte au nez; pis ta chatte tousse de travers que tu manques faire une dépression. Ça va pas quelque part…

– Bon, c'est ça, quand t'auras autre chose à me dire, Nathalie, ben tu me rappelleras. Bye là!

Et Paula raccrocha sans attendre de réponse.

La femme d'affaires se promit de laisser passer plusieurs jours avant de donner signe de vie à ses enfants si on ne l'appelait pas. L'affaire de Marc diminuerait d'importance à leur vue; l'humain est ainsi construit qu'un fait divers horrible relaté dans les médias le bouleverse totalement un jour mais qu'il en a à peine souvenance quelques jours plus tard.

Le lendemain, Frou-Froune cessa de s'alimenter et on la voyait peu dans la maison. Elle restait dans la chambre de Paula, cachée loin sous le lit. Plus moyen de la faire parler. Plus moyen de l'approcher. Comme tout animal blessé, la chatte s'isolait pour traverser la maladie. Ou pour mourir. Quand Paula prit la décision de l'emmener chez le vétérinaire, il était trop tard dans la journée et on ne lui répondit pas au téléphone. Au matin suivant, l'animal semblait aller mieux. On l'entendit croquer dans sa nourriture sèche.

– On devrait-il la faire soigner quand même? demanda Paula à Gaspard au déjeuner.

– Elle a l'air d'aller. Je ne sais pas…

– Si elle était si malade que ça, elle n'aurait rien mangé aujourd'hui non plus.

– Probablement!

– Ça me chicote de la laisser toute seule à la maison durant deux jours. Si Nathalie était de meilleure humeur, je lui demanderais de la garder.

– Elle ne manquera de rien. Elle aura à manger, à boire… Et puis notre bon monsieur Jules va venir faire un peu de ménage demain matin : on l'appellera depuis Sherbrooke.

– Je n'y manquerai pas.

– D'un autre côté, si ton inquiétude est trop grande…

Gaspard ne voulait pas l'influencer dans un sens ou dans l'autre. Il s'agissait d'une situation fort simple, mais quelque chose lui commandait de rester neutre. Son rôle consistait à rassurer Paula dans ses décisions, à l'inciter parfois à les peser de nouveau, jamais à la pousser dans une direction ou l'autre. Quand il était auprès d'elle pour la conseiller, elle avait moins besoin de prier Dieu de l'aider.

Ce jour-là et le suivant, on se rendait dans l'Estrie pour y franchir une étape préliminaire dans le processus de vente de trois magasins Informaxi. Paula aurait besoin d'une concentration maximale. Il lui fallait un argument de plus pour s'en aller l'âme en paix et elle eut tôt fait de l'exprimer :

– Dès après-demain, je vais aller la montrer au vétérinaire. De toute façon, elle a un œil qui coule.

– Quelle auto on prend pour aller à Sherbrooke ?

– La Mercedez. Ces gens-là sont de l'école des baby-boomers, ils se laissent impressionner par les apparences de la richesse plus encore que par la richesse elle-même.

Tout alla de travers cette journée-là. Ils furent en retard à cause d'un bris mécanique de la voiture : une courroie cassée. Un des trois associés acheteurs le fut encore plus qu'eux. Et les négociations n'avancèrent pas d'une ligne. Si bien que Paula se demanda si ça valait la peine de continuer un jour de plus. D'autant que l'inquiétude à propos de Frou-Froune restait toujours en arrière-plan dans ses préoccupations.

Et le lendemain, les négociations reprirent tôt le matin : laborieuses, souvent agressantes, parsemées d'arguments redondants et le plus souvent insignifiants. Un homme à gros nez renifleur semblait avoir eu pour mission de dénigrer tout ce qui se trouvait dans les trois magasins et son attitude hypocritement désintéressée avait tout l'heur de mettre Paula hors d'elle-même. Toutefois, elle n'en laissa rien paraître et seul Gaspard put vraiment s'en rendre compte.

On travaillait dans une petite salle d'un grand hôtel et l'éclairage avait été réduit à la demande des acheteurs éventuels. Lors d'un autre de ces moments morts où la femme d'affaires brassait ses papiers comme pour les ramasser, Gaspard s'excusa et quitta la pièce. Ce n'était pas pour se rendre aux toilettes mais pour téléphoner. Quelques minutes plus tard, il revint et mit une petite note sous les yeux de Paula :

Selon monsieur Jules, la chatte semble malade.

Les acheteurs et leur homme de loi surveillaient le moindre trait du visage de la femme d'affaires. Un air négatif, un air de mauvaise nouvelle et ils ne bougeraient pas d'une ligne dans leurs propositions. Une attitude positive et ils se consulteraient une fois de plus en dehors du cercle.

— Messieurs, dit Paula en pliant le papier et le mettant dans sa poche, si dans une heure nous n'avons pas conclu la transaction, elle ne se fera pas. J'ai quelque chose de bien plus important à faire.

Elle croisa les mains et sourit largement et grâce à l'éclairage réduit, son anxiété ne parut pas dans son regard et sur son front.

Les quatre personnages se consultèrent à mi-voix. À l'évidence, cette femme jouait en même temps sur deux tableaux. Elle venait de recevoir une proposition qui lui convenait. Sans doute de leurs concurrents. D'où cette assurance nouvelle, d'où cette quasi-hauteur de sa part.

Ils prirent néanmoins les cinquante-neuf minutes qui leur restaient avant de signer l'offre d'achat.

Il fallut passer quelques heures chez un notaire au cours de l'après-midi et ce n'est qu'au milieu de la soirée que Paula put rentrer chez elle après un voyage de retour qui la vit souvent bafouer les limites de vitesse.

Elle trouva la chatte cachée sous son lit. Et ne parvint pas à l'en faire sortir. Comme un être timide, l'animal la regardait mais restait couché et il refermait les yeux comme pour dire: laisse-moi là, je vais guérir, ce n'est qu'une question de temps.

Gaspard apporta de la nourriture en boîte, un plat d'eau, un plat de lait et il poussa le tout vers elle. Frou-Froune l'ignora et demeura prostrée, repliée sur elle-même, somnolente.

– Demain matin, chez le vétérinaire... pis je me demande si je ne devrais pas l'appeler chez lui.

Paula surmonta sa crainte. À tout bout de champ, elle se mettait à quatre pattes pour éclairer la petite bête avec une lampe de poche et la rassurer. L'attitude de la malade ne changeait pas. Et sa maîtresse se coucha un peu avant minuit après avoir distraitement écouté les émissions de nouvelles à la télévision. Elle resta longtemps éveillée, à tâcher d'entendre Frou-Froune miauler ou simplement bouger, laper, croquer... Rien ne se produisit et la femme entra dans un état de somnolence qui fut soudain rompu au beau milieu de la nuit. La chatte venait de sauter sur le lit et Paula put apercevoir son ombre chinoise s'approcher. Elle s'arrêta près de la poitrine de sa maîtresse et hocha la tête à droite et à gauche.

– Tu viens chercher de la chaleur? Couche... couche...

L'animal grimpa sur le corps de la femme et se coucha sur sa poitrine. Paula eut l'impression de retourner un quart de siècle en arrière et d'être enceinte. De son doigt replié, elle frotta doucement le cou poilu. L'animal pencha la tête pour l'offrir encore mieux à la caresse familière et reposante.

Fortes l'une de l'autre, elles purent enfin s'endormir pour quelques heures brèves. Dès qu'elle reprit conscience, Paula se rendit compte que la chatte n'était plus sur elle ni sur le lit. Elle l'appela mais n'obtint aucune réponse ni n'aperçut sa tête au coin de quelque chose comme si souvent naguère. Elle se leva et s'accroupit pour l'apercevoir au même endroit que la veille, désespérément tranquille et qui n'avait pas touché à sa nourriture.

Une heure plus tard, avec l'aide de Gaspard, on portait l'animal chez le vétérinaire qui diagnostiqua un problème cardiaque.

— Soit une malformation, soit des vers.

— Comment ça, des vers? Mais c'est vous-même qui l'avez vermifugée au début.

— Quel âge avait-elle?

— Vous m'aviez dit: environ trois mois.

— Si elle ne l'avait pas été pendant qu'elle était encore un chaton, il pourrait y avoir du dommage quand même et ces dommages prennent toute leur importance maintenant. Ce que je peux vous dire, c'est que ses battements de cœur ne sont pas normaux.

— Qu'est-ce qu'on peut faire?

— D'abord, lui donner une injection pour la garder dans un état stable puis procéder à d'autres examens. Son sang pourra nous en dire bien plus.

La chatte était accroupie sur la table et elle n'avait d'yeux que pour sa maîtresse, ayant l'air de lui dire: «Ne me laisse pas ici, prends-moi et que je meure auprès de toi, ma petite protectrice si douce et toujours si bonne pour moi, que je meure à la maison, à la maison…»

– Vous pouvez retourner chez vous, Paula, faites-moi confiance. J'aurai une réponse claire à vous donner vers la fin de la journée.

La femme pensa qu'elle devrait se montrer forte pour que ses ondes pénètrent le petit cerveau et rassure tout à fait Frou-Froune. Elle se rendit auprès de la chatte et l'embrassa :

– Ta petite mère va revenir te chercher en après-midi.

La bête la regarda, ouvrit la bouche et la referma sans miauler. Paula put voir l'aiguille approcher de la petite patte mais ne put en supporter davantage.

Comment travailler efficacement dans ces circonstances ? Si on ne pouvait guérir la chatte, faudrait-il donc la faire endormir ? Ou bien défier la nature et les coutumes comme la première fois où elle l'avait fait soigner de sa patte et la garder malgré son mauvais état cardiaque ? Quitte à la trouver morte un matin dans l'une de ses petites maisons de tissu ou même sur elle une nuit.

Et puis les battements irréguliers pouvaient traduire un autre problème qui, une fois réglé, remettrait aussi du même coup le cœur en santé.

Les heures finirent par s'écouler néanmoins. Elle travailla d'arrache-pied sur divers dossiers urgents, multiplia les appels téléphoniques puis vers la fin de l'après-midi demanda à Gaspard de prendre des nouvelles de la chatte. Ce qu'il fit en se rendant appeler depuis la cuisine sur une autre ligne que celle utilisée au même moment par sa patronne.

Il revint quelques instants plus tard, emportant avec lui deux verres d'eau minérale et prit place dans le fauteuil après avoir posé un des verres devant la femme d'affaires qui terminait un appel.

– Bon et alors, comment elle se porte, notre petite fille toute cotonnée ?

Gaspard resta silencieux et la regarda droit dans les yeux de ses yeux rougis par l'âge. Ceux de Paula se remplirent d'eau.

Elle n'avait aucun besoin qu'on lui en dise plus. Et il ne se dit pas un mot de plus sur le sujet. Il but une gorgée et baissa la tête. Paula se leva et se tint un moment près de son bureau, un doigt à peine appuyé sur le dessus… Puis elle s'en alla sans bruit, comme un chat qui se retire dans sa solitude.

Elle se rendit dans sa chambre et s'allongea sur son lit pour permettre à son chagrin de se déverser. Qui saurait comprendre une telle douleur devant la mort d'une bête aussi insignifiante? Frou-Froune était bien plus qu'un chat pour elle. Elle était apparue en une période de grand désarroi, d'errance psychologique et avait comblé bien des vides que les humains ne parvenaient pas à combler chez elle. Elle représentait tant de choses, cette affreuse petite bête magnifique. Son arrivée avait été un tournant dans son évolution vers les valeurs les meilleures de jadis et dans son éloignement des valeurs matérielles. Elle lui avait permis une prise de conscience plus nette du spirituel en elle-même. Elle était tous ces enfants du monde qui sont dans le besoin, qui ont faim et froid, que la vie attaque et rejette, qui sont blessés dans leur chair et dans leur âme, qui n'attendent plus rien d'un monde dément.

Frou-Froune, c'était aussi tous ceux-là qui dormaient dans le lot familial au cimetière de son village natal. Rita, sa mère, détruite prématurément par la tuberculose. Herman, emporté par un accident bête. Lucie, fauchée en pleine jeunesse par le cancer. Julien, frappé par le sort et sans doute aussi par lui-même. Et Rosaire que la maladie emportait quelques années plus tôt.

Mais Frou-Froune, c'était aussi et surtout peut-être, Marc, le plus vulnérable de la famille, ce fils adoptif qu'elle avait beaucoup aimé, trop choyé, et pas assez protégé pour ne pas heurter la sensibilité de ses trois autres enfants. Ce qu'elle n'avait pas fait ou pu faire pour lui, elle l'avait reporté, d'une manière différente, sur cette chatte misérable qui avait frappé à sa porte un soir d'été en se faisait si discrète qu'elle n'avait fait aucun bruit en tendant sa petite patte blessée.

On ne remplace jamais un animal qu'on a aimé, avec lequel on a partagé sa solitude, ses joies et ses peurs, avec lequel on a dormi, avec lequel on a ri, avec lequel on a parlé si souvent…

Paula se rappelait de cette scène si souvent répétée alors que Frou-Froune sautait tout droit sur le dossier de son fauteuil et y restait debout, en équilibre, jusqu'à ce que sa maîtresse se recule doucement, pour ensuite s'enrouler comme un col de fourrure autour de son cou, ses pattes arrière sur son épaule droite et les autres et sa tête sur l'épaule gauche. Et elle y ronronnait deux ou trois minutes. Le plus drôle, c'est qu'elle le faisait même en présence de Gaspard comme pour dire au vieil homme que ses droits sur Paula étaient limités à ceux qu'elle-même, petite bête de rien du tout et pas belle à voir, possédait maintenant, comme pour lui faire savoir qu'elle redonnait à Paula autant et même bien plus qu'elle n'en recevait.

Les larmes tranquilles de la femme attristée se transformèrent en de longs sanglots d'automne qu'elle ne chercha pas à refouler. Qui saurait à quel point elle souffrait de cette petite mort de rien du tout ?

Et pourtant, Gaspard voulut le dire à quelqu'un. Il téléphona à Nathalie et lui annonça la pénible nouvelle.

– Quand est-ce qu'on va aux funérailles ?

– Ne prends pas ça à la légère, tu sais à quel point elle aimait cette bête…

– Monsieur Fortier… et Marc, lui ?

Paula ne reçut pas beaucoup de soutien moral de la part de ses enfants. Seul Marc lui fit parvenir une carte dans laquelle il dit partager son chagrin. Même que les trois autres s'éloignèrent en cette année 1996-1997. Quant à Grégoire, il cherchait à comprendre et ne l'attaquait ni ne la défendait.

Les fêtes de fin d'année furent plutôt froides. Paula continuait de vivre dans une sorte de léthargie, ayant délégué la plupart de ses pouvoirs à son homme de confiance.

Un soir de réunion familiale, au restaurant, tandis que la femme d'affaires se faisait attendre, on discuta une fois encore de son refus de reprendre Marc et de son grand chagrin d'avoir perdu sa chatte. Pour une fois, André Veilleux qui faisait partie de la fête, se tut un long moment. Puis il éclata de rire, de son rire d'opposition :

– Non, non, c'est trop simple pour être aussi simple. La Paula que je connais n'agirait pas comme ça sans de très bonnes raisons. Vous attendez de votre mère autant sur le plan moral qu'elle vous a apporté au plan matériel. Ce que vous critiquez en elle, c'est ce que vous n'aimez pas en vous autres même. Moi, je vous le dis, ne cherchez pas une réponse et la réponse viendra un jour ou l'autre d'elle-même…

Cette opinion ébranla Chantal mais Nathalie s'objecta :

– Dans ce cas-là, pourquoi elle ne se défend pas ? Et pourquoi monsieur Fortier ne vient-il pas à sa défense, lui non plus ?

– Ça fait partie du mystère, répondit André. Toi, Aubéline, tu la connais aussi bien que moi depuis plus de trente ans, qu'est-ce que t'en penses ?

– Tu le sais ben que je pense toujours comme toi…

***

Chapitre 47

Hiver et printemps 1997, les liquidations allèrent bon train. Faute de les vendre, il fallut fermer certains magasins Rosabelle qui ne généraient pas de profits. Faire organiser des ventes de fermeture par les gérants. Ce fut le cas notamment au centre d'achats local.

Un jour très froid d'avril, Paula se rendit à cette succursale avec son bras droit. On voulait voir les chiffres depuis le début de la vente de fermeture, voir les étalages, la promotion, tâcher d'encourager les membres du personnel qui ne comprenaient pas pourquoi on les privait de leur gagne-pain, leur annoncer que Paula s'engageait à leur trouver un nouvel emploi ailleurs pour y accomplir une tâche semblable.

Pour la gérante, Paula avait une idée qui valait ce qu'elle valait et c'est sans Gaspard qu'elle tâcherait de la concrétiser. Elle se sépara donc de lui et se rendit à la boutique de sa vieille rivale Suzanne.

— Paula, Paula, s'exclama la femme, ça fait une éternité que je ne t'ai pas vue ! Hey, que je suis contente !

Paula joua son jeu et on se donna l'accolade.

— Je ne viens jamais par ici. Toujours sur la route…

— Et même longtemps à travers le monde à ce que j'ai appris.

— Ça date déjà de plusieurs années, ça…

— Je me disais toujours : pourtant Paula va apparaître un beau matin et ensemble, on va aller faire une virée quelque part. Le bon temps qu'on a eu dans nos soirées de motoneige, tu te rappelles ?

« Le bon temps que toi, t'as eu avec mon mari ! » pensa Paula derrière un faux sourire.

— C'est pas d'hier, tout ça !

— Finalement, j'ai vu que tu fermais ta succursale de Rosabelle ici ? Tu vends du beau, mais les gens ont plus les moyens.

Suzanne avait considérablement vieilli aux yeux de Paula. Des rides bizarres, des yeux creusés, des cheveux ternes : comme morts.

— Tu as raison. Comme je te l'avais dit en ouvrant une boutique ici : ça ne t'affectera pas, toi... Et tu as tenu le coup et je t'en félicite.

— Parce que je tenais moi-même la boutique. Autrement, j'aurais péri, ça, je te le garantis. Comme tu sais, le commerce au détail n'est pas dans ses meilleures années.

— C'est, comme dirait ma fille Nathalie, que les gens ont beaucoup consommé et que maintenant, ils cherchent leur bonheur ailleurs que dans les biens matériels. Autres temps, autres mœurs !

— Dis donc, viens au bureau, on va jaser. Je laisse la boutique à France, là... Elle va se débrouiller... Comme tu vois, c'est plutôt tranquille...

Paula suivit son ex-amie dans une pièce exiguë dont l'autre referma la porte sur elles. Suzanne la débarrassa de son imper noir tout en la congratulant pour l'ensemble que Paula portait dessous. Puis elle prit place sur une chaise sans bras derrière un bureau encombré et Paula eut la chaise droite, prisonnière entre la cloison et le bureau.

— Toi, habituée dans des pièces immenses, tu vas trouver que je travaille dans pas trop grand... C'est mon bureau, ça.

— Je suis déjà venue.

– J'ai une vieille clientèle régulière et fidèle. Mon mari gagne de son côté. On vit dans notre petite maison.

– Une chaumière et un cœur...

Suzanne se mit à rire :

– Tu as de ces expressions !

– C'est mon rêve, tu sais.

Suzanne rit aux éclats :

– Toi, Paula ? Une chaumière et un cœur ? Toi, toute seule dans un immense château ? Tu me fais penser à Baby dans *Séraphin*, tu te souviens ? Je ne dis pas ça pour te faire de peine, là...

« Je sais : tu n'as jamais voulu me faire de peine, tu as juste couché avec mon mari ! » pensa la femme d'affaires tout en arborant un grand sourire à dents brillantes.

– Ce que tu ne sais pas, c'est que je liquide tous mes avoirs et que la maison va y passer aussi. Et puis, je ne suis pas seule, il y a Gaspard Fortier qui s'occupe de la maison, de mes affaires...

– Mais qu'est-ce qu'un comme lui vieillard peut donc t'apporter ? A-t-il encore du... solide dans le corps ? Non, c'est une farce.

Et Suzanne toucha la main de Paula. Et Paula se retint de lui faire remarquer qu'à titre d'ex-maîtresse du vieil homme, c'est plutôt elle, Suzanne, qui devait pouvoir juger de la virilité du personnage.

– Pour moi, c'est plus dur de vendre une affaire que de la construire. Il paraît que c'est le cas de tous ceux qui le font. Plus tu y as mis de sueur, de sang, de cœur, plus tu as de misère à passer le flambeau... Imagine que tu doives fermer ta boutique demain ! Ici, à la succursale du centre d'achats, je liquide et je ferme, mais partout ailleurs, je vends les commerces. C'est pas simple. Gaspard est un excellent conseiller, un bon négociateur. Il m'a beaucoup aidée à bâtir ma première entreprise.

– C'est ce qu'on pourrait appeler... ton ange gardien ?

Paula devint songeuse :

– Si moi, j'ai une drôle d'expression en parlant d'une chaumière et un cœur, toi aussi, tu en as des bonnes... Mon ange gardien... C'est peut-être ce qu'il est après tout. Des fois, je le prends pour un fantôme venu d'un autre siècle... venu du passé avec des valeurs de ce temps-là et avec des idées du futur... Ceci étant dit, je te jure que mon personnel, ici, ne le prend pas. Eux, ils pensent que je n'ai pas le droit moral de fermer mes portes même si je ne fais pas de profit avec la succursale. Et ils ont en partie raison. Ils ne me font pas une trop belle réputation, surtout la Manon, ma gérante. Par chance que j'ai besoin d'elle pour encore quelques mois parce que je lui donnerais son quatre pour cent, à celle-là !

Paula mentait expressément afin de pousser, qui sait, Suzanne à offrir de l'embauche à sa gérante. Et une fois que Manon aurait quelques semaines de service chez elle, Suzanne ne voudrait plus s'en passer car la gérante possédait selon Paula toutes les qualités nécessaires pour apporter beaucoup d'eau au moulin d'un commerce au détail surtout de lingerie pour dames. Sans elle, la succursale serait très déficitaire...

– Je ne la connais pas plus que ça, dit Suzanne d'une voix songeuse. Je ne la vois que de temps en temps et de loin.

– Ceci dit, notre Grégoire vient-il faire son tour de temps en temps ?

– Pourquoi Grégoire viendrait-il faire son tour dans une boutique pour dames ?

– Je dis ça comme ça.

– Je peux te dire par exemple qu'il sort *steady* avec la barmaid de la brasserie, celle que les gars appellent Marilyn Monroe. Elle sortait avec un homme marié depuis quinze ans pis là, c'est cassé avec lui. Je vois souvent Grégoire avec elle. Imagine, elle a vingt ans de moins que lui : il doit manquer d'huile dans le moteur des fois.

– Ah ! c'est son droit se sortir avec quelqu'un !

– Tu le savais pas ?

– Ce que fait Grégoire dans sa vie privée, tu sais…

Paula avait mis sa ligne bien appâtée à l'eau. Possible que Suzanne l'ignore complètement ; possible qu'elle coure chez Rosabelle pour offrir un emploi à Manon. Mais c'était la seule façon de faire, car jamais sa rivale n'aurait offert un emploi à sa gérante pour lui rendre service à elle qui voulait fermer ses portes sans trop de préjudice pour son personnel. Il fallait qu'elle prévienne sa gérante et lui conseille de jouer le jeu en se montrant plutôt agressive envers sa patronne.

– T'as pas vieilli, toi, comment tu fais ?

Paula répondit par un autre mensonge :

– Toi non plus ; on doit faire la même chose.

Suzanne fit un coq-à-l'âne :

– Et si on parlait des enfants ?

La conversation se poursuivit pendant une bonne demi-heure : toujours sous le couvert de l'hypocrisie et de la rivalité. Comment aurait-il pu en être autrement entre deux femmes du même âge quand vingt ans auparavant l'une, Paula, avait été trompée par l'autre qu'elle avait surprise au lit avec son mari ?

À sa sortie, Paula dit sur le ton de la joyeuse complicité :

– Tu m'as donné une idée : je vais aller à la brasserie voir de quoi la Marilyn Monroe à Grégoire a l'air à part d'avoir l'air de Marilyn…

– Elle est là, justement, je l'ai vue arriver.

– C'est drôle, mais je ne la connais pas.

– Tu vas la reconnaître, veut veut pas. Surtout, elle va te reconnaître, Paula !

– On va voir ça. Salut là !

– Et reste pas des années sans revenir !

– J'y manquerai pas.

Quand elle vit disparaître sa chère Paula dans la brasserie, Suzanne jeta un œil dans l'autre direction, celle de la boutique

Rosabelle, et fixa son regard sur une intention bien arrêtée. Elle irait voir cette Manon aussitôt que Paula se serait évaporée…

La femme d'affaires fut observée par tous. Vedette locale, rares étaient ceux de plus de vingt ans qui ne la connaissaient pas au moins de vue. «C'est la millionnaire de l'Ouest.» «L'argent lui sort par les oreilles.» «C'est Paula Nadeau : elle a une centaine de magasins pis une dizaine de compagnies importantes.»

La femme en salua plusieurs puis monta à l'étage du bar. Apercevant des serveurs sur le plancher, elle se rendit au bar afin d'être certaine que cette Marilyn la serve. Il y avait plusieurs places libres, dont une à côté d'un gros homme solitaire qu'elle connaissait bien : elle la prit.

— Si c'est pas madame Nadeau! dit-il d'une voix encore plus pesante que sa personne.

— Comment va notre directeur de l'information?

Ils se donnèrent la main.

— Très bien, très bien, dit l'homme affable. Mais vous, on ne vous voit jamais.

— Je ne fais pas la nouvelle depuis longtemps avec ma modeste personne, tu sais. Je me suis retirée de tous les organismes… Une vieille ermite.

— Ermite, peut-être, vieille, ça ne paraît pas trop en tout cas.

Et il s'esclaffa avant de caler son verre de bière.

— La vie n'est plus ce qu'elle était.

Ils furent interrompus par Micheline qui s'approcha, l'œil sévère mais demanda les lèvres commerciales :

— Madame Nadeau, qu'est-ce qu'on peut vous servir?

Bien sûr que Paula avait souvent vu cette personne qu'on ne peut pas ne pas remarquer un jour ou l'autre dans un milieu aussi petit. Mais elle n'aurait pas pu mettre un nom en regard du visage jusque-là. Oui, elle avait des airs de Marilyn mais les gars devaient regarder surtout en bas du visage pour affirmer cela. Car plus haut, c'était du photocopié en quelque sorte. Elle se donnait des cheveux à la Marilyn, des sourires à la Marilyn, un maquillage à la Marilyn et une voix qui ne convenait qu'à Marilyn.

– Une bière. Et une pour notre directeur des nouvelles.

– Ah! ben maudit, j'pensais pas qu'on m'offrirait une bière ici aujourd'hui.

– Tu n'en veux pas une autre? dit la barmaid dans son incertitude feinte et sirupeuse.

– J'pense que oui, Memi! fit l'homme dans un de ses éclats de rire qu'il utilisait souvent comme élément de communication. Je ne voudrais surtout pas insulter madame Nadeau.

– Hum, hum...

Et la barmaid que les clients familiers appelaient Memi tourna les talons et roula des hanches encore plus que de coutume en se demandant ce que l'ex-femme de Grégoire pouvait lui vouloir. «Sûrement pas du bien!»

Paula ne désirait surtout pas faire des problèmes à cette jeune femme. Elle avait été une sorte de catalyseur dans la relation Grégoire-Sylvie et un semblant de rapprochement nostalgique avec son ex-mari avait alors précipité les événements et la séparation de ce couple au fond mal assorti.

– Et comment vont les affaires?

– Vite, comme toujours.

– D'autres acquisitions dernièrement?

– Mais voyons donc, un directeur des nouvelles d'un grand média local qui n'est pas au courant que Paula Nadeau ne fait plus que des liquidations, pas des acquisitions? Je croyais que tout le monde savait ça.

– Retraite prématurée?

– Retraite, oui; prématurée, non... J'ai fait ma part dans le système capitaliste, tu ne penses pas?

– Ça, oui!

– Et à la radio, ça roule ? C'est pas d'hier que tu travailles là…

– Trente-sept ans de radio sur mon dos, ça le fait se courber un peu, mais trente-sept ans de vie sur le dos de notre Memi, ça la conduit au sommet de la beauté…

La barmaid qui revenait avec les bières lui jeta un œil avertisseur. Il rit et but une dernière gorgée de son verre avant de poursuivre :

– Croyez-le ou pas, j'ai commencé à la radio ici le jour de la naissance de Micheline, hein Memi ?

– C'est ça, oui, le 30 mars 1960.

– Deux ans avant la disparition de notre chère Marilyn qui s'est peut-être réincarnée deux ans plus tard, dit l'homme en riant.

Puis il ajouta avec un gros regard nostalgique :

– J'avais 20 ans tout juste.

– Né en 1940 ? dit Paula. Bien, moi, je ne dis plus mon âge, mais je suis née en 1939.

– Moi, dit l'homme, je suis de l'âge de Grégoire.

Il parla plus fort afin que Micheline, qui servait quelqu'un d'autre, l'entende clairement. Mais elle fit comme si de rien n'était.

– Il vient souvent prendre une bière ici, reprit-il. C'est un endroit qu'il a l'air de bien apprécier.

– Y a des barmaids qui connaissent leur affaire : elles savent attirer les vieux chnoques.

L'homme faillit s'étouffer dans son verre de bière tant il trouva ça drôle. Il s'attendait à une réaction de Memi, mais elle ne broncha pas et joua à l'indifférence sourde.

Paula n'avait pas vraiment voulu se faire mesquine et parlait ainsi de façon spontanée pour s'amuser, d'autant qu'elle n'envisageait aucunement la compétition, et que le cas échéant, elle se serait sentie battue d'avance devant une rivale de vingt ans sa cadette et aussi bien roulée. Elle était venue par simple curiosité et si possible pour établir un lien positif avec l'amie de Grégoire. Mais voilà qu'elle avait échappé une réflexion qui ne constituerait sûrement pas la meilleure tête de pont.

Elle ne put créer un lien. Micheline se montra polie mais distante et elle utilisa les autres clients qui se succédaient au bar comme prétexte pour ne pas s'attarder à la visite rare et pas trop désirable que représentait l'ex-femme de son amant du moment...

Paula repartit avec son petit bonheur en même temps que l'homme de la radio, qui avoua ne plus pouvoir prendre plus de deux bières, ce qui l'exemptait de devoir rendre la politesse à la femme d'affaires.

Le jour suivant, Paula reçut un appel de Grégoire. Il l'engueula vertement à cause de sa visite à sa maîtresse. Elle avoua qu'elle méritait ses reproches et lui dit en terminant :

– Faut me comprendre, Grégoire, chaque fois que je vois Suzanne, je deviens méchante.

Mais elle ne parvint pas à réveiller son sentiment de culpabilité. Néanmoins, il monta de plusieurs crans dans son estime. Enfin, il montrait de la volonté !

Sauf que Grégoire, lui, rejoignit le camp des enfants contre Paula.

***

Chapitre 48

La mort est plus triste en novembre.

Paula reçut un appel téléphonique de la part de l'ami de Marc, Luc, qui connaissait une période de rémission dans l'évolution de sa maladie. Il annonça la fin imminente de son copain et amoureux.

— Il ne voulait pas que je vous appelle, mais j'ai pris sur moi de le faire.

— Tu as bien fait, tu as bien fait. Que veut dire mort prochaine ?

— Vingt-quatre heures, quarante-huit… Plus que ça, c'est présumer de rien.

— Je serai là-bas demain midi. Pourrait-il être trop tard ?

— Je le retiendrai à la vie, madame.

— Je compte sur toi !

La femme refusa d'avertir les autres enfants et Grégoire. Aussi bien les mettre devant le fait accompli. Son homme de confiance approuva l'idée. Aux aurores du lendemain, ils se mettaient en route et voyageaient dans la fourgonnette qui avait depuis longtemps remplacé la prétentieuse limousine mais pas encore la Mercedes.

À midi, elle appela Luc. Il lui dit que Marc avait sombré dans le coma et n'en avait plus que pour quelques heures, voire quelques minutes.

— Savait-il que je montais le voir ?

– Je lui ai dit, mais ça n'a pas suffi à le retenir.

– Nous serons là dans dix minutes.

Ils y furent.

Ça n'avait plus qu'un semblant d'apparence d'être humain, cette grosse tête osseuse perdue dans un large oreiller blanc et ces épaules sèches que laissait voir un drap jaune qui, plus bas, dessinait même les côtes. La question traditionnelle fut posée par elle quand Paula fut debout à côté du lit :

– A-t-il beaucoup souffert ? C'est ridicule de poser une telle question…

– Oui, madame, beaucoup ! dit Luc, un jeune homme efféminé, très maigre lui-même et qui s'adressait plus à Gaspard qu'à Paula.

Gaspard qui, lui, demeurait en retrait, engoncé dans son imperméable Columbo, solitaire et attentif. Luc poursuivit :

– La morphine n'agissait plus vraiment et il se laissait envahir par l'angoisse et le remords vain et sans fondement. J'aurais bien voulu partir avant lui. Ce n'est pas beau à voir. C'est affreux à voir, affreux, madame.

– Je vais lui parler au cas où il m'entende…

– C'est bien possible qu'il puisse entendre, approuva Gaspard discrètement.

– Attendez un peu, madame, je vais vous apporter une chaise.

Luc sortit un moment de la chambre étroite et peu éclairée et revint avec une chaise pliante qu'il mit près du mourant. Elle prit place :

– Marc, c'est moi, maman. C'est Paula. Si tu m'entends, je voudrais te dire certaines choses… Tu sais, une mère n'aime pas tous ses enfants de la même façon, c'est impossible. Même si on essaie de les aimer égal et ça, on ne devrait jamais le faire, on les aime de manière différente… Et puis on n'aime pas non plus à 50 ans comme à 30. J'avais 30 ans quand tu es venu habiter avec nous et que tu es devenu notre fils tout autant que Christian, que tu es devenu notre enfant tout autant que Nathalie ou Chantal. La question ne s'est jamais posée de savoir si tu étais aussi important que les trois autres ; tu étais là, un enfant à part entière.

Marc ouvrit les yeux. Elle ne parla plus pour un moment et lui prit la main entre les siennes. Il dit :

– Je sais que tu veux me rassurer, mais je n'ai pas besoin... Tu as toujours fait ce que tu as pu avec les moyens que tu avais entre les mains... C'est ça, être excellent ! Je n'ai pas de raison d'en vouloir à personne sauf... à moi-même. J'ai gaspillé ma vie, c'est tout...

– Je ne veux pas que tu dises ça. Qui ne fait pas de son mieux avec la vie qu'il a ? Tu viens de dire que je l'ai fait, moi, eh bien, c'est pareil pour tout le monde. Des fois, la peur est la plus forte et on suit ses directives et on nuit à d'autres, ce faisant, mais est-ce notre faute ? La peur n'est pas facile à contrôler. Et tant de raisons d'être...

– C'est vrai, c'est la peur... Mais maintenant que tu es là, je n'ai plus peur... mais il faut que tu me pardonnes...

– Je n'ai rien à te pardonner, Marc, mais si toi, tu crois avoir quelque chose à te faire pardonner, alors, je le fais... Et tu sais, je voulais de dire des choses en pensant que tu pouvais les entendre sans pouvoir répondre mais maintenant que tu as retrouvé ta conscience, je n'ai plus rien à te dire... Rien sauf que je t'aime et que ce « je t'aime » ne veut pas dire « je m'aime et j'ai besoin de toi », mais il veut dire « je t'aime comme tu es, comme tu as été, comme tu seras et plus, je t'aime pour ce que tu es, pour ce que tu as été, pour ce que tu seras... » Le reste, tout le reste n'est que vains mots, vaines pensées...

Le visage de l'agonisant exprima un semblant de sourire et sa mère et lui se turent jusqu'à la fin qui se produisit un quart d'heure plus tard. Jusque-là, une fois la minute, il tournait les yeux vers elle. Puis elle se rendit compte que le regard était devenu fixe. Luc se pencha sur son ami, toucha sa bouche puis tâta le pouls :

— C'est fini, madame.

— Oui, je sais. Sa main me l'a annoncé.

Elle ne s'attarda pas et se leva en disant à Gaspard :

— Peux-tu téléphoner à un entrepreneur ?

L'homme interrogea Luc du regard.

— Vous pouvez appeler dans la cuisine, dit-il au vieil homme. Que va-t-il se passer, madame Paula ?

— On va venir chercher le corps et il sera incinéré aujourd'hui même. Puis on va ramener Marc au pays de ses racines. Ses cendres seront inhumées après-demain. Pour ce qui concerne ses biens, ils te seront donnés puisque tu étais son ami et conjoint. De plus, je ferai ce qu'il faut pour tes propres soins de santé afin que tu ne manques de rien puisque maintenant, tu es seul devant ton avenir, quelle que soit sa longueur. Là où il est maintenant, il inspire cette compassion en ta faveur et il l'approuve.

— Je voulais vous dire, madame, il a compris que vous ne puissiez pas le reprendre chez vous. Il a toujours dit que vous l'aviez fait pour d'autres que vous et pas pour vous-même. Pour lui, pour moi, pour le reste de la famille de la Beauce… Il l'a dit souvent, croyez-le, comme s'il voulait que je vous le redise après sa mort…

— Tu voudrais me laisser seule un moment avec lui ?

— Oui, madame.

Luc partit.

Paula resta debout au pied du lit à regarder dans le visage inanimé des souvenirs d'un temps perdu à jamais. Le petit garçon de 3 ans qui après quelques journées craintives après la mort de sa mère explorait maintenant la maison de sa nouvelle famille en la parcourant à la course d'un bout à l'autre comme pour y semer partout ses ondes et sa joie bruyante. Le garçonnet de 5 ans qu'il avait fallu accompagner à la maternelle plus d'une semaine pour calmer sa peur et sa peine. Puis l'enfant de 10 ans qu'elle reconduisait à ses leçons de piano et qui parfois lui jouait *La voix de maman* pour lui faire plaisir, sachant à quel point cette chanson avait marqué l'enfance de sa mère adoptive et même celle de sa vraie mère. Et l'adolescent sérieux quittant la maison pour aller à d'autres études. Les grandes étapes de sa vie se passaient en quelques images brèves mais combien belles et vivantes. Et cet adulte inquiet et anxieux qui avait émergé d'une jeunesse placide pour entreprendre contre lui-même une lutte incessante qu'il avait fini par perdre...

Peut-être que tout cela finissait bien malgré tout. Ne serait-il pas désormais avec sa mère et comment alors ne trouverait-il pas réconfort et protection comme il les avait trouvés après son douloureux départ voilà un quart de siècle?

Paula serra la ceinture de son manteau et se détourna de l'image affligeante du corps de son fils adoptif, mais avant de sortir de la chambre, elle le regarda une dernière fois.

La mort est plus triste en novembre.

Tout fut réglé avec la plus grande célérité. Le corps fut incinéré et une journée plus tard, Paula et Gaspard se remettaient en route avec l'urne funéraire dans une petite boîte de carton sur la banquette arrière de la fourgonnette.

On s'arrêta à une rôtisserie le long de l'autoroute menant à Québec. Tout le temps, Gaspard se faisait silencieux, et en cela, il rappelait à Paula Albert, le serviteur français dont elle lui avait parlé à une ou deux reprises sans jamais approfondir sur ce sujet ni dire que le couple avait dû partir de chez elle à cause d'un conflit avec Marc.

Ce midi-là, à la table, elle lui en parla.

– Je ne l'ai pas blâmé pour cela même si ces gens-là étaient parmi les meilleurs que j'aie eus à mon service. Mais lui, il était dans une phase paranoïde et il voyait des ennemis partout sauf en lui-même, tandis que son seul ennemi était justement en lui-même. Et un jour, il est parvenu à me déstabiliser, et ce jour-là, je l'ai perdu. Ensuite, il était déjà trop tard.

– Il a dû t'en dire pas mal pour arriver à t'ébranler.

– Il m'en a dit pas mal. Assez en tout cas pour me rendre compte que je n'étais pas invulnérable. J'ai gardé toute ma contenance et j'ai même gardé mon contrôle intérieur sauf que dans mes ténèbres, je me suis vue décentrée, débalancée et, comme je t'ai dit, j'ai alors manqué le bateau avec lui. Par réflexe de femme d'affaires en train de négocier, j'ai voulu le séduire par la douceur et la tolérance tandis qu'il avait besoin de plus qu'une fessée, une bastonnade au moins. Je ne devais pas faiblir ce jour-là. Je ne devais pas désarmer devant lui. Mais je l'ai fait et c'est pour cette raison qu'il se trouve là, dans cette urne funéraire dans la fourgonnette.

– Tu n'as pas à le regretter : cela fait partie des faiblesses humaines, de ton bagage de faiblesses.

Paula pignocha dans sa tarte aux pommes et fut un moment sans parler puis elle dit sur le ton de la conclusion irréversible et définitive :

– C'est exactement ça, le destin !

***

Chapitre 49

La même église. Les statues, le chemin de croix, les colonnes blanches ornées des mêmes volutes et feuilles d'acanthe dorées sculptées à la main voilà tout près de cent ans. Balustrade, vieil autel en arrière-plan, chœur, vitraux en forme de hublot. Paula regardait les détails intérieurs de ce temple paroissial, dont elle gardait dans un recoin de l'enfance de son âme des souvenirs de force, de grandeur et de splendeur.

L'église est l'outil essentiel d'une religion tout comme l'argent est celui de la religion des affaires… Ce raisonnement spontané lui apparut faux dès qu'elle fit un retour sur ses apparences. Si l'église conservait son charme d'antan et ses vieux fantômes, elle ne réunissait plus les fidèles que pour leur servir de prétexte à souligner les quelques grands événements de leur vie.

Quelques minutes plus tôt, Gaspard plaçait l'urne funéraire de Marc sur une crédence au pied de l'escalier du chœur et on n'attendait plus que le prêtre pour que commence la brève cérémonie de circonstance.

Une quinzaine de personnes se trouvaient là, regroupées dans les premiers bancs pour accompagner le défunt dans son passage depuis la réalité vers le monde des souvenirs. Il n'était plus que cendres, mais il restait encore présent pour sa véritable dernière heure au monde des vivants tandis qu'une fois l'urne mise en terre, Marc ne serait plus jamais qu'une image furtive et fugitive dans des âmes pressées.

À la demande de Paula, Grégoire avait pris place avec elle dans le premier banc. Christian et sa compagne étaient dans le suivant. Puis Nathalie et son mari. Et Chantal, seule. Et Aubéline et André, ces éternels et dévoués amis de la famille. De l'autre côté de l'allée, quelques connaissances de Marc du temps où il vivait dans la Beauce. Gaspard, quant à lui, avait pris un peu de distance dans une sorte de respect des sentiments de chacun, quels qu'ils soient.

Parfois, Nathalie essuyait une larme. Émue par la perte d'un être cher, certes, mais aussi par la fuite du temps qu'elle commençait à percevoir comme tous ceux qui, dans la trentaine, sentent le train de leur vie s'accélérer considérablement.

Christian était là par nécessité. Beaucoup de travail l'attendait à la ferme et il y songeait bien plus qu'à ses relations de jadis avec son demi-frère disparu. Marc et lui se situant aux antipodes par leurs caractères respectifs, ils ne s'étaient connus que pour s'observer et se laisser tranquilles quoiqu'un temps, le cadet dans sa jeune adolescence fût en admiration devant son aîné.

Paula tourna la tête pour voir si, comme autrefois à de telles cérémonies, il se trouvait de vieilles personnes pieuses et curieuses. Des Bernadette Grégoire qui ne manquaient jamais un office de funérailles, prétextant que si le défunt leur était connu, elles se devaient de venir prier pour lui, et que s'il ne l'était guère, il fallait bien quelqu'un pour prier pour lui une dernière fois... Bien sûr que Bernadette ne s'y trouvait pas puisqu'elle dormait, elle aussi, dans le cimetière du village! Mais qui sait, peut-être que des dames de quelque organisme paroissial seraient agenouillées près d'une colonne ou ailleurs, çà et là, avec leurs intentions de prière sur les lèvres et leur vieux chapelet entre les doigts... Mais non. Personne. Pas âme qui vive! Paula se consola à l'idée que la place était peut-être toute occupée par d'autres disparus: des Blais, des Boutin, des Fontaine, des Beaulieu, des Bélanger, des Martin, des

Lapointe, des Plante, des Bilodeau, des Racine, des Lambert, des Maheux, des Veilleux, des Quirion, des Beaudoin, des Cloutier, des…

Elle fut interrompue dans sa réflexion par l'arrivée du prêtre. Il était seul et pressé, et il ne transportait avec lui qu'un livre noir contenant les prières rituelles. Une fois devant l'urne, il fit le signe de la croix sur lui-même puis sur les restes du défunt. Puis il parla à la maigre assistance.

– La mort de chacun nous enseigne quelque chose de différent et la mort de tous nous enseigne la vie…

On put entendre quelqu'un arriver et marcher discrètement vers le devant de l'église mais personne ne se retourna pour savoir qui venait avec ce retard.

– Celle de notre frère Marc Poulin nous rappelle cette parole de *L'Ecclésiastique*: «Pleure doucement le mort, car il a trouvé le repos.» C'est cela qu'aurait voulu, je crois, notre frère Marc, d'après ce que j'en sais. Ne pas être plaint à son enterrement. Son agonie fut l'une des plus dures qui se puissent imaginer et ses souffrances très grandes. Il ne peut que reposer en toute quiétude maintenant tout en nous regardant nous attrister près de ses cendres. Orphelin en bas âge, notre frère Marc a trouvé en ses parents adoptifs compassion, amour, attention et bonté…

«Pas toujours, pas toujours!» pensa Nathalie, qui ne pardonnait toujours pas à sa mère son refus d'ouvrir sa porte à l'enfant prodigue et malheureux. Aux yeux du monde, comme toujours, Paula avait un grand mérite, bien sûr, car elle avait délié les cordons de sa bourse pour aider et, dans ce cas, assurer les soins du jeune homme piégé dans son interminable agonie aux lenteurs atroces. Mais l'argent a-t-il déjà acheté l'amour, la compassion et la tendresse? Pas grand monde ne croit cela quand c'est exprimé clairement mais les générations matérialistes, elles, agissent comme si elles y croyaient. Et sa mère, malgré un certain virage grâce aux influences de Gaspard Fortier, constituait l'archétype de ces générations à plaindre.

De ce temps-là, Grégoire se sentait bien dans sa peau. Une fausse alerte cardiaque avait permis plusieurs examens qui avaient révélé un cœur en bon état et une santé plutôt bonne. Et Micheline ravivait ses énergies et le secouait aussi dans l'âme au point de lui faire aimer son chat noir qu'elle lui laissait souvent, pour ainsi garder chez lui un signe d'elle qui ne trompait pas et qui, comme la croix et l'ail qui éloignent les vampires, aiderait à tenir Paula à distance. Car elle était possessive, la Marilyn, même si elle savait qu'un jour ou l'autre la ramènerait à son ancien amant...

– Ceux dont la douleur est grande ici-bas sont aussi les mêmes souvent qui ont beaucoup reçu... Et notre frère Marc, après avoir eu le grand malheur de perdre sa première famille, en a trouvé une autre, aussi belle et aussi harmonieuse. C'est de la partie souriante de sa vie terrestre dont il veut qu'on se rappelle... En ce sens-là, pleurer le disparu, c'est rire à toutes ces joies qu'il a connues avec les siens et que chacun peut se souvenir par des images colorées et agréables.

Chantal avait ouvert une grande boîte à images à son arrivée à l'église, et de tous les assistants, elle était la personne qui répondait le mieux à l'esprit du propos contenu dans le laïus du prêtre. Et défilaient devant les yeux de sa souvenance maintes situations d'enfance où Marc avait eu un rôle à jouer par sa gentillesse et ses petites folies sans conséquence.

Paula demeura en dehors du sujet jusqu'à la fin de la cérémonie. Son cœur vagabonda sur les chemins de son enfance et de son village dont il ne restait plus qu'une coquille transformée. Car dans sa paroisse natale, c'est au cimetière qu'elle trouvait maintenant le plus de parenté, de connaissances et de vieux amis. Elle les visiterait tous tout à l'heure après l'inhumation des cendres.

On avait établi un petit échéancier quant au transport de l'urne au cimetière où l'on se rendrait à pied. Christian, Chantal et Nathalie feraient chacun le tiers du chemin jusqu'à la petite fosse déjà creusée dans le lot des Nadeau dans la vieille partie du champ des morts. Le prêtre y viendrait réciter quelques prières, sans doute écourtées en raison de ce crachin d'automne qui aspergeait doucement ce 9 novembre.

Les enfants se demandaient pourquoi leur mère avait décidé de faire enterrer leur demi-frère dans le lot des Nadeau où elle-même et eux ne seraient jamais puisque Paula possédait un lot à Saint-Georges et que chacun d'eux serait un jour inhumé soit là-bas soit ailleurs suivant l'endroit où il aurait fait sa vie, comme le veut la tradition.

Mais il n'était pas certain que Paula ne serait pas enterrée dans le lot des Nadeau. Souventes fois, elle avait dit qu'il ne manquait plus qu'elle là-bas. Sans doute exprimait-elle ses dernières volontés à cet effet dans son testament; on verrait bien. Et inutile de la questionner là-dessus non plus!

Elle-même n'avait pas arrêté sa décision.

Et elle y pensait justement à la sortie de l'église quand la moiteur froide du temps lui sauta au visage. Impossible de voir le toit brillant de la cabane à sucre où elle avait tant appris sur la vie et que depuis toujours, chaque fois qu'elle sortait de cette bâtisse, elle regardait pour l'aimer et la voir comme son chez-soi; pas de vapeur dans le soupirail comme au printemps et même pas d'image du soupirail car les nuages baignaient tous les environs et empêchaient d'y voir à un demi-kilomètre.

Ce n'est qu'au moment de se mettre en marche sur le chemin du cimetière qu'elle aperçut le vrai père de Marc. Il se joignit à elle et Grégoire. Arrivé en retard, il voulait s'en excuser et aussi il voulait en profiter pour remercier Paula pour tout ce qu'elle avait fait pour cet enfant peu présent dans sa vie mais qui n'en était pas moins le sien et celui de la sœur de Paula, sa première femme.

Comme prévu, l'urne changea de porteur à deux reprises et c'est Nathalie qui lui fit franchir les derniers pas depuis l'entrée du cimetière jusqu'au lot des Nadeau.

Marc avait lui-même choisi d'être inhumé là et pas à Saint-Georges ni ailleurs. «Pour mieux connaître sa vraie mère, Lucie», avait-il dit et redit. Paula et Maurice avaient convenu de le désigner comme à son baptême par le nom de Marc Boutin et non Marc Poulin du nom de sa famille d'adoption. L'épitaphe était déjà gravée sur le monument familial, tout en bas, au ras du sol.

Le prêtre était là et il ne restait plus qu'à mettre l'urne dans le trou, ce que Nathalie s'apprêtait à faire, attendant la directive qui n'eut pas le temps de venir. Maurice s'approcha et il demanda à prendre l'objet. La jeune femme le lui confia et l'homme vint le mettre entre les mains de Paula pour qu'elle soit la dernière à toucher à ce fils dans sa mort comme dans sa vie alors qu'il avait rendu l'âme.

Elle accepta et se rendit mettre l'urne dans sa fosse étroite. Et elle se redressa. Aussitôt, le prêtre commença les prières qui prirent fin deux minutes plus tard sur l'invitation de Paula transmise par lui aux assistants afin qu'ils se rendent au restaurant face à l'église, y prendre un repas en la mémoire du défunt.

Tous avaient hâte de quitter les lieux à cause de cette humidité glaciale qui imprégnait tout et pénétrait les chairs jusqu'aux os et bientôt, Paula fut seule comme chaque fois où elle venait enterrer un des siens. Contrairement aux autres, elle ne sentait guère les petites morsures de l'automne et du ciel.

Toutes les fois où elle était venue auparavant, quelqu'un s'était toujours attardé pour lui dire un mot mais pas cette fois! Entre elle et les siens, il y avait toujours cette distance que sans le vouloir expressément, Marc avait fait naître et entretenue par la lenteur de son agonie. Quant à Gaspard, il crut bon laisser Paula seule avec les fantômes de son passé. Et puis il avait mieux à faire pour elle, beaucoup mieux.

Et un long moment, elle pensa à tous ceux qui se trouvaient là et que Marc venait de rejoindre. Elle put voir le visage souriant de chacun dans les vapeurs molles qui glissaient en silence à travers les monuments. Tout au bout d'une longue et profonde respiration, elle eut une pensée pour le temps qui passe trop vite et cela accompagna ses pas lents vers l'autre sortie, celle tout près du lot des Grégoire.

Au restaurant, tous avaient pris place à une table en U capable d'asseoir deux fois plus de monde. Gaspard ne tarda pas à prendre la parole :

– Paula m'a dit de vous dire de commencer sans elle. Vous la connaissez mieux que moi, chaque fois qu'elle vient au cimetière de son village natal, il faut qu'elle s'y attarde longuement. Ça lui permet de faire des petits pas en avant et c'est très bien. Et c'est bien tant mieux pour aujourd'hui parce que j'ai quelque chose à vous dire de plus... Si vous voulez me garder toute votre attention, il s'agit de quelque chose de première importance comme vous le verrez. Tout d'abord, vous me connaissez et vous connaissez ma réputation. Pour tout ce qui concerne Paula et ses affaires aussi bien que les affaires personnelles dont elle me confie des secrets, j'ai toujours été ce qu'on appelle « la tombe ». Eh bien, aujourd'hui, étant donné que je vais quitter son service dans les mois à venir, je vais manquer à cette règle que je m'étais imposée à moi-même pour le plus grand bien, je le pense, de ma patronne et amie.

L'homme fit une brève pause et son regard plongea dans celui de chacun autour de la table : Grégoire, les trois enfants, Aubéline, André et Maurice.

– Vous n'êtes pas sans savoir que Paula a payé pour tous les soins palliatifs et autres, nécessités par l'état de Marc au cours de ses deux dernières années de vie. Mais pour certains, cela a signifié qu'elle voulait se libérer ainsi du problème. Car disons-le, quelques milliers de dollars pour elle, qu'est-ce que ça signifie, dites-le-moi ! Ses raisons de ne pas reprendre Marc, comme lui l'aurait voulu, étaient multiples et je vais vous en expliquer quelques-unes aujourd'hui. Tout d'abord, elle a jugé que Marc serait plus malheureux à la maison à tout revoir de son passé, de son enfance et de sa jeunesse heureuses, tandis qu'à Montréal, il pouvait être entouré de gens capables de le comprendre jusqu'au fond de l'âme parce que vivant elles-mêmes, comme Luc, son conjoint, le même problème, parce que ressentant dans leur chair et dans leur cœur les balafres de la maladie mortelle et ses affres. Pouvez-vous imaginer par exemple un homme de près de 80 ans comme moi et qui se ferait entourer de jeunes personnes dans les derniers milles de sa vie sur Terre ? Et cette comparaison est plutôt mince pour expliquer cet argument-là et le faire bien saisir. Entre malades du même mal, on est beaucoup mieux en mesure de se comprendre.

Maurice interrompit Gaspard :

– Et je peux ajouter là-dessus que Marc lui-même en était convaincu parce qu'il me l'a confié plusieurs fois que Paula avait eu raison de le laisser vivre à Montréal plutôt que dans la Beauce...

– Une autre raison qui vous paraîtra bassement matérielle à prime abord, c'est le fait que Paula était et est toujours en voie de liquider toutes ses affaires comme vous le savez. Ce qui comprend sa maison qui est en vente depuis trois ans déjà mais qui ne trouve pas preneur. Le bassin de clients pour une pareille demeure est terriblement restreint, surtout que la récession perdure. Qui aurait voulu l'acheter sachant qu'il se trouvait un malade du sida dans la maison ou bien qu'un malade du sida y avait habité un certain temps. Les préjugés sont énormes. C'était pareil pour les maisons des pendus autrefois. Garder Marc chez elle aurait pu signifier pour Paula une perte de un, deux millions de dollars, qui sait. Et cet argent est pour qui, pensez-vous ?

Nathalie hocha la tête et dit à voix complaisante:

– On s'en serait bien passé pour Marc, nous autres.

– Ce n'est pas pour vous autres, Nathalie, cet argent, c'est pour ses autres enfants. Parce qu'elle en a des milliers, votre mère, des enfants adoptés de par le monde. Et j'ai bien dit des milliers. Au Mali, au Pérou, en Indonésie, en Haïti, au Sénégal, partout où se trouve Vision Mondiale. Cette femme n'est plus animée par les mêmes valeurs qu'auparavant, mais elle ne le clame pas sur les toits. Son ambition de bâtir un empire financier s'est transformée en celle de bâtir un empire du bien. Elle a vu la misère de près dans son voyage autour du monde; elle a vu les effets du sous-développement, de la malnutrition, et sa conscience sociale et planétaire a émergé depuis les valeurs de son enfance.

Les enfants se regardaient parfois, la mine basse et l'air désolé.

– Christian, Nathalie, Chantal, votre mère vous aime bien mieux aujourd'hui que dans votre enfance, le saviez-vous? Elle vous aime dans l'équilibre des motivations du cœur et de l'esprit. Et cet amour plus désintéressé, moins inscrit dans les gènes, elle l'avait à l'égard de Marc dès son enfance quand il est venu dans sa maison. Facile d'aimer à travers les liens directs du sang, facile d'aimer ses propres enfants, la chair de sa chair et au fond, voilà un sentiment bien égocentrique, mais se tourner vers les autres comme elle le fait pour les enfants de la misère qu'elle appelle ses «enfants de la lumière», voilà qui va chercher dans ce qu'il y a de plus noble dans la personne humaine. C'est son cœur et sa raison qui lui ont fait ouvrir sa porte à Marc quand il avait 3 ans et en le faisant, elle n'ôtait rien à vous trois, ses autres enfants; c'est son cœur et sa raison qui lui ont dit de ne pas rouvrir sa porte à Marc l'an passé parce qu'elle avait conscience qu'en le faisant, c'est à tous ses «enfants de la lumière» qu'elle aurait ôté quelque chose d'essentiel et pour plusieurs de vital. Et son geste de l'accueillir n'aurait rien ajouté à l'avenir de Marc, au contraire de se qui s'est passé en 1970.

La voix de l'homme était traînante et remplie d'émotion. Nathalie ne parvenait pas à retenir ses larmes. Grégoire avait le gosier sec. Maurice approuvait de signes de tête répétés. Gaspard fit un signe à la serveuse qui le consultait du regard afin qu'elle attende encore deux ou trois minutes et il reprit :

– Paula ne prend jamais la moindre décision à la légère. Savez-vous ce qu'elle a mis dans la balance avant de renvoyer Marc à Montréal ? Tout d'abord son bien-être à lui, ainsi que je vous l'ai dit. Mais avant cela, en tout premier lieu, le bien de ses « enfants de la lumière ». Elle a aussi pensé à vous tous. À toi, surtout, Nathalie, qui la jugeais si durement.

– Mais pourquoi elle ne s'est pas expliquée ? sanglota la jeune femme.

– Pour elle, bâtir un empire du bien, c'est tout le contraire que de bâtir un empire financier. La discrétion doit remplacer l'ostentation et l'orgueil doit céder le pas à l'humilité. Le public a besoin de héros. Les gens ont besoin de se reconnaître en d'autres qui sont plus grands que nature ou qui sont faits tels par eux...

Une voix agréable, à la fois drôle et céleste, se fit entendre au cœur de Paula ; elle s'était arrêtée devant le monument des Grégoire près de la sortie du cimetière.

« – Si c'est pas la petite fille à Rosaire Nadeau ! Me reconnais-tu ? C'est moi, Bernadette Grégoire. Ah ! j'ai ben connu ta mère, tu sais. Pis même que je l'ai vue mourir. C'était pas drôle dans ce temps-là, hein ! Le monde, ça mourait comme des mouches de la tuberculose. Ben, mon frère Armand, il est mort de même lui itou. C'est vrai que lui, il a jamais voulu se soigner. Pis ça fait longtemps que les os lui font pus mal non plus. Faut dire que les miens me font pus mal non plus. Tu te rappelles comment c'est que je boitais. Ben, mon frère Freddy itou, il boitait. Une maladie d'enfant. Bon, me v'là à parler rien que de moi pis de mon monde. Pis toi, comment ça va? Je me rappelle comme il faut quand tu t'es mariée, hein! Ah! oui, ce jour-là, j'étais allée faire mon jardin. Ben pas le faire parce que c'était en plein cœur de l'été mais sarcler pis arroser. Faut dire que c'était un peu une défaite à ma curiosité. Je voulais te voir sortir de l'église au bras de ton mari… Ton mari, ça, c'était un bel homme. Grand. Fort. Noiraud. Il me faisait penser à mon neveu Luc Grégoire. Luc, il s'était fait tuer dans un accident pas loin, là, dans la rue des Cadenas, t'en rappelles-tu? C'était en 1947. Toi, tu devais avoir 8 ans. Je le sais par cœur, mais j'ai pas de mérite parce que par icitte, on n'a rien qu'à penser à quelque chose pis la réponse vient toute seule. On n'a pas grands efforts à faire. Ils m'ont dit en rentrant icitte que j'avais pas fait assez de mal dans ma vie. Je te dis que si j'étais à recommencer, les petits Maheux qui venaient voler ma ciboulette dans mon jardin, ils se feraient serrer les ouïes. Parce que jamais d'efforts à faire, c'est le bonheur total pis égal pis ça, des fois que c'est long, tu comprends…

– Bernadette, parlez-moi de l'avenir, pas rien que du passé, là, vous!

– Ça, je peux quasiment pas!

– Ah! vous ne connaissez pas l'avenir?

– C'est pas ça, mais si je te le disais, ça pourrait pas se passer de même, c'est simple! L'avenir ne saurait exister si on le connaissait. Par "on", je veux dire les mortels comme toi…

– Au moins, dites-moi si je suis sur le bon chemin!

– T'as toujours été sur le bon chemin parce que c'est ton chemin à toi.

– On dirait que l'âge me rend vulnérable.

– C'est en lisant dans ton passé que tu pourras dégager ce qu'il y a de mieux à faire dans ton futur.

– Moi, j'ai passé ma vie à ramasser un capital en argent pis j'ai aucun capital de souffrance. Je suis aussi pauvre que la plupart des riches…

– Quant à ça, j'ai pas trop souffert moi non plus, hein! J'ai ri vingt fois par jour toute ma vie. Des petits bobos. Comme tout le monde. Des deuils, des peines comme tout le monde. Pis ben sûr, pas d'homme pour réchauffer mes nuits… ha ha ha ha ha…

– Mais vous étiez bonne de nature. Sans vous forcer…

– Pas toi?

– Non. Moi, faut que je travaille fort sur ma nature.

– Ton mérite n'en sera que plus grand.

– Bon! Ben parlez-moi encore du passé dans ce cas-là, si vous avez le temps.

– Tu vas geler comme un corton avec ton petit manteau noir.

– Quand je vous écoute, j'sais pas pourquoi, mais j'ai pas frette.

– Laisse-toi pas aller à parler trop comme moi.

– C'était une belle parlure…

– C'est pus de ton temps. Toi, c'est l'époque des logiciels, des télécopieurs, des vidéophones qui s'en viennent, pas le temps du téléphone à manivelle, de la malle qui arrive par les gros chars pis du crayon sur l'oreille…

– Parlez-moi du passé, Bernadette!

– Là-dessus, j'pourrais t'en dire ben long. Te rappelles-tu, toi, du Blanc Gaboury? Son vrai nom, c'était Albert. Il était postillon. Pas 30 ans. Pis tuberculeux. Lui itou…

– J'ai lu à son sujet… Pis au sujet de ben d'autres du temps de mon enfance.

– J'sais ce que tu veux dire, là. T'as lu la série des Rose, hein? *L'hiver de Rose* pis les autres, *Le cœur de Rose*, *Rose et le diable*… Le petit gars qui a écrit ça, je l'ai ben connu, pis toi itou, c'est sûr. Ben, je te dirai que pas mal d'affaires là-dedans, c'est moi qui lui ai soufflé ça dans les oreilles. Je le visite souvent : il est toujours cloué comme un crucifié sur son ordinateur. Mais il aime ça… Ah ! le petit vinyenne, il est souvent venu voler ma ciboulette par gros paquets pour mettre ça dans ses beurrées de beurre-moutarde… Ah ! la Rose, elle, elle en a pas manqué, d'hommes, dans sa vie. Ha ha ha ha ha ha…

La voix de Bernadette parut s'éloigner :

– T'as qu'à continuer à lire ça, Paula, tu vas en apprendre sur ton passé pis t'as qu'à continuer ton chemin, à continuer ton chemin, à continuer ton… »

Paula revint à la réalité. Le brouillard était beaucoup moins dense. Au moment de quitter le cimetière, elle entendit le vieux rire de Bernadette. Un vieux, vieux rire paroissial…

Gaspard avait exposé quelques arguments supplémentaires pour défendre Paula. Il s'était gagné tous les cœurs, et même Grégoire avait un étau sur la gorge et c'est lui qui proposa un toast à Paula, qui leva son verre le premier. Gaspard sourit et ses yeux ridés émirent des lueurs belles et fortes… Puis il obtint de tout un chacun la promesse formelle de taire à jamais ce dont il venait de parler.

La femme marchait entre les arbres, le dos au presbytère, la sacristie et l'église sur sa droite, la clinique sur sa gauche. Soudain, elle entendit nettement des cris joyeux et des rires. C'étaient les enfants dans la cour du vieux couvent. Surveillés par deux petites religieuses marchant sur la galerie haute. D'aucuns sautaient à la corde en groupe. D'autres jouaient au ballon. À *tag*-mon-but. Plein de santé dans ce petit espace clôturé mais pas de clinique !

Une balle traversa la clôture. Une enfant courut à toutes jambes à travers les plates-bandes de l'avant de la bâtisse, sortit de la cour et se rendit jusqu'à Paula chercher sa balle. Paula avait une forte impression de déjà-vu…

« – Qui es-tu, toi ?

– Ben... Paula Nadeau ! Et vous, madame ?

– Tu ne m'as jamais vue ?

– Je ne sais pas. Peut-être...

– Je suis une femme riche...

– Non, je ne vous connais pas.

– J'ai 58 ans...

– Non, je ne vous connais pas.

– Je te trouve bien jolie : quel âge as-tu ?

– J'ai 8 ans. Mais je ne vous connais pas, vous.

L'enfant ramassa sa balle et regarda l'inconnue en plissant les paupières. C'est que le soleil de ce début d'après-midi l'aveuglait un peu.

– Ta mère, c'est Rita ?

– Oui. Mais elle est malade... au sanatorium. Je ne vous connais pas, vous.

– Je m'appelle Paula... comme toi. Paula Nadeau, tout comme toi... »

La fillette eut un petit éclat de rire puis elle prit ses jambes à son cou pour rentrer dans la cour. À la barrière, elle s'arrêta un court instant, se retourna et sourit un peu... Puis franchit la ligne-frontière entre le passé et le présent.

Le couvent, les enfants, les sœurs, les fleurs, tout disparut d'un coup dans le brouillard et seule l'image de la clinique revint sauter au regard de la femme arrêtée.

Paula reprit sa route en secouant la tête. Elle entra au restaurant, fit des salutations vives à ceux qui se trouvaient là, poursuivit son chemin jusqu'à la salle de la réception.

Quand elle entra, tous étaient debout.

Ils l'applaudirent avec force. Longuement. Elle sentit qu'ils le faisaient avec amour...

***

Chapitre 50

Juin 1998

Gaspard faisait un point avec Paula sur l'évolution de ses affaires.

Ce serait le dernier point avant leur départ de la grande maison qui, ménage compris, avait été vendue quelques mois plus tôt, mais que Paula habiterait jusqu'au premier juillet.

Huit mois depuis la mort de Marc et il en avait coulé de l'eau sous les ponts de la Chaudière et il en avait passé, des glaces, ce printemps-là.

Les entreprises de la femme d'affaires avaient été liquidées jusqu'à la toute dernière. Tout était devenu capital, à l'exception de terrains qu'elle garderait un peu partout, y compris celui de Gaspard, qu'il avait fini par lui vendre à condition qu'elle l'accepte pour la somme dérisoire et symbolique d'un dollar.

«Ce dollar me fera faire beaucoup de chemin», avait-il déclaré dans le bureau du notaire.

Les intérêts sur capital, à l'exception d'une rente lui permettant de subvenir à ses besoins de base, seraient tous destinés, après impôt, aux entreprises de charité de la nouvelle retraitée.

Paula avait loué un petit logement de quatre pièces et demie à quelques rues de la grande maison et elle y emménagerait dans les jours à venir tandis que Gaspard irait vivre chez Grégoire un temps indéterminé.

Paula et son homme de confiance terminaient un verre d'eau minérale dans ce bureau qu'habiterait une partie d'elle-même pour toujours.

— Eh bien, mon cher ami, me voilà rendue au dernier virage avant d'entreprendre la fin de parcours.

— Disons plutôt «croisée des chemins». Tu prends une autre direction mais ce fut préparé. Et moi, je poursuis mon vieux chemin…

Gaspard s'en irait à la brunante, n'emportant avec lui que ses vieilles hardes et sa bicyclette. Il refusait de garder les vêtements que Paula lui avait achetés depuis qu'il habitait avec elle. Sa volonté était de repartir avec les mêmes choses qu'il possédait à son arrivée sauf un dollar de plus.

— Mais pour tes vieux jours? lui dit Paula une dernière fois.

— Je suis en plein dedans, mes vieux jours, tu le vois bien, et je ne meurs pas de faim. Mais ça ne veut pas dire que je ne pourrais pas mourir de faim. Ça pourrait arriver. Si Dieu n'intervient pas directement auprès de tous ces enfants qui meurent chaque jour à cause de la malnutrition à travers le monde, pourquoi interviendrait-Il pour un vieux fou qui s'imaginerait que le ciel va le protéger lui, particulièrement, et pas les autres? C'est une pensée de petits bourgeois spirituels, ça, de ceux qui se promènent avec des citations bibliques à la bouche et les mains pleines d'égoïsme. On les connaît trop, ces pharisiens-là… Mais ils ne savent pas ce qu'ils disent et on leur pardonne d'aider Satan dans ses entreprises de distorsion du monde.

— Et si les choses allaient mal pour toi?

— Impossible! Avant de venir, j'ai tout reçu ce qu'il me fallait pour passer mon règne sur cette terre et accomplir mon destin. Mon bout droit achève, moi, et le dernier petit tournant, c'est la fin.

Elle se leva la première comme souvent quand elle faisait des affaires, mais cette fois parce qu'elle en était rendue là, et dit:

– Je ne te souhaite pas dix ans, vingt ans, je te souhaite le temps qui conviendra à ton bonheur.

Elle se rendit à lui alors qu'il se levait et posait son dernier verre. Ils se donnèrent l'accolade.

– Tu es la personne de ce monde qui m'a le plus donné, Gaspard, dit-elle en le tenant une dernière fois par les épaules et le regardant droit dans les yeux. Davantage que grand-père Joseph, que mon père, que Grégoire et même que mes trois… quatre enfants. Et pourtant, nous n'avons aucun lien du sang, nous n'avons jamais été des amoureux et nos idées s'opposaient la plupart du temps. Comment cela se fait-il? Comment cela a-t-il pu être possible? Cette question restera-t-elle en suspens jusqu'à ma mort? Ou peut-être me faudra-t-il, après ton départ, me rendre au cimetière de mon village pour questionner Bernadette?

– C'est pourtant simple comme bonjour et je vais te le révéler… Et puis non, il vaut mieux que tu trouves toi-même… C'est simple, si simple, ma pauvre petite fille.

Elle lui sourit en le regardant avec encore plus d'intensité. Il ferma les yeux à deux reprises puis chacun se détacha tout naturellement de l'autre. Et Gaspard emprunta le couloir, prit son baluchon et quitta les lieux.

Ce fut tout.

Mais pas tout à fait car il partit sur une bicyclette qui n'était pas la sienne, et qui appartenait à Paula, et qu'il avait modifiée grâce à quelques accessoires utilitaires pour la rendre semblable à la sienne.

Il se rendit chez Grégoire comme prévu pour y passer quelques jours. Grégoire ne voyait plus Micheline depuis des mois alors qu'elle avait été reprise par son ancien amant et ses habitudes incrustées. Et il placota tout le reste de la soirée avec lui, parlant du vieux passé, de l'enfance des enfants, de la grandeur du ciel étoilé.

Puis il voulut prendre une douche et il s'y rendit.

Quand il sut par le bruit de l'eau que le vieillard ne pouvait l'entendre, Grégoire téléphona à Paula et leur échange dura le temps d'une simple pensée :

– Viens-t'en à la maison ! Il faut des mains de plus pour entretenir le jardin comme il faut.

– Dans trois jours...

Il lui fallait trois jours pour régler quelques détails dont celui d'échanger ses voitures pour une petite familiale modeste.

Le lendemain matin, Gaspard serra la main de Grégoire et il reprit la route comme il était venu sans parler de sa destination ou de son destin.

Deux jours plus tard, un cycliste peu pressé se dirigeait vers chez lui et Grégoire qui sarclait dans son jardin à côté de sa demeure vit aussitôt qu'il ne s'agissait pas du vieillard parti. Et puis quelque chose lui disait qu'il ne pourrait plus jamais s'agir de lui. Il avait la certitude que ses poignées de bicycle ne ramèneraient jamais plus Gaspard Fortier dans le secteur.

Il fut sur le point de se pencher à nouveau mais son attention resta sur le cycliste. Une petite voiture familiale arriva à quelque distance, se dirigeant vers la bicyclette puis la dépassant ; et elle tourna dans l'entrée de cour et descendit jusqu'au stationnement devant la porte du garage.

« Sûrement Paula ! » se dit Grégoire.

Mais c'est Christian qui descendit de voiture. Sûrement la voiture de Paula donc ! Le jeune homme resta debout à regarder son père et le cycliste qui à son tour emprunta la descente. Alors Grégoire reconnut Paula. Il rejoignit son fils en même temps qu'elle mettait le pied à terre en riant :

– Notre Gaspard, il s'est trompé de bicyclette en partant, mais là, je me demande s'il s'est vraiment trompé parce que ses poignées m'ont dirigée tout droit ici.

– Moi, je vous laisse, je m'en retourne à l'ouvrage, dit le jeune homme qui se mit aussitôt à courir en direction de la ferme de l'autre côté de la route, là-bas…

– Et ta valise ? dit-il alors qu'elle accotait le vélo contre la porte du garage.

– Dans l'auto : on la prendra plus tard.

– Eh bien, madame, donnez-vous la peine d'entrer. La porte n'est pas barrée.

Elle le précéda à l'intérieur.

Et examina tout comme si c'était la première fois.

Et se sentit chez elle.

Enfin !

– Le Gaspard t'a laissé un petit cadeau.

– Un petit cadeau ?

– Il est parti l'autre matin mais il est revenu une heure plus tard et il m'a laissé un petit paquet à ton intention. Attends, je vais aller le chercher dans la chambre…

L'homme quitta le salon. Elle ferma les yeux pour penser loin et, comme une enfant, attendre que le cadeau soit tout proche. Il comprit le jeu et s'approcha tout en parlant :

– Attends, je vais le mettre entre tes mains et tu ouvriras les yeux ensuite.

– OK !

C'est une petite boule de poil qu'il posa dans ses mains ouvertes.

– Non, pas un chaton ! dit-elle en rouvrant les yeux.

– Il dit qu'il l'a trouvé au bord du chemin pis que la meilleure personne au monde pour lui servir de mère, ce serait toi.

Elle se mit à hocher la tête en riant et en pleurant… Et à flatter la petite bête grise qui n'avait absolument rien d'un animal de race.

Plus tard au cours de cette même journée de beau soleil rai-sonnable, ils se retrouvèrent tout les deux au milieu du jardin à se répartir la tâche de sarcler, d'arroser, de biner, de bêcher, de faire le nécessaire afin que tomates et choux poussent mieux grâce à plus de soins manuels et à moins de produits chimiques.

— Il me semble que tu avais moins de cheveux gris ! lui dit-il soudain et sans penser plus que ça.

— Et toi donc !

Là-bas, de l'autre côté de la Chaudière, en direction de l'Arnold, pas loin du barrage Sartigan, un vieux cycliste regardait dans leur direction à travers des lunettes d'approche. Il pouvait voir la maison mais pas les jardiniers, et pourtant, il devinait qu'ils se trouvaient là à cultiver. Quelques mots simples lui vinrent à l'esprit :

«Une chaumière et un cœur»

Puis il interrogea ses poignées de bicycle.

***

Épilogue

Le 31 décembre 1999

Ça parlait, ça criait, ça riait.

Le siècle tirait à sa fin.

Le millénaire en était à son tout dernier souffle.

C'était la fin d'un monde mais pas encore la fin du monde.

Et personne ne craignait vraiment le bogue de l'an 2000 qui avait tant fait jaser inutilement les médias ces derniers temps.

Paula et Grégoire étaient chacun à une extrémité de la table longue qui occupait une partie du solarium que l'on avait chauffé pour cette occasion spéciale. Un monde les séparait ; un monde les rapprochait.

Aubéline et André, bons cuisiniers, avaient tenu à s'occuper de tout, même du service. Et ils voulaient que la famille soit réunie dans de mêmes sentiments partagés et dans des idées, pas toujours les mêmes, mais largement ouvertes sur l'extérieur, sur le monde, sur un millénaire comme sur l'autre, sur le passé comme sur l'avenir et par-dessus tout, sur la vie quelle qu'elle soit.

L'amour de Paula pour sa chatte ne modifiait en rien celui qu'elle avait pour ses enfants et petits-enfants ; et son respect de la vie animale plus le fait que le potage soit à base de légumes cultivés dans leur propre jardin ne faisaient pas d'elle une végétarienne à tout prix.

On s'était partagé une dinde et chacun mangeait maintenant son dessert tandis que les enfants réunis au sous-sol s'inventaient de nouveaux jeux pour entrer dans le nouveau siècle. Il y en avait six en tout: trois à Nathalie, deux à Christian et un à Chantal.

Un moment, alors que tous communiquaient entre eux, Paula se retira en elle-même pour se souvenir. Pour reculer de vingt-sept années et revoir la petite famille de 1972 à table, au même endroit. Une parole qu'elle avait dite lui revenait en mémoire. «Les enfants, fermez les yeux et rouvrez-les aussitôt. Eh bien, la vie, ça passe aussi vite que ça! En un clin d'œil!» Et alors les quatre enfants s'étaient amusés en clignant des yeux et en se disant: «J'ai 40 ans. Toi, tu as 50. Non, j'ai 60, je suis une vieille mémère…»

Paula ferma les yeux et en les rouvrant, elle se dit: «J'ai 2 ans, pas 60…»

Puis Grégoire demanda l'attention de tous.

Il dit que Paula s'occupait de bonnes œuvres comme tous le savaient et qu'elle ne s'en vantait pas trop, et même qu'elle ne s'en vantait pas assez. Puis il montra la maison de la chatte posée sur une table plus loin et qui n'avait attiré l'attention de personne, disant qu'il l'avait placée là lui-même afin qu'elle serve de panier à charité pour les œuvres de Paula. Chacun à sa guise y mettrait son cadeau du jour de l'An, du jour du Siècle, du jour du Millénaire pour «les enfants de la lumière».

Paula en fut émue aux larmes, mais par un vain réflexe défensif, elle n'en laissa rien paraître. Nathalie comprit. Chantal aussi. Leur père tout autant. Seul Christian, grand amateur de hockey, et qui avait hâte à la dernière partie du siècle des Canadiens qui serait diffusée un peu plus tard à la télé, restait un peu en dehors de la complicité générale.

Dehors, le temps était polaire et le ciel profond.

Il avait été entendu que l'on reviendrait dans le solarium afin de porter un toast à l'an 2000 à minuit juste. Entre-temps, le ménage fut fait, des enfants furent couchés, Christian et Grégoire eurent leur hockey télévisé et André raconta plusieurs histoires drôles.

Paula récolta mille dollars dans la maison de la chatte. Un rien pour les donneurs; un bien énorme pour les receveurs. Il lui vint en tête une citation biblique: «Ce que vous ferez pour le plus petit d'entre eux, c'est pour moi que vous le ferez...»

À minuit moins le quart, ils se retrouvèrent donc tous à la table du solarium sous les étoiles et dans un éclairage réduit afin que le ciel soit plus beau et pour que reste gravé à jamais le moment d'éternité qui venait.

Une vieille horloge des années trente avait remplacé la maison de la chatte et elle donnerait les douze coups de minuit. Grégoire l'avait eue à travers son héritage de ses parents et il l'avait conservée pour, disait-il, la faire servir à son heure...

Comme si tout était orchestré par quelque magicien caché, au premier coup, la chatte sauta sur la table comme pour regarder le ciel aussi. Sandra, la plus vieille des petits-enfants qui se trouvaient là fut la première à lever son verre, impatiente et heureuse de participer activement à ce moment unique. Tous l'imitèrent.

– Bon siècle à tous! dit Chantal.

– Bon siècle! répétèrent les autres en chœur et avec cœur.

Chacun pouvait voir sa coupe sur fond de ciel étoilé. Alors au septième coup de minuit, l'impensable se produisit: une lumière traversa le ciel à une vitesse vertigineuse.

– C'est une étoile filante! dit Grégoire.

– Ou l'étoile de Bethléem! dit Paula.

Et elle pensa que deux vieux yeux rougis par le temps devaient la regarder, cette étoile, qu'elle soit filante ou sacrée, là-bas, au bord du fleuve.

{ ANDRÉ MATHIEU }

Auteur de *Aurore*, l'enfant martyre

Paula

Laissez-vous conquérir par les quatre saisons de la vie d'une femme au destin hors du commun !

{ ANDRÉ MATHIEU }

Auteur de *Aurore*, l'enfant martyre

La Saga des Grégoire

Succombez aux 7 volets de cette saga historique qui s'étend du XIXe au XXe siècle. Découvrez la vie mouvementée de la famille Grégoire avec comme point central le magasin général fondé par la famille. En plein cœur de Saint-Honoré-de-Shenley, des générations de personnages vivront drames, amours, tragédies et bonheur.

Les Éditions

Coup d'oeil

www.facebook.com/EditionsCoupDoeil

{ ANDRÉ MATHIEU }

Auteur de *Aurore*, l'enfant martyre

Rose

Une émouvante saga historique
au cœur du Québec !

Les Éditions
Coup d'œil

www.facebook.com/EditionsCoupDoeil

{ ANDRÉ MATHIEU }

Auteur de *Aurore*, l'enfant martyre

Une histoire d'amour impossible
qui vous chamboulera !

Les Éditions
Coup d'œil

www.facebook.com/EditionsCoupDoeil